LA TRISTEZA DE LA REINA

SUZANNAH DUNN

algaida
INTER

Título original: *The Queen's Sorrow*
Editado en Reino Unido por HarperCollins Publishers
77-85 Fulham Palace Road
Hammersmith. London W6 8J

Primera edición: marzo, 2009

© Suzannah Dunn, 2008
© de la traducción: Celia Recarey Rendo, 2009
© Algaida Editores, 2009
Avda. San Francisco Javier, 22
41018 Sevilla
Teléfono 95 465 23 11. Telefax 95 465 62 54
e-mail: algaida@algaida.es
Composición: Grupo Anaya
ISBN: 978-84-9877-193-0
Depósito legal: M-7051-2009
Impresión: Huertas, I. G.
Impreso en España-Printed in Spain

A Peter Hunter

Si Dios tiene a bien darle un hijo, las cosas irán a mejor. De lo contrario, preveo males a tan gran escala que la pluma apenas puede expresarlos.

SIMON RENARD, enviado imperial en misiva al emperador Carlos V, 1555

INGLATERRA, POR FIN, A LA VISTA: UN PEQUEÑO ASENtamiento portuario agazapado en la costa. Y lluvia, todavía aquella lluvia, justo como le habían advertido. Mediados de agosto, y había llovido los tres días (y las noches, las largas noches) que llevaban fondeados frente a la costa. No era que no lloviese en España. Llovía mucho, a veces, a veces incluso en agosto; a veces todo el día, tal vez hasta varios días, pero luego terminaba y se iba y el sol volvía a abrirse paso en el cielo. En España, uno se maravillaba ante la lluvia, buscaba abrigo, la soportaba. Era exuberante, una visita. No como aquella.

Más que caer, aquella lluvia inglesa se dejaba arrastrar por el viento. Se apoderaba del aire; se posaba sobre él y le empapaba la ropa, la piel, los huesos. Debería volver abajo, pero se quedó en cubierta mientras el barco avanzaba. Un corrillo de edificios portuarios y, más allá, hacia el horizonte, el verde. Había verde en España: desde el sutil verde azulado con toques de plata de los olivos y los almendros, al profundo y oscuro brillo de los limoneros y los naranjos y, en medio, la vid, el suave tono de la vid. Había mucho verde en España, cultivado, sobre parras y en bancales. Pero aquel verde, aquel verde inglés parecía implacable, trepando por cada rincón de la tierra en lugar de regalarla.

Seis semanas, le habían dicho. Nada más. Seis semanas, como máximo, en Inglaterra. El primer barco rumbo a casa zarparía en seis semanas. Haga el trabajo que le hemos mandado a hacer y después podrá volver a casa.

Inglaterra: una pequeña y estrecha isla más allá de los confines de todo. Un lejano rincón del mundo, donde el mar se volvía sobre sí mismo, ondeando salvajemente, y el sol era indiferente.

¿Qué estarían haciendo ahora en casa? Rafael cerró los ojos para ver los luminosos tonos del patio, se arriesgó a soltar la barandilla para tocar el pequeño cuadrante que llevaba en el bolsillo; solo tocarlo, porque no servía de nada, calibrado como estaba para una latitud distinta, y, de todas formas, no había sol. No sabía qué hora era aquí ni allá. Pero fuese cual fuese la hora en casa, si no ahora, pronto habría alguien en el patio sacando agua del pozo con aquel particular chirrido perenne de la polea. Y aunque el patio estuviese, desierto, se oiría la charla de las mujeres tras las persianas: su madre, su tía, su cuñada y Leonor.

Y Francisco, su Francisquito, a quien le encantaba agazaparse junto al pozo para chapotear en las salpicaduras. Y si el cubo lleno quedaba desatendido durante el más breve giro de la cabeza, removía su contenido con la palma de la mano vuelta hacia arriba, cogía un poco y lo dejaba rebosar por encima de la muñeca y resbalar por el brazo hasta salpicar las baldosas. Entonces Leonor acudía a Rafael para que lo detuviese, y Rafael lo cogía, viéndose ya obligado, en aquellos días, a prepararse para contrarrestar la fuerza de la imprudente y temeraria embestida de su hijo en la dirección opuesta.

Alguien se había equivocado. Eso había oído Rafael. Algún alto funcionario del lado español debía haber informado al príncipe de que su prometida, la Reina de Inglaterra, había preparado la dotación necesaria para él; no económicamente (ni un penique), sino en términos de personal. Habían instalado toda una casa —cientos de ingleses— para él en la Corte. El príncipe, siempre tan diplomático, no había dado por sentado que se haría provisión alguna, por lo que, a pesar de sus meticulosos planes para realizar una entrada suave y discreta en Inglaterra, había acudido hacía un mes con trescientos hombres a un palacio que apenas tenía espacio para ellos.

Al parecer, habían convencido a varios londinenses para alojar a algunos de ellos. Y ahora, a Rafael y Antonio: llegadas tardías, rezagados. A Rafael no le importaba el cambio de planes. Aquella incomodidad inicial, sí, por supuesto que le importaba: esperar para que se le asignase un anfitrión cuando ya habían soportado cinco días en alta mar y luego el prolongado viaje por tierra en medio de la lluvia que arreciaba. Pero en general, no. No iba a costarles nada —seguirían proporcionándoles todo lo necesario— y prefería alojarse con una familia local que sufrir las estrecheces de la Corte.

A Antonio, como cabía esperar, sí le importaba. Sin duda había alardeado en casa de que iba a vivir inmerso en el esplendor real. Mientras Rafael esperaba en la oficina asignada para tratar los asuntos españoles, Antonio merodeaba por el patio exterior, ignorando la lluvia, en busca de conmiseración con compañía de similar parecer; lo que significaba compañía distinta de la de Rafael. ¿Cómo lo hacía?, ¿cómo conseguía hacer sentir a Rafael como si fuera su padre? Lo hacía continuamente; llevaba haciendo que Rafael se sintiese de mediana edad los cinco años que llevaban trabajando juntos, cuando, en realidad, el propio Antonio estaba ahora cerca de la treintena, sólo se llevaban doce años.

Rafael había esperado que les tratasen por separado, pero luego todo fue «Rafael de Prado y su ayudante, Antonio Gómez».

«Ayudante», a Antonio no le iba a gustar. Trabajaba para Rafael en los proyectos de Rafael, no «ayudaba». Por fortuna, no lo había oído. El funcionario español consultó con aire irritado con su homólogo inglés, que hablaba español, antes de decir «Kitson» y ofrecer sus notas a Rafael, agitándolas e indicando el nombre con la punta del dedo. Rafael fingió mirar, pero no lo hizo; simplemente se concentró en repetir «Kitson». Un alivio: no era tan difícil de pronunciar. Al menos sería capaz de manejar el nombre de su anfitrión.

—Comerciante —leyó el oficial.

Movido por el interés, Rafael preguntó:

—¿Comerciante de qué? —pero el funcionario se encogió de hombros, dejando claro que había terminado.

Muy bien. Rafael se hizo a un lado para esperar a que fuesen a recogerle. Se apoyó contra una pared, deseando poder evitarse también a sí mismo de algún modo. Necesitaba un baño. Ansiaba un baño. Notaba la piel... bueno, la *notaba*... era una presencia, cuando normalmente no habría sido consciente de ella, se habría encontrado a gusto en ella. La sentía irritada y tensa. Su gran esperanza era que no hubiese más «presencias», nada que hubiese hecho su propio viaje desde otro viajero. Pero era inevitable, lo sabía. Cada vez que estaba a punto de rascarse, se contenía, soportaba el escozor, intentaba hacerlo desaparecer con la mente, pensar en otra cosa, pero no podía pensar más que en el agua: agua cálida y limpia. Estaba más que harto de agua marina. Tenía el pelo encrespado y la ropa acartonada por la sal. Agua limpia y cálida en la que perderse. Media hora metido en el agua, eso anhelaba. La travesía ya había sido bastante mala, pero ahora estaba dolorido por el trayecto en carro: las sacudidas se le acumulaban en las articulaciones y estaba deseando ponerse a remojo para desprenderse de aquel agarrotamiento.

En casa sería fácil, daría un paseo por las tierras de la familia hasta el estanque velado por los arbustos en el recodo del río. Se desvestiría, se encaramaría sobre las rocas para encontrarse con el resplandor del agua y —aquí siempre se deleitaba— contemplarla unos instantes antes de entregarse a ella. Se sentaría en las rocas con la luz del sol en la espalda. Todavía sentado, se echaría hacia delante para dejarse caer y entonces —¡Dios!—, el frío le azotaría y le estrujaría, pero su quejido no llegaría a la superficie porque, como por arte de magia, el frío era cálido. ¡Cálido! Completamente cálido. Qué engaño. Sería engañado y le encantaría. Pasearía y se repantigaría, mirando ambas orillas y sintiéndose alejado del mundo, liberado de él.

Pero aquí, en Inglaterra, con aquel frío, nadie iba a quitarse la ropa y atreverse a zambullirse.

Llegaron dos hombres con librea que miraron de soslayo a Rafael y apenas se dirigieron a él ni a Antonio. Entre sí, sin embargo, la pareja compartió bastantes comentarios, todos ellos con un sonido incómodamente similar a la queja.

—¿*No horses?* —preguntó uno de ellos a Rafael; o más bien ladró con tono despectivo. *Caballos,* tuvo que adivinar Rafael por sus gestos: el hombre estiró exageradamente la espalda, con las rodillas dobladas y los puños juntos en alto.

—No —fue todo lo que dijo Rafael. Lo que hubiera dicho, si no estuviese prohibido revelar dicha información, habría sido: *Un millar de caballos, todos ellos de guerra, nada menos; nuestros barcos españoles han traído un millar de caballos de guerra.* Pero ninguno había arribado a Southampton, permanecían fondeados frente a la costa. Los caballos eran para la guerra con Francia; ahora que la boda ya se había celebrado, pronto seguirían su travesía hasta los Países Bajos, al igual que la mayoría de los hombres y, según los rumores, el propio príncipe, ansioso por aportar su grano de arena pero, como recién casado, obligado a encontrar el equilibrio entre expectativas y exigencias.

Pero Rafael no. Rafael no era soldado. Haga el trabajo que le hemos mandado a hacer, le habían dicho, y después podrá salir de allí en el primer barco rumbo a casa. Llegar en el último barco e irse en el primero. Seis semanas como máximo, le habían dicho. No le harían falta más que dos o tres. Seis semanas como máximo, se recordaba una y otra vez. Lo recordó mientras, con Antonio detrás, seguía a los dos hombres de aspecto miserable afuera del patio.

Los siguió y entonces, tras un edificio, al doblar una esquina, surgió el río, poniendo fin a la tierra, recostándose sobre ella, gordo y plateado, rebosante y resplandeciente a pesar del cielo plomizo. Mil yardas de ancho, había oído, y, al verlo, lo creyó. A pesar del frío que hacía en los escalones del muelle, Rafael se alegraba de estar allí. Había mucho que ver, desde veloces esquifes con un remero y un solitario pasajero a barcazas pintadas y sobredoradas, con baldaquinos y cortinajes, remolcadas por botes con ocho o diez remeros. Dos de aquellas barcazas aguardaban junto al malecón, con su arrogante personal uniformado frunciendo el ceño en los escalones en un intento por hacer ver su superioridad mientras sus pasajeros iban de un lado a otro para reunir sus lujosos enseres. Otra barcaza acababa de salir río abajo, probablemente rumbo a la ciudad, ganando velocidad con sus estandartes de seda moviéndose frenéticamente en la brisa. Otras barcazas más prácticas carecían de baldaquinos, pero lucían asientos tapizados. Una se aproximaba al malecón, otra efectuaba el desembarco, con su clientela de discretos ropajes sujetándose las capas mientras buscaban con las manos las barandillas y aceptaban la ayuda de otras manos; sus cuatro remeros descansaban, sonrojados, dejando los remos flotar plácidamente. Un caballero que estaba desembarcando llevaba dos perros consigo, atados con correas, con collares tan anchos como sus esbeltos cuellos; se escabulleron delante de él hasta tierra firme. Tras las barcazas, barcos corrientes competían por hacerse sitio con sus cargas de cajas cubiertas, sus tripulaciones de camisas remangadas y pesadas botas. También había caballos, observó Rafael para su sorpresa. En su campo visual entró deslizándose un buque con cinco caballos. Todos salvo uno permanecían inmóviles, con aire ceremonioso, los hocicos alzados hacia la brisa; el problemático agitaba con fuerza la cabeza y un sirviente hacía todo lo posible por calmarlo. En la distancia, pasaban esquifes en ambas direcciones, con sus cascos centelleantes, los pasajeros agachados y los remeros, solos o en parejas, clavando los remos en el agua. En medio de todo aquello, varios barcos de pesca reclamaban su momento: un par de docenas, calculó, en aquel tramo. Y había cisnes por todas partes, algunos solos, otros en grupo, todos con gesto ofendido.

Rafael envidió a los cisnes; olvidando momentáneamente el frío, deseó sentir sus pies dentro del agua como ellos. De repente estaba impaciente por zambullirse en ella, sentirla bajo su cuerpo, exuberante, y olerla, aspirarla, áspera y fragante. Pero Antonio y él tuvieron que esperar cerca de un cuarto de hora hasta que una pequeña embarcación —descubierta, para su decepción— se acercó al muelle y su equipaje fue subido a bordo. Los tres remeros tenían el pelo empapado en sudor a pesar del fresco, era evidente que habían tenido mucho trabajo. A Rafael le pareció que tenían cara de caballo, con aquellas facciones alargadas, de dientes grandes —cuando tenían alguno—, propias de los ingleses.

Se preguntó qué les parecería él a ellos. Extranjero, sí, sin duda, ¿pero en qué medida? ¿Qué clase de «extranjero»? Había atraído algunas miradas en el malecón, era consciente de ello, pero eso también le sucedía a veces en España. Allí, sin embargo, era por la sospecha de tener sangre judía. En España, tenía aspecto de ser descendiente de judíos, como si procediese de una familia de conversos, pero en Inglaterra no había judíos desde hacía más de trescientos años, ¿sabrían los ingleses qué buscar siquiera? Antonio había atraído cierto interés pero era porque —a pesar de sus esfuerzos por aparentar lo contrario— iba con Rafael. Tal vez solo, con su pelo casi rubio, pudiera pasar desapercibido allí.

Una vez a bordo, ellos y sus dos guardas uniformados fueron conducidos río arriba, rumbo al norte, entre las sombras de las paredes del embarcadero de Whitehall, el palacio donde tendrían que pasar la tarde. El mayor palacio de la Cristiandad, según había oído Rafael. Habían arrasado toda una ciudad solo para hacer sitio para las canchas de tenis. Lo había construido el padre de la Reina, el que había tenido tantas esposas y había matado a varias de ellas. El que había encerrado a la esposa española que tantos años le había servido, la madre de la Reina, y había dado la espalda al Papa para poder casarse con su amante inglesa. Y ahora, veinte años después y contra todo pronóstico, las tornas habían cambiado y la única hija, medio española y repudiada, de aquel primer matrimonio de aciago destino era Reina y se había casado, a su vez, con un español, y aquel palacio era suyo.

E Inglaterra era suya y, como ella, era católica. Esa era la idea. Al menos, la idea de la Reina. El problema era que el pueblo inglés tenía otras ideas, según había oído Rafael. No se lo estaban tomando en serio. En una iglesia, la pasada Pascua, habían robado la Sagrada Forma en algún momento entre el Viernes Santo y el Lunes de Pascua, de manera que, llegado el momento de la presentación triunfal, no había nada, y la congregación se echó a reír. Nadie se hubiera reído jamás en una iglesia española. Nadie se habría atrevido.

Y al igual que se había equivocado al dar por sentado que su pueblo aceptaría fácilmente la vuelta a Roma, la Reina también se había equivocado al dar por sentado que recibirían con agrado la noticia de su inminente matrimonio. En el barco que les había llevado hasta allí ya podía respirarse el pésimo recibimiento que les esperaba por parte del pueblo inglés. Alguien que conocía a alguien que podía leer en inglés decía haber visto un panfleto en el que se afirmaba que miles de españoles vivirían y trabajarían en Londres antes de terminar el año. *Avispas españolas,* decía, que venían a robar su sustento a los ingleses. Según otros, la gente había lanzado bolas de nieve a los dignatarios a su llegada a palacio para tratar el matrimonio. Este último rumor asusta-viejas había impresionado menos porque nadie sabía hasta qué punto suponía un ataque serio: ¿hacían daño las bolas de nieve? Consultaron a alguien del interior de España y, para alivio de todos, encontró la anécdota divertida.

Las inglesas eran desvergonzadas, eso también lo había oído Rafael durante el viaje, pero él sabía lo suficiente como para no creer lo que los hombres decían de las mujeres. No había visto a muchas inglesas hasta el momento, y sólo había captado atisbos fugaces mientras él y sus compatriotas atravesaban ciudades, aldeas, patios. Lo que le sorprendía de ellas era que apenas se cubrían la cabeza. No llevaban velo alguno. Le había preocupado mirarlas, expuestas como andaban. Pero había mirado. No sabía cómo mirarlas, esa era la cuestión. Ellas lo miraban a él y a sus compatriotas, se giraban y los miraban, pero por el momento no había logrado leer sus expresiones ni una sola vez.

Como la mayoría de los españoles, lo único que conocía de Inglaterra antes del escándalo del promiscuo Rey excomulgado era al Rey Arturo y su tabla redonda. Cuando era un muchacho, él y su mejor amigo Gil habían vivido y respirado los relatos del Rey Arturo inglés. Había olvidado aquellas historias hasta que supo que venía aquí, pero en su infancia, como para tantos otros muchachos españoles, aquello había sido Inglaterra para él. Lo mismo les sucedería a muchos de sus compatriotas, imaginaba. Ahora, sin embargo, no parecía capaz de recordar más que un brazo que emergía de un lago sosteniendo una espada. Un brazo de mujer alzándose fuerte y decidido sobre la oscuridad y la maleza: *Toma, cógela.* Muy práctico. Bueno, por lo que había visto, en Inglaterra no faltaban los habitantes acuáticos. Por lo que sabía, las damas de los lagos bien podían ser habituales.

No pudo evitar sorberse la nariz. Había observado que todo el mundo se sorbía la nariz continuamente y ahora él también lo hacía. Según había oído, el príncipe había tenido un resfriado tremendo en su boda, a los cuatro días de llegar a puerto. Antonio tenía la nariz y las comisuras de los ojos enrojecidas por el viento. Estaba desgreñado, no había otra forma de expresarlo. Cómo debía de odiar aquello. Su cabello prácticamente rubio, sin lavar y húmedo, se veía oscuro; la pluma de su sombrero, lacia. Por supuesto, el propio Rafael no tenía muy buen aspecto, pero no esperaba otra cosa. Él no contaba con el juvenil encanto de Antonio. Ni que decir tiene, Antonio tampoco contaba con su encanto juvenil en aquel momento. Y estaba perdido sin él. Así era como se ganaba a la gente; a todos, salvo a Rafael, por supuesto, eso ni soñarlo. Aquí en Inglaterra, hasta el momento, no le había funcionado. Era interesante observarlo, pero Rafael evitó regodearse. Porque, le gustase o no, estaban juntos en aquello, en aquel viaje, aquella escapada.

En la otra ribera no había más que pastos. Algunos árboles, grandes pero cortados para leña. Bueno, sin duda la necesitarían. Unas cuantas parcelas cultivadas —parecían huertos, aunque era imposible distinguir desde el barco qué se cultivaba— y, de vez en cuando, un bosquecillo de frutales. Más allá, al sur del río, se veía poca cosa.

Cuando el río se curvó hacia el este, dejaron por fin atrás el palacio y el grupo de edificios de aspecto oficial. Aquella zona era residencial, ¡y qué residencias! Creía que nunca vería nada que pudiera rivalizar con las mejores casas de Sevilla —no había lugar en el mundo tan rico como Sevilla— y, como le habían dicho que los ingleses eran un pueblo dejado de la mano de Dios, no esperaba semejante elegancia. Aquellas casas orientadas al sur tenían embarcaderos propios y, a través de inmensas puertas de forja, pudo vislumbrar extensos jardines de formas geométricas, estatuas, fuentes y, desafiantes bajo aquel cielo apagado, relojes de sol. En la distancia, tras los muros que daban al río, se veían los edificios de ladrillo rosa rojizo y sus promontorios de altas chimeneas retorcidas.

Conforme el barco se deslizaba a lo largo de la ciudad, lo que más impresionaba a Rafael eran las muchas, muchísimas chimeneas sumidas en una bruma de humo. En aquella época del año, los fuegos solo serían para cocinar. ¿Cuánto peor sería el aire en invierno, cuando los londinenses necesitasen también calentarse? Y sobre todo ello, se alzaba una afiladísima aguja que parecía llegar a los cielos. Uno de los hombres le vio mirando y, gesticulando hacia ella, dijo: «St. Paul's». Lo había dicho con un gruñido, pero Rafael sonrió para agradecerle la información.

Al levantarse para desembarcar, se giró para ver un inmenso puente que había río abajo. Era el único puente, todos los demás cruces desde otros puntos se hacían mediante los pequeños esquifes que habían ido pasando por delante y por detrás de su embarcación, pero si una ciudad no había de tener más que un puente…

—¡Mira! —se oyó decir a sí mismo en voz alta. Estaba compuesto por arcos: diecinueve, contó en un cálculo rápido. Igual de impresionante, si no más, era la calle de casas de varios pisos que lo recorría todo a lo largo. Era como una pequeña ciudad al completo flotando sobre el río.

En el muelle, los dos hombres contrataron los servicios de un porteador para ayudarles durante el resto del trayecto, que había de realizarse a pie. El carro con los baúles echó a rodar delante de ellos, esquivó por poco a dos peatones antes de doblar la primera esquina, y pronto lo perdieron de vista. Rafael comprendió por qué las embarcaciones eran el medio de transporte preferido. Las calles eran como túneles: estrechas al principio, pero más aún —prácticamente cubiertas— por los pisos superiores, que se prolongaban sobre sus cabezas. Edificios con estructura de madera. Debía de haber un gran riesgo de incendio incluso sin los fuegos que se encenderían en aquellos hogares y tiendas durante el invierno. Prácticamente cada casa era, además, una tienda en el piso inferior. A su paso se abrían puertas de las que entraban y salían clientes con cestos colgados de los brazos. Muchos de ellos eran mujeres sin compañía. Casi todas las tiendas tenían fuera unas mesas montadas sobre caballetes en las que los londinenses se paraban —a veces abruptamente— a ver el género. Nunca había visto nada igual, era evidente que a aquella gente le encantaba comprar. Si se tenía dinero para gastar, aquel era el lugar ideal.

Algunas callejas estaban pavimentadas, pero muchas estaban cubiertas con tablones por los que todos debían pasar. A los londinenses, por supuesto, se les daba mucho mejor que a él y a Antonio. A los londinenses se les daba bien, tenían práctica, habían aprendido a mantener el equilibrio. Inclinarse en exceso significaba caer en el barro y la mugre, y en unas pocas yardas sus botas presentaban un aspecto atroz. Uno de los hombres uniformados le dio en el hombro para captar su atención y luego se llevó las manos a los bolsillos: *Cuidado con los ladrones.* Rafael asintió en agradecimiento, pero no necesitaba que le instruyesen para protegerse de los ladrones, era de Sevilla. El problema era que no podía mantener el equilibrio con las manos en los bolsillos.

Vio mendigos tirados por el barro en cada esquina, sin apenas ropas, sin botas, y a menudo con niños. Suponía que eran niños, pero no había nada infantil en ellos. Gente pequeña. Lastimosamente pequeña, con las cabezas llenas de costras y manos que parecían garras. En Sevilla había mendigos, por supuesto, a millares, negros y blancos, procedentes de toda España y de las colonias; todos iban a Sevilla. Pero aquí, en Londres, parecían distintos, en cierto modo. Peores. Aquella gente —los pequeños en especial— tenían un aspecto verdaderamente miserable. Tal vez fuese porque tenían frío. Tal vez por el olor a carne asada que parecía estar por todas partes en aquel lugar pero no era para ellos, eso no debía de ayudar. En el barco se había enterado de que no había caridad en Inglaterra. No había nadie que la practicase; no había frailes, ni monjas. No había instituciones religiosas desde hacía veinte años, gracias al antiguo Rey. No había lugar alguno al que la gente pudiese acudir en tiempos difíciles, nada sino las calles. *Odio este lugar,* la frase surgió en su interior y se abrió paso hasta su garganta. *Odio este lugar, lo odio.* El aire sofocante, las calles abarrotadas, los niños desgraciados. ¿Cómo iba a sobrevivir a aquello? Ni siquiera un día, mucho menos seis semanas.

Cerca de un cuarto de hora más tarde, se encontraban en una tranquila callejuela donde no había más tiendas que la que parecía ser la de un fabricante de guantes.

25

Los dos hombres uniformados consultaron una nota que habían sacado de un bolsillo, abordaron al único transeúnte que pasaba por allí en busca de confirmación y luego indicaron a Rafael y Antonio que habían llegado. A Rafael le resultaba difícil orientarse con el sol oculto tras los altos edificios y luego tras las nubes, pero decidió que la calleja iba aproximadamente de norte a sur. Todo lo que se podía ver de su destino era un alto muro de ladrillo rojo en el que había un robusto portón de madera coronado por un letrero con dos llaves cruzadas. Un golpe en la puerta provocó los ladridos de varios perros y convocó a un hombre con un chaleco azul mucho menos elegante que los ricos ropajes con botones dorados, galones y emblemas de las casas reales, pero que no dejaba de tener el aspecto de una librea. Peleando por controlar a los dos lebreles, condujo a los visitantes a un patio adoquinado y allí estaba la casa: de cuatro pisos y recién construida, con un revoque de color ocre, madera plateada y ventanas con cristales que desprendían destellos verdosos. En la pared había un sencillo reloj de cuadrante declinante —orientado al nordeste, por tanto— que de nada serviría salvo en las mañanas más soleadas.

Siguieron al porteador y a los perros hacia la puerta principal de la casa, flanqueada por matas de romero, que contaba con un curioso llamador: la cabeza de una bestia, algún felino, un leopardo. Un golpe del mismo hizo que se abriese la puerta —más alboroto, más perros— pero hubo que mandar a buscar a alguien más para que les recibiese en el interior. Y vaya si era alguien: un joven alto y esbelto con el cabello como seda dorada. Todo sonrisas. Buenos

dientes, con un único hueco, apenas visible. El mayordomo de la casa, según supo después Rafael. Hizo una gran
ceremonia de su bienvenida a la casa, aunque ellos no en-
tendieron nada de lo que decía; pero fuese lo que fuese, lo
dijo con estilo. Adulador, fue la palabra que le vino a la
cabeza. Y las adulaciones le parecieron estupendas después de todo un día siendo ignorado. A Rafael le hubiera
gustado poder responder de forma más efusiva, hacer el
esfuerzo de meterse en la representación, pero no había
caído en la cuenta de lo agotado que estaba hasta verse
ante semejante efervescencia.

El hombre les llevó con prontitud hasta unas escaleras, al tiempo que ahunyentaba a los perros de la casa,
subieron un tramo de escalera y luego recorrieron una galería alfombrada de arpillera, con las paredes empapela-
das con un papel estampado en naranja y turquesa, que
conducía a más escaleras, tres tramos más. La habitación
era pequeña y sencillamente encalada, con una ventana
con cristales pero sin chimenea, y la luz del sol era tan débil que no pudo discernir su aspecto inmediatamente. Sus
dos baúles habían sido entregados. Sobre la cama había dos
montones de sábanas, dobladas. Les enseñaron con des-
gana una carriola; para Antonio, comprendió Rafael con
desesperación, él también se alojaría allí. No había escritorio, no cabría al sacar la carriola.

El mayordomo les confiaba algo, hablaba rápido y en
voz baja, con las cejas levantadas; señaló la puerta, las escaleras, tal vez el resto de la casa. Rafael tuvo la impresión
de que se trataba de una explicación y una disculpa. La
casa estaba llena y aquello era lo único que había. Rafael

procuró no dejar de sonreír y asentir; Antonio, observó, miraba malhumorado hacia la ventana. El mayordomo vestía el mismo azul que el porteador, pero mejor cortado y mejor mantenido, y debajo llevaba una camisa de buen lino, tal vez incluso de lino de Holanda. Había dejado de hablar y ofrecía una mano a Rafael, con la palma hacia arriba; con la otra mano golpeó la palma y luego se la llevó a la boca. ¿Comida? Luego, desde la puerta, gesticuló con la mano que había sostenido la comida imaginaria: *Les traerán algo de comer,* comprendió Rafael que quería decir. Más sonrisas y asentimientos. No se mencionó la cena. Cenarían en la casa todos los días. El almuerzo en palacio, la cena en casa de los Kitson, ambos sin coste alguno, ese era el trato, o eso le habían dicho. ¿Era posible que hubiesen llegado tarde para cenar? ¿A qué hora comía aquella gente? El mayordomo se marchó, haciendo reverencias mientras salía por la puerta, listo para derramar su abundante amabilidad sobre otros. Ya les había despachado.

Rafael se sentó en la cama —¿adónde más podía ir?— y se sintió como si no fuese a levantarse jamás. Había sido un día muy, muy largo, parecía haber empezado muchos días antes. Y en cierto modo, así era, trece días antes, cuando había salido de casa. Dos días de camino hasta el puerto, cinco días navegando por el mar, tres fondeado y luego tres días cruzando Inglaterra. Y allí estaba, había llegado; acababa de llegar, pero ya estaba listo para volver a casa. El viaje había terminado —lo había hecho, había ido a Inglaterra— y ahora quería irse a casa. Tenía un hogar, y el mero hecho de tenerlo era irresistible: su hogar era donde debía estar. Lo único que tenía que hacer era

dar media vuelta e irse. Pero se sentía a la deriva, y desesperado por volver a ver a Leonor y a Francisco.

Antonio dijo: «Voy a salir a tomar algo». Habló desde la puerta, no había llegado a pasar de ella. No dijo *¿Vie-
nes?* Y, por supuesto, Rafael no lo hizo. Había imaginado
que podían tener una tregua temporal en aquella primera
noche al final de su largo viaje. Una tregua desganada.
Pero no, y en realidad se alegraba, se sintió aliviado. Habían pasado todo el día en compañía del otro y, para su
horror, iban a pasar en compañía del otro todo la noche.
No obstante, dijo: «No hablas inglés», aunque quería decir *Eres español.* Y, como ambos sabían, no era buena cosa
ser español en Londres en aquel momento.

Nadie esperaba tener problemas con los nobles y los
funcionarios —habrían sido educados en las buenas maneras y tendrían trabajos que hacer que les mantendrían
ocupados—, pero, según había oído Rafael, la gente corriente ya era conocida por su aversión a los extranjeros en
el mejor de los casos, por no hablar de un momento en el
que su monarca se había convertido en la esposa de un
extranjero. Su gobernante, ahora convertida en la esposa
de alguien y, lo que era peor, alguien que no era sino el
heredero del mayor imperio del mundo. ¿Quién, en aquel
matrimonio, debía obedecer a quién? ¿Debía ella obedecer a su esposo, o debía él, que no era más que un príncipe
en su país, obedecerla a ella? Pero él era su esposo, ¿cómo
podía no obedecer una esposa? Bueno, con considerable
facilidad, como bien sabía Rafael y, apostaba, un motón de
maridos con diversos grados de felicidad y éxito. Pero la
Iglesia, en su sabiduría ajena al matrimonio, lo considera-

ba imposible. La esposa obedece al esposo, así de sencillo. De todas formas, un día no lejano aquel marido —por más que tuviera fama de dócil— gobernaría gran parte del mundo, lo que implicaba una razón más, según se creía, para que su esposa se fuese acostumbrando a pasar por el aro. En el barco les habían advertido una y otra vez que debían anticiparse a la ambigüedad de los ingleses y tratar de comprenderla. Debían comportarse en todo momento como invitados agradecidos y no caer jamás en la provocación porque los ingleses —gente dejada de la mano de Dios en su isla— son unos bárbaros y no debemos rebajarnos a su nivel. Y recuerden, por encima de todo, recuerden que no será por mucho tiempo. Seis semanas y nos iremos, con la misión diplomática cumplida. Hasta entonces, sean discretos.

¿Cómo podía considerarse discreto entrar en una taberna londinense hablando español? Pero, por supuesto, Antonio tenía una respuesta, como para todo, por más que aquella fuese incomprensible para Rafael. Era inglés, lo sabía, probablemente *Póngame una jarra de su mejor cerveza, caballero.* Pero demasiado rápido para que él pudiese entenderlo. Todos habían aprendido un poco de inglés durante el viaje —saludos, expresiones de cortesía, unos cuantos nombres importantes— de los marinos ingleses y Rafael le había dedicado más tiempo y más empeño que la mayoría, pero lo que a Antonio le faltaba en dedicación, lo compensaba sin duda en confianza. Así que allí estaba, dispuesto a beber con los paisanos.

Pues bien, buena suerte. Una vez solo, Rafael se recostó en la cama sin hacer. *Esto está tan lejos de casa,* pensó. *Leonor, esto está tan lejos de casa.* Pero ella no querría oír eso, ella querría que le hablase de la casa. ¿Qué podría decirle? *Estoy en una gran casa londinense. Con criados de uniforme. Aunque tienen perros dentro de la casa.* Mentalmente, volvió a recorrer la casa por donde habían venido, esta vez tomando nota y tratando de adelantarse con la mirada. *Todo es nuevo, por lo que parece: artesonados recién pintados, con los marcos rojos e incrustaciones doradas. Tapices con tal lustre que hacen parpadear a uno. Hay un reloj junto a la puerta principal, Leonor, y sabes que bajaré para observarlo más de cerca.* A ella no le interesaría el reloj, los relojes no eran de su interés. Se incorporó, pero apoyó la cabeza sobre las manos. *Francisco, mi muñequito, el llamador de la puerta es una cabeza de leopardo. ¡Sí! Una cabeza rugiente que guarda la casa. Tendré que ser valiente cada vez que llame. Y también hay perros, dentro de la casa. Vine aquí, a esta casa, por un río; es casi tan ancho como alcanza la vista, y tiene mucho movimiento, es como una ciudad en sí mismo. No solo hay barcos, también cisnes, cientos y cientos de cisnes. Y a lo largo del río hay unas casas rojas enormes, grandes como castillos. ¿Te acuerdas, mi niño, de tu «casa púrpura»?*

No, no se acordaría, y al mismo Rafael le sorprendió el recuerdo. Francisco no había mencionado su «casa púrpura» en mucho tiempo, quizá un año o más, pero cuando tenía unos dos años, si algo le gustaba, decía que lo quería para su «casa púrpura». *Lo quiero para mi casa púrpura:* un taburete, un cuchillo con el mango tallado, el burro de un vecino. Nadie más que Francisco sabía qué era o dónde estaba aquella casa púrpura, pero estaba bien amueblada. Sin embargo, hacía mucho que la había olvidado. La había dejado atrás.

¿Qué tendría yo en mi casa púrpura? Rafael se rio de sí mismo, aunque era consciente de que estaba a punto de llorar. Aquellos últimos trece días le había impresionado profundamente lo mucho que añoraba su hogar, la ferocidad de aquella añoranza, lo incesante que era. Aturdido, así se sentía. A punto de derrumbarse. Vacío, como si le hubiesen arrebatado algo. Su pecho aullaba de dolor y estaba confuso y avergonzado porque no veía indicios de que otros hombres se sintiesen así. Desde luego, Antonio no. Por otra parte, otros hombres también lo ocultarían, sin duda, así que no había manera de saberlo. No había previsto sentirse así. A menudo había estado lejos de casa, a veces un par de semanas, y nunca lo había disfrutado, pero nada le había preparado para aquello. Y como no lo había previsto, se sentía pillado en falta, engañado, le había tomado por sorpresa y, por tanto, se sentía esclavizado por aquella sensación. No veía cómo podía liberarse de ella, o cómo iba a arreglárselas, cómo iba a salir adelante, día a día. El sentido común le decía que lo haría, que la sensación se atenuaría, pero él no lo creía. Su añoranza iba a perseguirle.

Echaba en falta a su pequeño Francisco —Señor, cómo le añoraba— y en seis semanas se perdería muchas cosas, puesto que estaba creciendo tan rápido. Parecía crecer una cuarta entera de cada vez. Rafael tenía la sensación de que su hijo ya le llegaba al pecho; sabía que no podía ser así, pero ahí era donde sentía su falta, ahí era donde se encontraba el vacío. Aquella cabecita. Rafael ansiaba sujetarla entre sus manos como hacía cuando Francisco era un niño pequeño; notar su peso, disfrutar de su solidez y de la forma en que le cabía en una sola mano. Y el pelo de su pequeño: *su absurdo pelo rubio,* como Rafael pensaba cariñosamente en él. Ansiaba tocarlo, deleitarse en su abundancia. No tenía mucho de recién nacido, la mayoría le había crecido después, cosa que a Rafael le parecía casi cómica, y conmovedora: todo aquel ajetreado, vigoroso y gloriosamente inconsciente crecimiento que Francisco había alcanzado por sí mismo.

¿Y si le pasaba algo a Francisco mientras estaba fuera? Eso era lo que lo que había tenido en vilo durante las dos últimas semanas. Eso era lo que le atormentaba, el miedo a no volver a ver a su hijo, a haberle visto ya por última vez. Una fiebre, una caída. Un acto de negligencia por parte de un criado o la crueldad de un extraño. Un absceso profundo en un oído, con el veneno goteando aún más adentro. Un arañazo de gato mal curado, una rueda de carro floja, una rama podrida, un mal paso en la orilla del río, la coz de un caballo… Todo o nada, en realidad. Al final podía ser una nadería. *Esas cosas pasan.*

Ansiaba poder preguntarle a Leonor *¿Cómo puedes vivir con este miedo?* Él parecía haber olvidado cómo hacerlo en trece días.

Pero Francisco estaba tan lleno de vida…, estaba repleto de vida, y si estuviese con él ahora, no se quedaría así sentado. *Déjalo ya,* se dijo Rafael. Deja esto. Por su bien. Porque, ¿qué clase de padre eres para él, aquí sentado de esta manera, prediciendo su muerte?

Y fue en ese momento cuando vio al niño. Antonio había dejado la puerta entornada y en el hueco apareció la carita infantil, un niño de unos cuatro o cinco años. Enormes ojos azules, expresión seria. Desde detrás de él llegó una reprimenda «¡Nicholas!», a la que reaccionó de inmediato, escabulléndose. La voz se había elevado hasta alcanzar no solo al niño sino también a Rafael. Y ahora, en un tono aún más alto, solo para él, oyó lo que interpretó como: «¡Disculpe!». El tono era alegre, confiado en la aceptación de la disculpa, pero no por ello menos sentido. Cruzó la habitación en dos pasos. No podía limitarse a quedarse allí sentado, en silencio, debía aceptar las disculpas y dejar claro que no le había molestado. Por el contrario, cualquier distracción era bien recibida, hasta un niño mudo.

En las escaleras había una mujer, una criada, a juzgar por su sencillo vestido de lino y su delantal azul. Se disponía a seguir bajando, con la cabeza, coronada por una cofia, inclinada y la nuca expuesta. No era muy joven ni vieja. Era muy pálida. Una mujer pálida e insulsa. Pero no en el mal sentido. Alta, de huesos largos y frente ancha, eso fue lo que le llamó la atención de ella. Eso y cómo tocaba al niño. Sobre un brazo llevaba enroscado un fino tejido, probablemente alguna prenda para arreglar, y la mano que tenía libre reposaba sobre el hombro del pequeño, dirigiéndolo ostensiblemente hacia el escalón que tenía delante pero, según le pareció a Rafael, menos para guiarle que como una excusa para tocarle. Reconocía la calidad de aquel contacto. El de una madre.

Ella levantó la vista, vio a Rafael, soltó un sorprendido «¡Oh!» y una sonrisa. Sintió que aquella sonrisa le hablaba, aunque no decía demasiado, apenas lo que cabría

34

esperar: *¡Niños!* Aquella resignación afectada que era en realidad un orgullo absurdo. Él lo hacía constantemente, lo sabía, en casa, en su vida. Le habría encantado poder decirle *Ah, ya sé, ya sé, mi muchacho...* y tuvo la sensación de que a ella le habría agradado. Un intercambio casual, sin importancia, pero un tipo de intercambio que no había mantenido en semanas. Y se dio cuenta de que empezaba a desear desesperadamente esa posibilidad. Así las cosas, devolvió la sonrisa y dijo: «No pasa nada, no pasa nada», olvidando el inglés y hablando su lengua, pero vio que ella le había entendido.

❧

Al día siguiente, Rafael y Antonio almorzaron en la Corte, en una estancia completamente separada para los españoles, antes de regresar a la casa de su anfitrión para la cena, como habían acordado. Para su gran disgusto, se enteraron de que la cena se servía a las cinco en punto. Justo después de su siesta, por tanto. Habían pensado pasar la tarde en palacio —y buscar algún lugar para acostarse—, pero cayeron en la cuenta de que, si la marea lo permitía, bien podían volver a casa de los Kitson después del almuerzo y descansar en la relativa comodidad de su cuarto hasta la cena. El problema venía después: sin duda, en casa de los Kitson todo el mundo volvería al trabajo durante unas horas después de cenar, pero Rafael y Antonio tendrían que hacer todo el viaje de vuelta a Whitehall. Y, una vez más, debían tener en cuenta la marea. Y también el coste, si bien la tarifa estaba regulada y era razonable.

A Rafael le habían dicho que todos sus gastos serían costeados, pero, por supuesto, había llevado algo de dinero. Lo hicieran como lo hicieran, los más de los días tendrían que pasar mucho tiempo esperando, tendrían algún gasto imprevisto y dos largos viajes de vuelta por el río.

Pero no por el momento. Aparte de un par de visitas, Rafael no necesitaba estar en ningún lugar en particular para hacer su trabajo, aunque le vendría bien contar con un espacio donde colocar sus bocetos. En un par de semanas, sin embargo, Antonio necesitaría un taller donde ejecutar su diseño.

El cansancio siempre le provocaba hambre y, tras una noche entera intentando dormir sin lograrlo en el mismo cuarto que Antonio y sus ronquidos, su cansancio era mayor del que una siesta podía reparar. Y, de todas formas, no había tenido mucho de descanso. El almuerzo de palacio había sido tan pesado que no habían podido enfrentarse al viaje por el río inmediatamente después y habían echado una pequeña cabezada —o lo habían intentado— en la incómoda y abarrotada habitación de unos amigos que había hecho Antonio. Luego Antonio había sugerido que se quedasen en palacio hasta la noche, saltándose la cena y apañándose con las sobras que les proporcionasen sus nuevos amigos, pero Rafael había insistido en que ambos mantuviesen las apariencias en la casa. Por una vez, haría que Antonio se comportase como era debido.

Pero lamentó su postura conforme llegaron a la puerta de la casa a las cinco en punto. Dentro había decenas de personas ya sentadas y apretujadas entre sí, mientras que otras se apresuraban a pasar por encima de los bancos y hacerse un hueco en las largas mesas. Era evidente que todos sabían cuál era su sitio. Incluso los perros, observó horrorizado: vio cuatro olisqueando entre los comensales y recibiendo la ocasional palmadita indulgente. Más allá de todo aquello, sobre un estrado situado en el extremo más alejado de la estancia, estaba la mesa de honor, elaboradamente dispuesta, todavía sin ocupar por el dueño de la casa, su familia e invitados.

¿Adónde vamos? Sintió que la gente les miraba, y no era de extrañar: él y Antonio llamaban la atención por su gesto vacilante. Las miradas no le parecieron abiertamente hostiles, pero no por ello resultaban menos difíciles de soportar. Era incapaz de mirarles a los ojos, había demasiados, y aunque pudiese ¿luego qué? Tenía la clara impresión de que, si les sonreía, no le devolverían la sonrisa. No querían sus sonrisas, solo querían echarle un buen vistazo: *extranjero, español.*

Entonces vio al mayordomo en el mismo instante en que este le vio a él, pero su alivio se desvaneció al comprender, por la fugaz expresión de sobresalto del hombre, que se había olvidado de ellos por completo. Ni siquiera aquel mayordomo extremadamente organizado tenía la menor idea de dónde debían sentarse —lo que era peor— estaba a punto de hacer una escena para enmendar la situación. Allá iba, con su gran sonrisa, examinando las mesas hasta que «¡Ah!», levantando las cejas y alzando el dedo índice, como si hubiese sabido todo el tiempo que estaba allí, como si de hecho lo hubiera reservado y solo lo hubiera perdido de vista momentáneamente: un sitio para ellos.

Conforme avanzaban hacia el banco, Rafael vio a la criada y a su hijo iluminados por la luz que entraba desde una ventana orientada al oeste. Al principio le pareció que ella le había visto, pero no, su mirada apenas rozó su rostro antes de seguir desplazándose, inmutable. Vio que le estaba susurrando algo a su hijo. Nadie hablaba en la habitación, pero ella había dicho algo rápidamente y en voz baja, apenas unas palabras esbozadas. Fingía inexpresividad, pero había tensión en su rostro. Ahora no sonreía. Los ojos del pequeño estaban fijos en ella. Rafael reconoció aquellas maneras suyas, distraídas y enfáticas al tiempo, maternales una vez más. Le había aclarado algo: *Te tengo dicho que...,* o *¿No te he dicho...?*

Durante los días siguientes, se sorprendió medio buscándola, porque la suya era una de las pocas caras que reconocía en la casa y la única que no parecía desconcertada al verle. Se había descubierto comprobando si andaba cerca, y sintiéndose más seguro —más en casa— si lo estaba.

Durante aquellos primeros días se mantuvo ocupado aprendiendo a manejarse. Lo primero que aprendió fue el trayecto para ir y volver de palacio, que resultó ser bastante fácil. Luego, en palacio, tenían que encontrar un sitio para que él y Antonio pudiesen trabajar. Para que aquel requisito básico se cumpliese, tuvo que citarse varias veces con el personal correspondiente, que luego resultaba no ser el correspondiente en absoluto. Entre tanto, tenían que pasar el tiempo en el salón con sus compatriotas, que se entretenían jugando a las cartas, tocando música y, los que sabían, escribiendo a casa.

Sus otras prioridades eran cómo enviar cartas a casa y cómo conseguir que le hicieran la colada. Descubrió que la primera de ellas estaba siendo gestionada por la delegación española que se había dispuesto en palacio, aunque, por supuesto, todavía no sabía lo fiable que sería. Pero la colada seguía siendo un misterio. Con sus escasos conocimientos de inglés y su confianza aún menor en los mismos, tenía que aprender mediante la observación en casa de los Kitson. Así era como, la primera noche, había descubierto dónde se encontraban las jarras y las jofainas de agua limpia. De dónde venía aquella agua, no lo sabía. No había ningún pozo en el patio delantero ni en el trasero, y a pesar de que había un pequeño huerto cerrado junto al patio trasero, que daba al sudeste, no había visto a nadie trayendo cubos desde allí. Pasaba junto a dos pozos en las calles cercanas a la casa al ir y venir del río, y decidió que allí estaba el origen del agua, si bien no había visto a nadie cargado con recipientes entrando en la casa. Ahora podía lavarse, y ser afeitado en palacio por un barbero español, pero el problema eran sus camisas. Aunque pudiera lavarlas decentemente en una pequeña jofaina, ¿dónde las pondría a secar? Su cuarto —y el de Antonio— era tan diminuto que ni siquiera podían poner a airear las capas de ropa que cada día acababan empapadas por la lluvia, y Rafael era consciente de que olía a perro mojado.

Sus reservas de camisas limpias iban menguando, la necesidad de unas limpias pronto sería acuciante. A pesar de su vigilancia, cada vez más intensa, no veía evidencia alguna de colada en la casa. No había ninguna colgada en los patios ni en las ventanas —por supuesto que no, con aquel tiempo—, ni indicio alguno de que hubiese una habitación a tal efecto: no veía chorros de vapor ni apreciaba las fragancias del jabón líquido caliente o las hierbas hervidas. Sus búsquedas —ciertamente indecisas, puesto que no podía irrumpir en corredores que parecían privados o andar abriendo puertas— no le llevaban a ningún sitio. Y Antonio no era de ayuda: hizo referencias crípticas a un arreglo en la Corte, de las que se deducía que se trataba de un arreglo personal. Había engatusado a alguien para que se hiciese cargo de su colada.

De haber sabido cómo preguntar por él, Rafael podía haber intentado preguntar al mayordomo, pero no había logrado entender su nombre y no sabía decir «mayordomo» en inglés. Y, para su desesperación, durante varios días la oportunidad de abordar al hombre a la hora de la cena se le había escapado de un modo u otro. De modo que, al final, no le quedó más remedio que quedarse rondando al pie de la escalera o junto a la cocina, con aire perdido y expectante, esperando que alguien entrase y fuese a llamar al responsable. Odiaba tener que hacer aquello, quedarse mirando con grandes ojos impotentes. El servicio estaba demasiado ocupado para percibir su presencia, o eso les gustaba aparentar. Ocupados o no, sin duda eran reacios a dirigirse a él. Y entonces, por fin, tras quizá media hora de andar rondando de aquella manera, alguien fue a llamar al secretario de Mr. Kitson, que sabía italiano. Como si el italiano sirviese. Se encontraron con infinidad de dificultades lingüísticas de inmediato, pero justo cuando se disponía a escenificar con mímica el lavado de su camisa, la mujer pálida se acercó a ellos. La mujer que le había sonreído —gracias a Dios—, estaba allí otra vez, sonriéndole de nuevo, mostrándose atenta y ansiosa por ayudar, a diferencia de todos los demás. Rafael le dijo: «*Madam, please*» y luego le preguntó en su lengua, aun cuando no había posibilidad alguna de que ella entendiese sus palabras: ¿Hay un lugar donde hacer la colada en la casa? Luego la inevitable mímica: se tiró de la camisa y se frotó vigorosamente las manos.

—*Here? No.*

Le indicó que podía darle a ella su camisa. «*To me*». Era tan pálida: sus ojos eran transparentes y su piel poseía la luminosidad de la piedra o el marfil desgastado por el tiempo.

Después de aquello, cada vez que la veía andaba transportando tejidos y se preguntó cómo podía haberlo pasado por alto. Sin duda era costurera; evidentemente, ella era la persona a la que tenía que haber preguntado por la colada. Ahora el lino era lo que le venía a la cabeza cada vez que la veía. Nada de piedra o marfil. Lino: sencillo, duradero, adaptable.

❧

En Whitehall todavía no se había hecho nada para proporcionar un lugar de trabajo a Rafael, pero por fin había obtenido permiso para visitar los jardines privados de la Reina donde había de colocar el reloj de sol. No necesitaba a Antonio para ello, por lo que lo dejó inmerso en una partida de cartas.

Siguiendo las indicaciones que había recibido, entró desde un huerto de frutales situado en el sur, tras abrir una puerta sin pestillo que daba a un amplio patio con el suelo cubierto de grava. A su izquierda, al este, bordeando el río, se encontraban las dependencias privadas de la Reina. Aquellas ventanas que daban al jardín debían de captar todo el sol de la tarde, pero hoy el edificio tenía los ojos en blanco. En el extremo más alejado, orientada al sur, había una galería de dos pisos, profusamente ornamentada y sobredorada, sobre la que había un reloj de cuadrante meridiano. No habría nadie en aquella galería buscando la sombra en un día como aquel. La pieza central del jardín era una fuente de mármol blanco: una robusta criatura marina medio retorcida que alzaba la cabeza hacia el cielo y escupía agua por la boca en un chorro que repiqueteaba sobre la pila como un fuerte aguacero. Aquí y allá, en otras partes del jardín, montaban guardia otras figuras más oscuras, menos definidas: arbustos podados con forma de muchachas, con faldas amplias y cabezas pequeñas; tallas de pequeñas bestias montadas sobre postes torneados: un león verde y dorado alzándose sobre sus patas traseras, un perro de caza enseñando los dientes —lo que equivalía a decir con cara de inglés—, apoyado sobre las patas traseras. Todo muy bonito, sí, pero pretencioso. Había muchos parterres —un lecho de azucenas, uno de amapolas, uno de margaritas— y zonas con lavanda bordeada por romero, así como zonas de formas similares cubiertas de hierba cortada. Más cerca de la fuente, los parterres tenían un aspecto distinto. Lleno de curiosidad, Rafael se dirigió hacia ellos haciendo crujir la grava bajo sus pies. Los bordes de aquellos parterres también estaban formados por arbustos bajos, pero había otros arbustos que le daban por los tobillos —dos tipos en cada parterre— plantados de forma que creaban la ilusión de dos hebras entrelazadas, unidas en un nudo holgado y elegante. Se agachó y frotó una hoja para confirmar su impresión: tomillo. Tomillo combinado con abrótano. Alrededor del nudo, formando el fondo de este, había unas flores de color rosa, puntiagudas, de porte bajo.

Vio abrirse una de las puertas de la Reina y se levantó, preparado para el interrogatorio —¿Quién era? ¿Qué estaba haciendo?— pero se dio cuenta de que no tenía forma de hacerse entender. ¿Por qué no habría pedido una nota en inglés para llevar consigo? La intrusa era una dama solitaria, vestida con absurda opulencia, que todavía no había advertido su presencia. Cerró la puerta tras de sí y no avanzó más, sino que se apoyó en la pared, ladeando la cabeza como si mirase hacia el sol. Por un momento, Rafael permaneció inmóvil, pero luego decidió proceder según sus planes. Primero echaría un vistazo al reloj de sol.

Pero sus avances alrededor de la fuente advirtieron de su presencia a la dama, que caminó hacia él con paso ligero (Rafael no sabía cómo podía hacerlo con aquel vestido). Avanzaba con autoridad, sin cautela alguna al acercarse a un hombre extraño en el jardín de la Reina. Él se preparó. Por su estatura —diminuta— había presumido que no era más que una muchacha, pero ahora podía ver que estaba en su primera madurez: tenía pliegues en las comisuras de los labios, un surco en el entrecejo y una palidez un tanto ajada. Le sorprendió haberse equivocado, pues la dama en absoluto poseía la suavidad de una muchacha: sus hombros eran afilados y sus movimientos, bruscos.

Tenía un aspecto muy inglés: la piel seca por la lumbre del hogar, blanquecina pero sonrojada, como escaldada. La pequeñez de sus ojos incoloros se veía acentuada por la fiereza de su mirada, debida más a una auténtica miopía, determinó Rafael, que a un intento de intimidarle.

Era toda vestido, exhibiendo lo que debían de ser años de minucioso trabajo de otras, capa sobre capa, con pieles y bodoques. Probablemente le habría llevado hasta aquellas horas de la tarde vestirse, pero, para semejante esfuerzo, el resultado era decepcionante. *Cortinas,* fue lo que le vino a la cabeza a Rafael. No solo por los tejidos —espléndidos, sí, pero sombríos—, sino también por la falta de forma. Vestía con el anticuado estilo inglés de formas suavizadas —sin el miriñaque propio de las españolas— y, sobre su fina constitución, las ropas carecían de forma.

Le preguntó algo y, para lo pequeña que era, su voz no tenía nada de aguda; era inesperadamente profunda. Y, a pesar de lo formal de su acercamiento, sus maneras no le resultaron desagradables. Le había sonado franca, sin remilgos, lo que le proporcionó cierta confianza. La saludó y dijo su nombre, esperando no tener que decir mucho más. Para su sorpresa, ella le respondió en lo que reconoció como aragonés:

—¿Es usted español?

¡Una anglófona que conocía una lengua española! Confirmó que efectivamente era español.

—Bienvenido a Inglaterra —dijo ella en aragonés, con una seriedad conmovedora que hizo sonreír a Rafael, aunque ella no le devolvió una expresión similar. Se preguntó cuál sería su relación con España (parecía tan inglesa, vestía de forma tan inglesa… pero tenía buen acento y había naturalidad en su modo de hablar). No parecía una inglesa tratando de decir unas palabras en español. Sin duda tenía alguna relación con España. Ella le preguntó algo más pero no lo entendió, no sabía aragonés.

—¿Castellano? —preguntó. Podía mantener una conversación en castellano.

Ella negó con la cabeza, pesarosa.

—¿Francés?

—No.

—¿Latín?

Entendía el latín leído, pero nunca había sabido hablarlo.

Ella dijo en inglés:

—Hablo francés con mi marido; él entiende francés y me habla en castellano porque lo entiendo un poco. —Hizo un gesto de exasperación con los ojos pero Rafael percibió que se enorgullecía de aquel complicado arreglo. Ella le miraba con expectación; él sopesó el modo más adecuado de explicar lo que se disponía a hacer.

—Para el sol —dijo en castellano, gesticulando inútilmente hacia el cielo; luego recordó el reloj de sol de la galería y lo señaló—: Para la Reina, para el príncipe.

—Ah. —En sus ojos apareció un brillo de interés, de aprobación.

Entonces se produjo una interrupción: una segunda dama surgió de la misma puerta. Esta dama era más joven, más bonita, de apariencia general más liviana, un soplo de aire fresco, y estaba toda azorada, daba la impresión de que había estado siguiendo a la primera dama y no había logrado seguirle el paso: «¡Oh!», *la he encontrado*. Se recompuso, dio un gran suspiro llevándose una mano al pecho para contener el ritmo de su corazón, y acto seguido se precipitó en una profunda reverencia.

Rafael lo comprendió de inmediato. Su corazón se detuvo y volvió a latir de un golpe, su sangre se desplomó para subir luego de golpe hasta las orejas. El tiempo había dado un giro erróneo y se había esfumado antes de que pudiese recuperarlo y enmendar su rumbo; nunca, jamás, podría enmendar aquello. No podía creer lo que había hecho, sencillamente, no podía creerlo. No podía haberlo hecho; nadie, *nadie,* podría haberlo hecho. Ni siquiera un niño. Especialmente un niño, un niño hubiera tenido instinto. Nadie sino él podía haber sido tan estúpido. ¿Qué era exactamente lo que no había percibido? No había percibido algo claro y simple, había estado ocupado pensando en otra cosa, tal vez traduciendo. En lo único que podía pensar ahora era en lo plebeya que le había parecido a pesar de sus finas ropas. Su cara era plebeya, y hablaba como una plebeya. Pero, por otra parte, ¿qué sabía él del aspecto o la forma de hablar de una Reina?

¿Y ahora qué? No tenía ni idea, ni la menor idea, de cómo salvarse. Todo —el valor, la imaginación— le abandonó y se quedó allí de pie, sintiéndose como un niño. Ella se había dado cuenta, claro, se había dado cuenta de que él no tenía la menor idea de quién era ella, y no se lo había dicho. ¿Pero cómo podría haber mantenido su dignidad y explicárselo al mismo tiempo? Estaba hablando alegremente con la otra mujer, la recién llegada —«Mrs.

Dormer», la llamó—, señalando a Rafael al mismo tiempo. Había un destello pícaro en los ojos de Mrs. Dormer. Ella lo sabía. Así que era obvio. Así de mala era la situación; aun cuando no había estado presente, de algún modo desde la lejana puerta había adivinado por su comportamiento —probablemente por su falta de deferencia— que no sabía que estaba en presencia de una Reina. Ansiaba que se marchara, que ambas se marcharan, tal vez entonces habría una minúscula posibilidad de fingir ante sí mismo que aquello no había sucedido. Nunca, jamás, se lo contaría a nadie. ¿Lo harían ellas? No estaba muy seguro de que la vivaracha Mrs. Dormer no lo hiciera. Era una anécdota graciosa, para ella, y tenía la impresión de que le gustaban las anécdotas graciosas. De haber sabido cómo hacerlo, le habría suplicado allí mismo que no lo contara. Si efectivamente lo contaba, ¿en qué clase de apuros se vería? *Me enviarán a casa por esto,* se le ocurrió, y se le alivió el corazón.

Ambas mujeres le aguardaban ahora, con gentil interés. Hizo todo lo posible por parecer servicial. Todo había cambiado: ya no era un diseñador de relojes de sol abordado por una mujer, sino un hombre al que la Reina de Inglaterra había concedido una audiencia privada. E hizo lo que debería haber hecho al principio: una obsequiosa y miserable reverencia, consciente en todo momento de que la dama de aspecto alegre le observaba. La Reina declinó gentilmente reconocer que hubiese habido problema alguno; siguió hablando y le deseó lo mejor en su trabajo. Alzó la vista hacia el cielo y su voz adquirió un tono de disculpa: «Aquí no tenemos sol...», dijo. Luego se dirigieron de nuevo a la puerta, la Reina en cabeza con paso alegre.

Al verla irse, Rafael sintió una punzada. Había parecido muy complacida al ver que era español, ¿pero qué había hecho España hasta entonces por ella? Su padre había arrinconado a su madre española por una querida y ella misma —hija única, con doce años— había sido arrebatada a su madre, alejada de ella para siempre y desheredada. ¿Y qué había hecho su tío, el Rey español? Había expresado su preocupación y su lástima, su disgusto y su indignación una y otra vez a lo largo de los años, pero ¿qué había hecho en la práctica? Y luego, durante el Reinado de su hermanastro menor, había sido perseguida por su religión, se le había prohibido profesar su fe, la habían perseguido, acosado y humillado, ¿y qué había hecho su tío? Había expresado más preocupación y lástima, más disgusto e indignación. Al fin y al cabo, ella y su madre no eran más que mujeres. Y, al fin y al cabo, solo se trataba de Inglaterra. Nunca habría ido a la guerra por ellas.

Al verla irse, le costaba creer que fuese la mujer cuyo ascenso al trono había provocado, según había oído, tanto júbilo; tanto júbilo, se decía, como nunca antes se había visto en Inglaterra. Había pasado la mayor parte de su vida encerrada pero entonces, en el momento importante, el pueblo de Inglaterra —poniendo de manifiesto su sentido de la justicia— había defendido y reivindicado a la primogénita del Rey como legítima heredera. A Rafael le había parecido plebeya cuando hablaba con él, pero, como podía ver ahora, nada más lejos de la realidad. Su porte, al alejarse, era regio.

Aunque le había parecido como una tía. Una tía solterona, inquieta y con solícito interés por él, con una voz sin remilgos y ropa de excelente calidad pero carente de atractivo. Con un aire un tanto aniñado pero nada juvenil. Una hija mayor, la obediente, la favorita de nadie; respetada pero no amada. Sin hijos propios y pasada ya la edad de concebirlos. Pero ahora nada de aquello era cierto, se recordó a sí mismo. Tenía treinta y ocho años, lo sabía, se esperaba que todavía estuviese a tiempo. De ahí el matrimonio. Ya no era una tía solterona sino una recién casada con un marido —su respetuoso sobrino—, once años menor que ella.

No mencionó el encuentro en su carta a casa. Parecería ridículo, increíble, y no quería que dudasen de él en casa, no quería poner más distancia entre ellos. Sus cartas debían ser como susurros en sus oídos. Si les contaba que había hablado con la Reina, darían un paso atrás —lo veía—, llenos de sorpresa y confusión.

Así, por el contrario, fue más de lo mismo: el horrible tiempo, la comida poco fresca, las tiendas, los perros. Tenía pensado contarle a Francisco que había un niño de su misma edad en la casa, pero cambió de opinión. Había pensado en el niño como una especie de amigo para Francisco, hasta que se dio cuenta de que existía el riesgo —si bien ridículo— de que su pequeño considerase al niño inglés como una amenaza, como un potencial competidor por el afecto de su padre.

Rafael no esperaba respuesta a sus cartas, seis semanas era el tiempo de entrega aproximado entre Londres y Sevilla. Estaría en casa antes de poder recibir envío alguno. Probablemente estaría en casa antes de que llegasen sus misivas, pero escribió por si acaso. Siendo las travesías marítimas como eran, podía haber un retraso. O, siendo las travesías marítimas como eran, podía suceder lo peor, y al menos tendrían testimonio de que había pensado en ellos el tiempo que había pasado fuera. Al menos Francisco tendría algo suyo.

La preocupación de Francisco en los meses previos a la marcha de Rafael había sido la muerte. La había descubierto. Algunas de sus conversaciones sobre la materia habían sido maravillosamente extravagantes; una vez, Francisco le había preguntado: «¿Qué mandaré escribir sobre mi tumba, papá? ¿Qué te gustaría que dijese la tuya?». Sin embargo, en su mayoría habían sido inquietantes: *Cuando mueras, y Mamá muera, no me quedará nadie a quien amar.* En aquella ocasión, Rafael había intentado explicarle que a menudo no era así. «Para entonces serás mayor», se había atrevido a esperar, «y tendrás una esposa», dijo preguntándose con una punzada de dolor si sería efectivamente así, «e hijos».

El miedo de Rafael era persistente, temía que ya le hubiese pasado lo peor a su hijo y él todavía no lo supiese; que se atragantase al comer una uva, que cayese al hirviente caldero de la colada y él no estuviese allí para agarrarlo, para intentar aliviar su terror y su dolor, para lavarlo antes de que lo amortajasen y se lo llevasen para siempre. Todavía no podía saber si había pasado algo. No lo sabría en seis semanas. Durante seis semanas seguiría como siempre, comiendo y durmiendo y navegando por el río, mecánicamente, inconsciente e imperdonable.

❧

El servicio de la casa se esforzaba por parecer ocupado, explotado, esforzado, más, suponía Rafael, de lo que justificaba el trabajo real de la casa. La mayoría de ellos eran hombres, y la mayoría de uniforme, cosa que no le ayudaba a aprender a distinguirlos a unos de otros: mozos de cuadras, centinelas, lacayos y mancebos. La familia de Rafael probablemente no era más pequeña pero contaba con un servicio más que satisfactorio proporcionado por un puñado de criados que parecían tener todo el tiempo del mundo. Aquellos primeros días en Londres ansiaba encontrar la despreocupación de la doncella de su madre, María, o la somnolencia de Vicente, el caballerizo. El cocinero era la excepción en casa, pero sólo el cocinero, nadie daba la menor importancia a sus refunfuños y Rafael comenzó a pensar con cariño hasta en él.

Uno de los mozos de cuadras de los Kitson era cojo, a ese sí lo reconocía Rafael. Uno de los mancebos de Mr. Kitson era ciego de un ojo. Uno de los muchachos que servían la cena era pelirrojo. En cuanto a los Kitson, Rafael trataba de hacerse una idea de quién era cada uno de ellos. Eran fáciles de distinguir, puesto que compartían cierto aire astuto. La familia estaba bien dotada de muchachas, había un hatajo de ellas, de todas las edades y todas, al parecer, encargadas de cuidar unas de otras con

51

exagerada paciencia o arrogancia. A veces, inevitablemente, su forzada pose se venía abajo. En una ocasión, atisbó a una de las muchachas subiendo a todo correr la escalera central, golpeteando los escalones con los pies, con la falda en alto, revelando los tobillos y las pantorrillas vestidos de escarlata. Otra vez, vio desde su ventana a una de las Kitson golpear brutalmente a una más pequeña, que la esquivó, se echó a reír ante la furia de su acompañante y salió corriendo. Solo había dos muchachos Kitson. Uno tenía nueve o diez años y se valía de dos bastones para caminar. El otro era varios años mayor, tenía la cara alargada, grandes orejas y una mirada permanentemente fijada a media distancia. A veces se tapaba las orejas, cerraba sus ojos desenfocados y se mecía. Se mantenía siempre cerca de la dama que Rafael conocía como Mrs. Kitson, o de la que parecía la mayor de todas las hermanas. La muchacha era lo bastante mayor para haber abandonado los afectados aires y modales de sus hermanas y a veces, desde el otro extremo del vestíbulo, regalaba una tímida sonrisa a Rafael, que él agradecía.

No necesitaba la presencia de los hijos de los Kitson para recordar que debía sentirse agradecido por la perfección de Francisco. En ocasiones, en casa, la había encontrado curiosa, parecía excesiva (y tal vez lo fuese), tanto que a veces, al contemplarla, sentía que la risa acudía a su pecho. Suponía que era incredulidad lo que sentía, pero parecía risa. Ahora, sin embargo, aquella perfección parecía tan precaria…

Había otros tres jóvenes en la casa que sin duda eran adinerados, no pertenecían al servicio, pero no guardaban parecido alguno con los Kitson y, en cualquier caso, eran demasiado ansiosos, demasiado corteses y demasiado vigilantes de sí mismos para ser miembros de la familia inmediata. En la cena, servían la mesa principal. Rafael no lograba dilucidar quiénes eran o cuál podía ser su trato con los Kitson.

En palacio, un muchacho español se había metido en problemas y, según Antonio, un inglés le había arrancado el lóbulo de la oreja de un mordisco. «Limpiamente», había dicho Antonio.

Rafael dudaba que la cosa hubiese tenido nada de limpia.

—¿Una pelea?

Antonio le miró sin expresión alguna.

—Hay muchas peleas —dijo.

Pero eso era en palacio, donde españoles e ingleses estaban encerrados unos junto a otros. En la ciudad, Rafael estaba empezando a sentirse más seguro, aventurándose a hacer alguna que otra exploración por el lugar. Yendo y viniendo del río, empezó a desviarse un poco de su ruta: bajaba por Lombard Street para tomar tal vez Abchurch Lane o St. Nicholas Lane en lugar de St. Swithings Lane, o por Walbrooke hasta Dowgate; o subía por St. Laurence Pountney Hill. Quizá a los ingleses no les gustasen los extranjeros, pero había extranjeros de todas formas, llevando sus negocios. Entre los compatriotas de Rafael se había corrido la voz sobre la existencia de fabricantes de botones franceses, zapateros holandeses, un sombrerero italiano y un fabricante de guantes y perfumes genovés. Aquellas gentes se las arreglaban para llevar sus vidas allí sin ser molestados. Con todo, Rafael caminaba rápido, con la cabeza gacha, el sombrero calado tapándole la cara, evitando las calles de donde procedía el bullicio de las tabernas, esquivando aquellas en que tenía que hacer equilibrios sobre los tablones. Por supuesto, estas precauciones le procuraban una visión limitada de Londres. Veía pocos relojes de sol —cosa que no era de extrañar, dado el clima— y ninguno era innovador, nada más fuera de lo corriente que un cuadrante vertical declinante. Observó restos de santuarios abandonados: despojados y a menudo llenos de basura. Otra cosa que le llamaba la atención —con la cabeza gacha, escuchando más de lo que se atrevía a mirar a su alrededor— era lo mucho que hablaban los ingleses, parecían no parar nunca; incluso les hablaban a los perros, que llevaban de un lado a otro con correas, o a los gatos subidos en lo alto de los muros. Pero aun con tanta charla, nunca lograba captar fluidez alguna en ella, las palabras le sonaban duras y afiladas.

El río era un lugar más fácil para Rafael, no solo el propio río, sino también los muelles. Allí podía detenerse y quedarse en pie, con la cara vuelta hacia el sur, empapándose de la escasa luz solar que hubiese, tomándose su tiempo para observar. Respirar el espacio. Una vez, vio cómo la deslumbrante barcaza real era remolcada río abajo. En aquella ocasión, pudo disfrutar del lujo de ser uno más entre la multitud.

Cuando no estaba en palacio o yendo y viniendo de él, ni en el comedor de los Kitson para la cena, se encontraba en su lúgubre cuartito orientado al nordeste. Allí era donde pasaba las noches. Abajo, los Kitson se entretenían a sí mismos y a sus invitados mientras los criados desmontaban y guardaban las mesas y caballetes, sonaba la música y se iniciaba el baile. El servicio terminaba sus diversos deberes y se retiraba a la cocina, suponía Rafael, para chismorrear y jugar a las cartas. Arriba, en su cuarto, después de escribir a casa —un poco cada noche, para enviar una carta semanal—, Rafael trabajaba en sus cálculos, en su diseño. También pasaba mucho tiempo mirando por la ventana, horas. Abajo estaba St. Bartholomew's Lane, que no era gran cosa, solo casas, pero unía Threadneedle Street y Throgmorton Street, de modo que siempre había alguien pasando por allí. A veces más que alguien: cuadrillas, probablemente aprendices pasando el tiempo por ahí y, a juzgar por sus gritos de alegría y la forma en que daban patadas a una pelota, bastante buenos muchachos, aunque se alegraba mucho de no encontrarse allá abajo. Más tarde veía marchar a los invitados de los Kitson, desafiando el toque de queda con tanta facilidad como cualquiera en cualquier otra de las ciudades que había visitado, con muchachos alumbrándoles el camino con antorchas.

Su ventanuco tenía cristal y una cortina, cosa que agradecía. Sin embargo, no tenía postigos, y los echaba en falta; la ventana le parecía rara sin ellos. Expuesta. En general, echaba en falta ruido en torno a la casa de los Kitson y en las casas que encontraba a lo largo de sus trayectos, el golpeteo y el chirrido conforme una casa se desperezaba al comenzar el día y conforme se iba apagando luego, al terminarlo. Cuando se cansaba de contemplar el anochecer, no oía más que el deslizamiento de las anillas que sostenían las cortinas por la barra. El anochecer, en Inglaterra, duraba una eternidad. Sería digno de contemplar si hubiera un cielo que ver, si hubiera suficiente luz para proyectar alguna sombra. Así las cosas, simplemente quedaba suspendido en el exterior, húmedo, como algo perdido.

No obstante, de vez en cuando, una noche surgía algo que lo hacía resplandecer: el estruendo de las campanas de alguna iglesia. A veces hacía que el suelo de su cuarto se estremeciese, y se tendía sobre él para sentirlo. Había tres iglesias justo al final de St. Bartholomew's Lane. Un ciento en la milla cuadrada que ocupaba Londres, según le habían dicho. Para ser un país sin Dios, había un montón de iglesias.

Si Antonio no estaba de vuelta para el toque de queda de las nueve, ya no volvía y Rafael dormitaba en la penumbra antes de despertarse sumido en la oscuridad y encender una vela para prepararse para meterse en la cama.

Por las noches, añoraba a Leonor. Al despertar, recordaba cómo, aquella última mañana, Francisco se había metido en su cama y se había acostado a su lado, había lanzado su conejito de trapo al aire y lo había vuelto a coger, se había dado la vuelta y se había vuelto a dormir.

Durante la segunda semana, cogió un fuerte resfriado. Lo sorprendente era que hubiese tardado tanto, pues todos los españoles con los que se encontraba ya lo habían pasado. Especialmente Antonio, que se había pasado un sinfín de días repantigándose por donde podía, rodeándose el cuerpo con los brazos y sin apenas levantar la vista, negándose a hacer el viaje de vuelta a casa de los Kitson e imponiendo su presencia a sus amigos de palacio. Bueno, ahora Rafael lo entendía. Durante dos días, se quedó en casa de los Kitson, metido en su habitación todo el tiempo salvo a la hora de la cena. Luego la peor parte del resfriado pasó, pero solo para trasladarse a su garganta, donde se quedó, causándole un escozor y una tos que la inflamaron más, especialmente por la noche. Tras varios días y noches así, se disponía a ocupar su lugar para la cena cuando le colocaron una taza delante. Se giró para ver a la mujer pálida: ella le regaló una rápida sonrisa, se llevó los dedos a la garganta y simuló una tos, *It's for your cough.* Y desapareció (dio un paso atrás y cruzó la habitación) antes de que pudiese darle las gracias. Se sintió conmovido, pero avergonzado de que su tos fuese tan evidente. Bajo las miradas ligeramente despectivas de sus vecinos, se llevó la taza a la nariz, pero todavía estaba demasiado congestionada como para poder oler. Tomó un sorbo: detectó que tenía miel y algo más fuerte. Tomó dos sorbos más y el alivio fue total, algo que había dejado de creer que fuese posible. Le quedó lo justo en la taza para llevársela a su cuarto y pudo dormir toda la noche por primera vez en casi una semana.

A la noche siguiente, la mujer hizo lo mismo; esta vez estaba preparado para darle las gracias. La noche después también, y la otra. Pero la quinta noche le dio las gracias como siempre y le dijo: «Ya estoy bien»; con una sonrisa, levantó la mano y añadió «Basta, gracias». Ella debió de entenderlo porque no volvió a hacerlo.

Con todo, se sentía mal la mayor parte del tiempo, a causa de la indigestión. En Inglaterra se comía mucha carne y muy poco de cualquier otra cosa. Comían carne hasta los miércoles, los viernes y los sábados, incluso en la Corte de la católica Reina. Estaba claro que sólo estaba recuperando parte de las costumbres católicas. La familia Kitson iba a misa, pero todo el mundo lo hacía ahora que la Reina lo exigía. No había ninguna otra evidencia de su catolicismo. Rafael no sabía demasiado sobre el protestantismo, sabía que los curas protestantes predicaban en inglés en lugar de en latín, cosa que le resultaba difícil de imaginar: no le parecía una lengua adecuada para hablar de milagros; y sabía que los protestantes creían poder hablar con Dios, ofrecerle todas sus esperanzas y sufrimientos y ser oídos, que Dios les escucharía. También discutían sobre el contenido de la Biblia, como si estuviese abierto a debate y al alcance de todos.

Rafael había estado yendo a misa con la familia Kitson en St. Bartholomew's, a la vuelta de la esquina, pero había dejado de ir varios días a causa de su resfriado y después no volvió a ir. Se dio cuenta de que si alguien notaba su ausencia supondrían que estaría yendo a las misas españolas en palacio. Asimismo, sus compatriotas, si se lo planteaban siquiera, supondrían que estaba yendo a misa con los Kitson. En casa, su asistencia a la iglesia se había limitado al mínimo desde hacía años. Sentía que la iglesia le alejaba de Dios, tal vez por el ambiente sombrío de los edificios cuando, estaba seguro, Dios se hallaba en la luz. No sabía cómo sus hermanos podían soportar aquel ambiente sombrío. Sus dos hermanos eran curas. En ocasiones había sentido la presencia de Dios mientras cabalgaba, cuando estaba en el jardín o haciendo sus cálculos, y a menudo cuando miraba a su hijo. La sensación siempre era maravillosa e íntima. Una sensación que todavía no había tenido en Inglaterra.

Cuando era joven, había hablado de aquel sentimiento con sus amigos y muchos de ellos sentían lo mismo. Sin embargo, la Iglesia española lo hubiera considerado una herejía, así que ahora, más viejo, y esperaba que más sabio, procuraba guardárselo para sí. Él, cuya familia tenía nombre y aspecto judíos, no podía permitirse ningún error.

Durante una de sus visitas a la parroquia de los Kitson, había atisbado a la mujer pálida. Tenía los ojos cerrados, como mucha gente, pero estaba seguro de que ellos dormitaban, mientras que ella se mordía los labios. Notó que tenía cierto aire vigilante.

❧

Hacia el final de la segunda semana, un funcionario de la delegación española aconsejó a Rafael que abandonase su proyecto. La presión que sufría el presupuesto del príncipe —con dos casas enteras que mantener, la que había traído consigo y la que su esposa había organizado para él— significaba que no había garantía alguna de que Rafael fuese a cobrar, ni siquiera de que se le fuese a reembolsar lo que había previsto gastar en material.

—Pero tendrían que haberlo sabido —protestó Rafael; el príncipe llevaba un mes en Inglaterra—. Podrían haber evitado que viniera.

—Yo no —replicó el funcionario encogiéndose de hombros—. Yo no sabía que fuera usted a venir.

Rafael sabía que muy pocos de sus compatriotas estaban trabajando. Había que evitar el solapamiento con las responsabilidades de los ingleses. Los funcionarios habían tomado esta decisión para tratar de mantener la paz. Quédense sentados, se les había dicho, y pronto se les entregarán sus pasajes de vuelta a casa.

Rafael no tenía la menor duda de que, en su caso, el problema se resolvería a su favor. Entretanto, no le costaba nada seguir adelante con su trabajo, así que echó a andar en dirección al jardín de la Reina. Era una mañana áspera y supuso que no habría nadie allí pero, al abrir la puerta, vio que estaba equivocado: allí estaba ella, la Reina, en la fuente, acompañada de la pícara Mrs. Dormer. Su corazón dio un vuelco, dejándole sin aliento, y reculó de inmediato. Si alguien le hubiera preguntado, habría alegado que se había equivocado de camino. Muy a su pesar, sin embargo, ella le había visto o, miope como era, había visto a alguien, y le hacía señas para que se acercase. Gesticulaba con entusiasmo, sin lugar a error. Sí, le tomaba por otra persona. ¿No iba a corregirla su sonriente acompañante? No sabía qué hacer. Pero no tenía elección. No podía desobedecer. Tendría que acceder, había sido él quién se había puesto en aquella situación —¿Pero cómo? La imprudencia no era propia de él— y tendría que salir de ella.

¿Pero cómo dirigirse a ella? No podía simplemente acercarse. ¿Pero de qué otro modo iba a hacerlo? ¿Y adónde debía mirar mientras caminaba? Evidentemente, no podía mirarla a la cara, ¿pero no sería una falta de respeto rehuir su mirada? Y, lo que era más importante, ¿cuándo y dónde debía inclinarse exactamente? ¿Ahora, en la puerta? ¿Cuando estuviese más cerca? ¿O las dos cosas? ¿Y cuánto más cerca? ¿Cuántas reverencias debía hacer?

Pero allí estaba ella, gesticulando con alegre impaciencia. De modo que, al final, simplemente lo hizo: confiando en que le aceptase como un presuntuoso campesino español, echó a andar para reunirse con ella. Se detuvo a la que esperaba que fuese una distancia respetuosa e hizo una profunda reverencia, pero ella ya le estaba diciendo en inglés: «*No sun, Mr. Prado*». Lo dijo con preocupación, acompañando sus palabras con la más breve y renuente de las miradas hacia el cielo. Costaba imaginar qué tipo de cosecha podía darse en un verano como aquel. Volvió a preguntarse cómo podía sobrevivir aquella gente. Pasarían hambre el año próximo cuando ni siquiera parecían estar en buenas condiciones (por decirlo con delicadeza) ahora.

Ella tampoco. Las comisuras de sus ojos pequeños y acuosos tenían un tono rosado. Se decía que trabajaba mucho. Rafael recordaba haber oído que había nombrado un consejo enorme —compuesto por todos los ingleses con título, independientemente de su confesión religiosa— e insistía en escuchar a todos y cada uno de ellos, más de treinta, sobre todas las materias. Si su extraordinaria franqueza con él podía considerarse en modo alguno indicativa, podía creerlo.

—Mi marido es un buen hombre —dijo.

Él interpretó que quería decir que era bueno por haber encargado el regalo del reloj de sol. Ella miró a Mrs.

Dormer con un gesto que se acercaba a una sonrisa —tenue, tímida—, a la que la dama respondió con una sonrisa de oreja a oreja. Entornando tímidamente los ojos, la Reina repitió:

—Mi marido —como para escucharse, para oír sus propias palabras; deleitarse en ellas. A Rafael le sorprendió aquel gesto propio de una niña en una mujer que había permanecido soltera casi cuarenta años. Había dado por hecho que aquel matrimonio de conveniencia era una molestia personal para ella, al igual que lo era para el príncipe. Según el rumor, al acceder al trono se había mostrado reacia a aceptar la sugerencia de su consejo de que debía casarse. No era de extrañar, dado el destino de su desgraciada madre. En España todo el mundo sabía que el príncipe había tenido que abandonar a su querida, su esposa a todos los efectos salvo el oficial. ¿Lo sabía la Reina? Ahora la labor del príncipe era la de mostrarse atento para con su nueva esposa, y se la había tomado en serio. Rafael no le arrendaba la ganancia. A pesar de su carácter franco, había algo un tanto desagradable en ella. No era su aspecto, como todos decían, no era tan sencillo. Tal vez fuese su propia franqueza, pensó. Un cierto exceso de entusiasmo.

Se preguntaba cómo, en tanto que heredera al trono, había alcanzado aquella edad sin haberse casado. El príncipe era perro viejo, ya se había casado y enviudado. Era diez años menor que ella, pero ya era la segunda vez que pasaba por aquello. Entonces Rafael recordó que ella no había sido la heredera, había sido una heredera desheredada, que era peor que no ser heredera en absoluto. Un incordio. ¿Quién la hubiera querido? Cómo había cambiado todo para ella en apenas un año. Tantos cambios en una fase tan tardía de la vida. Aquella solterona otrora ignorada era ahora la esposa del hombre que un día sería el más poderoso de la Tierra.

Ella le miró fijamente:

—¿Tiene usted esposa, Mr. Prado?

—Sí —le alegró decir—. Leonor. —Su nombre le vino como un grito que hubo de contener hasta convertirlo en un nudo en la garganta. ¿Qué pensaría Leonor de aquello, de que la Reina de Inglaterra hablase de ella? Sería un buen regalo que llevar a casa consigo: *La Reina me preguntó por ti.*

—¿Hijos?

—Uno, Majestad. Un varón, Francisco. —Si Francisco estuviese presente, frustraría los esfuerzos de su padre, se abrazaría a sus piernas, negándose a levantar la mirada.

—Francisco —repitió ella, con tono de aprobación—. ¿Y qué edad tiene?

—Tres años —respondió.

—Es pequeño. —Parecía sorprendida y preguntó bruscamente—: ¿Qué edad tiene su esposa?

Desconcertado, no logró encontrar la palabra inglesa; se vio alzando las manos y mostrando cuatro veces todos sus dedos.

—¿Cuarenta? —Se giró y charló animadamente con su acompañante. Rafael creyó comprender por qué le había complacido su respuesta: Leonor había tenido su primer hijo con treinta y muchos años, a la edad de la Reina. Pero la Reina parecía mucho mayor, fácilmente diez años más que Leonor. Volvió a girarse hacia él, observándole con aquella pálida mirada suya—: Yo tengo treinta y ocho —dijo. Se llevó las manos directamente al vientre y dijo con total naturalidad—: Rece por mí, Mr. Prado. —Como Reina, podía esperar que el país entero rezase por ella, pero comprendió que se lo pedía sinceramente y se sintió honrado. Luego, ella y su acompañante comenzaron a retirarse antes de que pudiese darse cuenta y tuvo que hacer su reverencia mientras pasaba junto a él.

❧

Una vez más, Rafael se abstuvo de mencionar a la Reina en su carta a casa. Se lo contaría a Leonor cuando la viese. *Hablamos de ti.* Podía ver mentalmente su habitual expresión de risueño desdén, el escepticismo con que siempre le recibía. Él insistiría, *De verdad,* y la observaría mientras decidía si creerle o no con aquella prudencia suya, aquella mirada cauta e inteligente. Podía verla inclinando la barbilla, con el gesto torcido de su severa boquita que se deslizaba cada vez que hablaba y más aún cuando sonreía, haciendo que su sonrisa pareciese solo parcial, reflexiva, irónica. Casi siempre parecía divertida, pero Rafael no recordaba haberla oído reír nunca a carcajadas. La primera vez que la vio estaba de pie, con los brazos cruzados, y así era como estaba casi siempre, como parecía estar más cómoda, aunque a Rafael no le parecía una postura cómoda. Se mantenía a distancia, como evaluando lo que veía —una mirada que, en un principio, no le había conmovido—, pero con el tiempo aprendió que no era así. Por el contrario, Leonor tenía menos tendencia a juzgar a la gente que cualquier otra persona que conociese.

Había llegado a la vida de Rafael como novia de su mejor amigo de la infancia. Gil, hijo de médico y también médico, se había marchado y había regresado a casa con una novia. Hasta ahí, todo muy predecible. Pero con sus brazos cruzados y su media sonrisa, no era el tipo de mujer que Rafael hubiera esperado que Gil trajese a casa. Gil no le pedía mucho a la vida, salvo estar en medio de la acción, ofreciendo una mano amiga. Rafael no sabía qué pensar de ella. Las mujeres de su familia lo mimaban e ignoraban a partes iguales, como hacían con todos los hombres. Leonor, sin embargo, se molestaba en hablar con él. Bueno, a veces. Las más de las veces no decía gran cosa, pero eso era lo que la hacía especial. Las mujeres de su familia le hablaban para organizarle la vida, para convencerle de algo o enderezarlo; siempre tenían algo en mente cuando trataban con él. Leonor deambulaba, pasaba el tiempo dejando reposar su mirada en la suya, sus ojos azulados cobraban a veces un matiz azul, otras verde, gris, incluso ambarino. En ocasiones hablaba más en serio —sobre religión, política— y decía cosas que, según la experiencia de Rafael, la mayoría de la gente no se atrevía a decir, pero nunca de forma provocadora, nunca despreocupadamente. Siempre mantenía la prudencia adecuada. Pero luego parecía alejarse de él quizá durante semanas, aun cuando en realidad estuviese allí, cerca, con los brazos cruzados y la mirada impertérrita.

Si bien no era adecuada para Gil, Rafael a menudo se preguntaba quién podía ser adecuado para ella: ¿Con quién podía imaginarla, de no estar casada con Gil? Con alguien mayor, creía, alguien reservado. Se preguntaba qué veían ella y Gil en el otro. Sin duda algo veían, puesto que una vez, después de años de casados, los vio besarse en el bosquecillo que había detrás de su casa. Retirándose sin ser visto, trató de controlar su sorpresa, pues no hubiera esperado aquello de ellos.

Se había enamorado de Leonor. ¿Cuándo? Durante un tiempo, la cuestión le preocupó, sentía que tenía la obligación de poder explicar su amor impotente y desesperanzado. Luego asumió que había estado buscando una excusa: ella siempre había sido ella, él siempre había sido él, de modo que siempre la había amado, aun cuando no le gustaba demasiado, aun cuando no le inspiraba demasiada confianza.

¿Cómo había vivido aquellos años de callado amor por la esposa de su mejor amigo? La cosa no tenía demasiada ciencia. Trabajaba duro y pasaba mucho tiempo fuera, trabajando. Vivía al día, y las dudas, los miedos, le seguían de cerca: ¿Qué sentía ella por él, qué sabía —o sospechaba— de sus sentimientos hacia ella? En un instante, temía que su ansia fuese una herida abierta, en el siguiente, se felicitaba por su capacidad para disimular. Cada latido de su corazón le atrapaba entre su ansia por verla y la desesperada necesidad de evitarla. Se odiaba a sí mismo, por supuesto, pero a veces también sentía algo parecido al orgullo, porque a veces el secreto que acarreaba consigo como una piedra era, por el contrario, una gema.

Y Gil. ¿Qué sentía hacia él? Bueno, había sentido todo tipo de cosas a lo largo de los años, a menudo todas a la vez. Se sentía cerca de él, su amigo del alma cuando niños, en el amor que compartían por aquella mujer de los brazos cruzados y los ojos fríos. Y también se sentía alejado de él, como esposo de su amada, que era en lo que se había convertido. Compadecía a Gil por la traición de su mejor amigo. Y le guardaba rencor, por supuesto. Pero nunca le deseó la muerte. No, nunca la había deseado.

Los primeros días, para poder seguir adelante, Rafael se permitía el lujo de imaginar que él y Leonor pudieran mencionar solo una vez que sus sentimientos por el otro eran más profundos de lo debido. Durante un tiempo creyó que eso sería suficiente, pero eso fue antes de verla en el bosquecillo y presenciar la urgencia de su beso. Desde entonces, durante un tiempo, nada era suficiente y no se detenía ante nada en su exploración de la vida que podrían haber tenido juntos. Al irse a la cama, se descubría pensando en qué visitas podrían haber recibido aquella noche de haber estado casados y qué podrían haberse comentado el uno al otro al volver a quedarse a solas, anhelando mirarla a los ojos mientras ella se soltaba el pelo antes de meterse en la cama.

⌇

Al final de su segunda semana, una tarde Rafael llegó a casa para cenar acompañado de Antonio, y se encontró con que la estaban desmontando. Nada más entrar por la puerta principal, tres hombres descolgaban un tapiz: dos de ellos estaban subidos a sendas escaleras, el tercero supervisaba la operación desde abajo, los tres absortos en un tenso intercambio de lo que parecían sugerencias y recriminaciones. Rafael podía haber supuesto que estaban quitando el enorme y pesado ornamento para limpiarlo y repararlo —aunque ninguno de los tapices de casa de los Kitson parecía lo bastante viejo como para necesitar limpieza o reparación alguna—, si no hubiese visto las cajas de embalar que había en el pasillo. Algunas estaban cerradas y apiladas, otras todavía abiertas. En una estaba la vajilla de la casa: las bandejas, las jarras y la plata por la que Inglaterra tenía tanta fama. En otra, había cojines de un reluciente tejido. Alzándose como una torre por encima de las cajas, apoyada contra la pared, había una estructura de cama desmontada, con postes con frutas talladas y pintadas de verde, de verde y oro; y en el suelo vio —a punto estuvo de tropezar con ella— una alfombra enrollada.

Uno de los hombres, con los ojos acuosos a causa de un resfriado, miró hacia abajo, como preguntándose si también tenía que empacar a los dos españoles. En aquel momento, apareció la mujer pálida, apurada como si hubiese estado buscándolos, y se acercó a ellos con determinación.

—¿Mr. Prado? ¿Mr. Gómez? —parecía que iba a tener lugar algún anuncio y, a juzgar por su expresión, uno que le complacía. Habló señalando las cajas y luego a sí misma, tocándose el pecho con la punta de los dedos. Rafael no comprendió, y miró a Antonio para que le tradujese. Antonio parecía confuso, aún tratando de entenderla.

—Es el… —frunció el ceño y luego cayó en la cuenta—: ¿Es el ama de llaves?

Lo era. Un esqueleto de personal, del que ella, el ama de llaves, era la espina dorsal, se quedaría en la casa. Más tarde Rafael se enteraría de que los Kitson vivían la mayor parte del año en su mansión campestre y, como muchas de sus amistades, solo habían ido a su residencia londinense para presenciar el esplendor de la entrada en la ciudad de la pareja real y las elaboradas celebraciones organizadas en las calles. Al final habían tenido que ser pacientes. La boda había tenido lugar en la catedral de Winchester apenas unos días después de la llegada del príncipe a Southampton, pero el posterior avance de la pareja real hasta Londres había sido lento, habían tardado casi un mes en llegar.

Ahora, sin embargo, en la primera semana de septiembre, una vez terminadas las celebraciones, los Kitson se disponían a volver a su mansión. En España, la tierra era para los campesinos, esa era la opinión unánime de los compatriotas de Rafael. De modo que algo tenía en común con los ingleses: su aversión por los pueblos y ciudades y la preferencia por los espacios abiertos y los bosques.

La primera noche tras la marcha de los Kitson, volvió solo. Antonio estaba utilizando dicha marcha como excusa para su propia ausencia: en su opinión, ya no era necesario interpretar el papel de invitado. Aunque en realidad tampoco lo había hecho en ningún momento. Rafael lo interpretaba al revés, considerándose en la obligación de mostrar su apoyo a la mujer pálida que se había quedado prácticamente sola para atenderles. Llamó a la puerta blandiendo la cabeza de leopardo y le decepcionó oír que uno de los perros seguía en la residencia. La mujer pálida abrió la puerta esquivando al animal. El muchacho también estaba tras ella. En realidad no estaba tan pálida —estaba ruborizada y desprendía cierto aroma— y Rafael supuso que había estado cocinando. Quería disculparse por haberla interrumpido, pero no sabía cómo. Ella miró tras él:

—¿Mr. Gómez?

—No. —No sabía decir más.

Ella se encogió de hombros, parecía más que contenta de desentenderse de él, y se hizo a un lado para dejar pasar a Rafael. Él se fijó en el manojo de llaves que llevaba en el cinturón: todas las llaves de la casa, imaginó. Ella dijo algo con tono preocupado y, frunciendo el ceño, le tocó la capa. Lo repitió:

—*Drenched.* —*Empapada.* Luego dijo algo más, más rápido, expresó con mímica la acción de comer y señaló el salón.

Tras colgar su capa, se dirigió al salón y, tímidamente, ocupó un puesto en la única mesa junto a los demás: el mozo que le había abierto el portón, un hombre que estaba casi seguro de que era uno de los mozos de cuadras y un hombre bastante anciano a quien había visto por la casa pero no tenía idea de qué hacía. Y el perro, por supuesto. El anciano hablaba con los demás —perro incluido— y no se detuvo cuando la mujer pálida comenzó a traer los platos. Rafael se levantó para ayudarla, pero ella negó con la cabeza y vio que el niño la seguía haciéndole de ayudante. Cuando hubo colocado varios platos en la mesa, ayudó al niño a sentarse en el banco y ocupó su lugar junto a él. Tras bendecir la mesa, el viejo retomó su charla y los demás hicieron lo propio, pero el niño permaneció en silencio. Sin duda, el silencio a la hora de la comida se reservaba únicamente para las ocasiones en que toda la casa estaba presente. Tal vez se estuvieran poniendo al día sobre una jornada pasada a solas en su mayor parte.

En un momento dado, Rafael sintió que debía decir algo. «Muy bueno», le dijo a la mujer, indicando el festín, si bien se componía una vez más de carne —varios tipos de aves de corral— servida con las habituales jaleas que imaginaba hechas de algún tipo de baya de las que podían encontrarse en Inglaterra. Ella frunció el ceño y meneó la cabeza, cosa que él interpretó como que no era obra suya: el cocinero había dejado la comida hecha para ellos. Ante esto, él sonrió con su respectiva negación: la comida estaba bien presentada y eso sí era obra suya, había hecho mucho. Esta vez, aunque mostrando cierta renuencia, ella aceptó el halago e inclinó la cabeza. Tras la carne, la mujer fue a buscar un cuenco con algo dulce que provocó gran revuelo entre los demás comensales. Normalmente no había nada dulce, solo los suaves quesos frescos. Se trataba de una nata endulzada y afrutada con el delicioso e inconfundible sabor de las fresas.

Una vez recogida por fin la mesa, Rafael se preguntó qué debía hacer. Normalmente se retiraba a su cuarto y trabajaba en su diseño, pero sin duda resultaría poco cortés abandonar abiertamente aquella pequeña reunión. La mujer le indicó que debía sentarse con ellos sobre unos cojines en torno al hogar —donde no había fuego alguno— y así lo hizo, únicamente para comprobar con bochorno que tanto el portero como el mozo de cuadras se excusaban. El anciano cogió una pila de cojines y se recostó de inmediato para echar un sueño, y el perro se hizo un hueco a su lado. La mujer parecía haber sacado de la nada una prenda que adaptar o arreglar, y su hijo empezó a trabajar en otra, quitando alfileres. Rafael se sintió profundamente incómodo: no tenía nada con él, nada que hacer. Tal vez pudiese fingir que dormitaba, tal vez, quizá debiera hacerlo. Estaba resfriado y, en aquel silencio, le avergonzaban sus resoplidos. Pero entonces la mujer le habló:

—*Spain, England…* —y trazó una línea horizontal en el aire con el dedo índice—: *How many days?* —Dejó la tela sobre el regazo y alzó ambas manos para mostrar los dedos—: *Five, six, seven…?*

—*Five* —dijo él—. *Five days.*

Ella pareció agradecer la respuesta, el hecho de que hubiese respondido, pero no parecía saber qué pensar, no parecía saber si una travesía marítima de cinco días era larga o corta, o más larga o corta de lo que hubiera imaginado. No había nada que decir.

Él señaló al niño:

—*Four, five years?*

—*Four.*

Así que había acertado. Claro, porque Francisco tenía casi cuatro años.

—*Big* —dijo, procurando parecer impresionado.

Mirando a su hijo, ella se encogió de hombros e hizo un gesto como reflexivo con la boca. Estaba siendo modesta, el niño era alto y Rafael podía ver que a ella le complacía que se hubiese fijado. Pero también parecía triste, eso también podía verlo, si bien durante apenas un instante, una tristeza fugaz, tal vez al ver que su niño se hacía mayor y dejaba atrás la infancia.

—Nicholas —dijo. Rafael lo repitió con evidente aprobación.

—Mi hijo —dijo llevándose un puño al pecho—. Tres años. Francisco.

—¡Oh! —Sus ojos se iluminaron y parecía desear poder preguntarle más. En lugar de hacerlo, sin embargo, hizo un pequeño gesto que a Rafael le pareció un reflejo inconsciente del suyo: se llevó breve y ceremoniosamente la mano al corazón, cosa que emocionó bastante a Rafael.

—Rafael —dijo, llevándose la mano al pecho.

—Cecily —replicó ella. No esperaba aquello y sintió una punzada de ansiedad por haberla empujado a hacerlo. *«Madam»* le hubiera bastado. Ella parecía de nuevo expectante e imaginó que debía repetirlo, intentar decirlo. Lo hizo y ella se mostró divertida, aunque a él le había sonado bien.

Tras esto se sintió lo bastante relajado como para excusarse y subir a su cuarto a buscar papel y carboncillo y durante las dos horas siguientes se dedicó a hacer bosquejos y trabajar un poco en sus ideas en compañía de Cecily.

En las noches posteriores aquello se convirtió en rutina, a veces con él trabajando en la mesa y a veces en una carta a casa. El anciano, Richard, y el perro, Flynn, dormían y Cecily seguía trabajando en algún vestido. De lana fina, normalmente, sin duda nunca para ella. *«Frizado»*, dijo una vez alzando la prenda para que la viera y deleitándose en su textura entre las yemas de los dedos. Otra vez:

«*Mockado*», y otra «*Grogram*». Más tarde, cada noche, apartaba su labor, se levantaba, se estiraba y se llevaba las manos hasta el final de la espalda para deshacer el lazo de su mandil de un tirón. Al caer, lo recogía, lo sacudía para liberarlo de arrugas y le daba un par de pliegues holgados. Luego buscaba en la cesta de la ropa el sencillo rollo de lino donde tenía clavadas y guardadas sus agujas e hilos especiales.

La primera vez, cogió una aguja y se la mostró, aunque era tan fina que se desvaneció en el aire entre ellos y dijo «*From Spain*». Lo dijo con una humilde risita: no había gran cosa de la que pudieran hablar y a aquello era a lo más que llegaba. Por su parte, Rafael trató de mostrarse interesado. Lo que le interesaba era el hecho de que ella hubiese hecho el esfuerzo de encontrar algo en común entre ellos. Eso era lo que importaba, no la aguja en sí, que resultaba invisible aunque, sin duda, de gran calidad. Ella la giró en el aire: «*Very, very good*», le aseguró, alzando las cejas e inclinando la cabeza en una parodia de seriedad que él imitó para que ella sonriese.

En aquella bolsa de lino también guardaba hebras de seda de varios colores. Su método consistía en colocarlas sobre la mesa oscura y brillante para seleccionarlas. Las madejas eran de colores verdes y azules, rojos y amarillos; los verdes iban del tono fresco de los brotes al azulado de los abetos; los azules, del más pálido brillo lunar al más profundo ultramarino; los rojos, del rosado de la lengua de gato al de la alizarina; los amarillos, del cremoso del capullo al rotundo de los limones y al más oscuro, entre verdoso y dorado, de las peras. Tal vez las mejores agujas viniesen de España, pero todo el mundo sabía que los mejores bordados procedían de Inglaterra.

Rafael observaba a Cecily mientras elegía sus colores. Ella recorría a tientas toda la gama, pero sin tocarla: caminaba con los dedos sobre la fila, levantándolos y dejándolos caer como si recorriese el teclado de un virginal. Luego, sí, cogía una madeja, complacida por haberse decidido pero quizá también un tanto apenada, creía Rafael, por haberse comprometido. Dejaba la madeja seleccionada colgada en su dedo, sin mirarla, mientras hacía las siguientes selecciones y luego las colocaba todas en el pliegue entre el pulgar y el índice, dejándolas caer sobre la palma de la mano. A continuación levantaba aquel puñadito hacia la poca luz que quedase, a veces abandonando incluso la habitación probablemente en busca de más luz. El examen implicaba un lento giro de la mano en una y otra dirección y luego una sacudida para que las madejas se balanceasen libremente y la luz las recorriese. La prueba final consistía en hacer un bucle con una sola hebra, como el ala de un insecto, que luego colocaba junto al bordado para ver cómo quedaba con lo que llevaba hecho. Por lo que podía ver, el diseño representaba una especie de monstruo estilizado brincando o mostrando las garras, inscrito en un borde geométrico. Sus brillantes colores eran muy distintos de los que Antonio utilizaba en la reproducción de sus diseños. Los colores de Rafael y Antonio eran secundarios: tonos ocres sobre mármol y pátinas sobre bronce. Y sus materiales, laxos sobre su regazo, eran muy moldeables en comparación con los que él utilizaba, que habían de ser trabajados.

Cuando estaba demasiado cansado para pensar, hacía bosquejos de lo que veía en la habitación: el inmenso hogar y los detalles de las rosas estilo Tudor talladas en él; un tramo de los paneles de las paredes y sus delicados relieves; secciones de las molduras del techo; varias baldosas del suelo con distintos motivos heráldicos, y el reloj de mesa desde todos los ángulos. Una noche, empezó a hacer un boceto de Nicholas, el inabordable Nicholas. Y tal vez esa fuese la razón, el reto de hacerlo. Nicholas sólo era abordable así, a través de miradas furtivas desde el otro extremo de la habitación. En cualquier caso, Rafael se descubrió pensando, *me observa,* desde aquella primera noche, desde la puerta, y en todo momento a partir de entonces. Nicholas todavía no había hablado ni sonreído nunca en presencia de Rafael. Lo que sí hacía, lo único que hacía, era mirarle fijamente. Su mirada no carecía de expresión, sino que estaba cargada de intención: *Déjame en paz.* Cada vez que sus caminos se cruzaban, Nicholas se quedaba mirando a Rafael; le miraba hasta que Rafael, tras desistir de su sonrisa, desviaba la mirada.

Pero ahora no, por una vez. No cuando el niño tenía la guardia relativamente baja, cansado al final del día y bajo el ala de su madre. Estaba arrodillado a su lado, jugando con una lata de botones. Bueno, no jugando. Que jugase debía de ser la intención de su madre —¡Toma, mira!— y él le hacía caso en la medida en que estaba haciendo algo con los botones, pero lo único que hacía era mirarlos mientras daba golpecitos con los dedos en la lata. Rafael siempre le había considerado un niño antinaturalmente tranquilo —nunca iba corriendo por ahí, siempre tras las faldas de Cecily— pero ahora veía lo mucho que el aparentemente inmóvil Nicholas se movía en realidad: se mordía el labio, levantaba los hombros —uno, dos, uno, dos— con un contoneo extraño, rígido. El pobre niño estaba tan absorto en aquella agitación que no podía prestar atención a los botones.

Francisco se perdería por aquellos botones, le encantarían. Los alinearía en el suelo, transformándolos imaginariamente en otra cosa, creando una representación con ellos y probablemente hablándoles. Siempre estaba ocupado. Lo que hacía en realidad podía no estar claro para quien le observase; se sentaba con la espalda recta y la cabeza inclinada hacia abajo, con la atención puesta en las manos, y las manos ocupadas.

Cecily se removió en su cojín y la mirada de su hijo se dirigió inmediatamente hacia ella. Por fríos que fuesen aquellos ojos para cualquiera que no fuese su madre, era innegable que eran extraordinarios: enormes, almendrados y de un color verdaderamente azul, no del tono que pasaba por azul en la mayoría de los ojos aquí en Inglaterra, sino de una verdadera ausencia de color, una auténtica charca superficial de luz.

La sonrisa de Francisco era notoria, presta como el rayo y relumbrante como una centella, todo ojos y dientes, casi absurda en su intensidad. La gente se echaba a reír al verla por primera vez y le decían a Rafael, con gesto incrédulo y festivo: *¡Qué sonrisa tan hermosa!* Realmente era un regalo, no se podía aprender a sonreír así. Rafael la recordaba desde los primerísimos días de Francisco: Leonor se daba la vuelta para alejarse y allí, sobre su hombro, estaba el niño y, en un instante, aquella descarada y absurda sonrisa. No había reserva, prudencia o mesura alguna en ella. Aquella sonrisa no anticipaba ningún desaire, ninguna precaución por parte de quien la contemplase, nada sino lo mejor en respuesta. Era maravilloso ser testigo de ella y Rafael comprendía la importancia de ser su guardián.

Ingenuamente, no había contado con que Cecily viese su esbozo de Nicholas. Pero en una de sus idas y venidas con sus sedas, echó un vistazo y soltó una exclamación. Al instante, sin embargo, hubo cierta vacilación, como si hubiese sido una presunción por su parte reconocer siquiera el motivo del dibujo. Rafael se quedó allí sentado, con el retrato en el regazo, indefenso, expuesto. ¿Era un regalo? El mero hecho de que no hubiese sido esa su intención... Era un regalo, ¿no era así?, aquel esbozo de su hijo. Tenía que serlo.

—Nicholas —dijo ella con tono de sorpresa—. *Look.* —Y volvió a titubear dirigiéndose a Rafael—: *May I?*

Él se lo entregó, y ella se arrodilló junto al niño para mostrárselo.

—*It's you.*

Él lo miró fijamente, con no menos desconfianza que cuando se enfrentaba al mismo Rafael, estudiándolo con gesto resuelto y grave, como si buscase algo, antes de devolvérselo a su madre. Ella lo recibió con cierta renuencia y, a su vez, se lo tendió a Rafael, quien declinó con una sonrisa y alzando las manos. Esperaba haber encontrado la expresión adecuada, renunciar al dibujo alegremente, pero sin resultar demasiado desdeñoso, aunque no contaba con tener tanto éxito. Ella lo recogió con cautela, buscó un lugar donde colocarlo y lo dejó boca arriba sobre la mesa, donde a Rafael le pareció vulnerable.

La noche siguiente, hizo un bosquejo de la mano de Cecily; no de la que tenía ocupada con la aguja, sino de la otra, la que sujetaba la labor, la izquierda. En la que lucía una alianza. Y se preguntó si sería viuda. Lo había dado por sentado, pero tal vez hubiese un marido trabajando fuera en alguna parte, tal vez para Mr. Kitson, en el extranjero o en la casa de campo. Rafael no tenía idea de cómo vivía y trabajaba la gente aquí en Inglaterra. Tal vez fuese normal que los esposos viviesen, trabajasen, separados. Si efectivamente era viuda, ¿cuánto tiempo llevaría sola? El niño sólo tenía cuatro años. Sin duda lo había tenido tarde, y Rafael se preguntó si habría más en alguna otra parte, mayores. Rafael se imaginó iniciando una conversación: *¿Sabe?, mi esposa y yo sólo hemos tenido un hijo, y tarde.* Habían estado a punto de no tenerlo, Francisco había estado a punto de no existir.

El anochecer tomaba una calidad granulosa y enseguida veían que ya había sucedido: la encantadora y aterciopelada mezcla de luz y oscuridad perdía finalmente el equilibrio en favor de la oscuridad. Por más que intentase captar el momento preciso, Rafael nunca lo lograba. Formaba parte de la naturaleza del momento, lo sabía, tenía que suceder sin ser visto o no sucedería en absoluto. Aquella noche, como todas las demás, se habían ido sumiendo en las sombras, dejando que se apoderasen de ellos y de la habitación. Pero Cecily se levantó enseguida y empezó a encender velas, y su luz les rescató gentilmente, separándoles de la oscuridad y convirtiéndoles en observadores de aquellas sombras.

Ahora podía apreciar lo poco estropeadas que estaban sus manos: sin quemaduras, sin callosidades, sin indicio alguno de trabajo duro. Sin duda no había tenido que soportarlo en aquella casa. Era una costurera que no hacía la colada, iba a comprar comida en lugar de extraerla de la tierra, amasarla o cocinarla. Pero tenía que haber venido de alguna parte. Había sobrevivido a cosas, tenía que haber habido algo a lo que sobrevivir, siempre había cosas a las que sobrevivir. ¿Habría trabajado siempre en casas como aquella? No había rastro de su historia personal en sus manos, salvo de su matrimonio, cuya evidencia resplandecía. ¿Cuánto tiempo llevaba allí, deslizándose por aquella casa con una pieza de tela sobre el brazo, preparada para asumir el privilegiado puesto de ama de llaves? Su comportamiento decía que toda la vida, pero Rafael tenía la impresión de que de un modo demasiado deliberado. El niño la delataba. Aquel niño no se encontraba en casa allí.

Rafael volvió a concentrarse en su boceto. Tenía mucho que hacer, desde el abanico de huesos que recorría el dorso de la mano a las hendiduras de los nudillos. En comparación, las manos de su esposa eran pequeñas y anodinas. Tampoco era que las hubiese dibujado nunca aunque, por otra parte, no necesitaba hacerlo, las conocía. Delicadas, así era como veía las manos de Leonor si se paraba siquiera a pensar en ellas, si bien le sorprendió darse cuenta, pues nunca la había considerado delicada. Era menuda, sí, pero fuerte.

Cubiertas de bonitas joyas, así recordaba ahora las manos de Leonor. La alianza de boda de Cecily, su único anillo, le estaba floja. Se movía conforme movía la mano, retrocediendo hacia el nudillo y revelando una franja de palidez. Ahora acariciaba el pelo de Nicholas y Rafael casi podía sentir el acto reconfortante de aquel anillo —su solidez y suavidad— como si fuese su cabeza la que tocaba; su ligera resistencia, cómo se desplazaba adelante y atrás. Se preguntaba si sus pies eran como sus manos, largos y de huesos definidos. Y luego se preguntó qué hacía imaginando sus pies. Debía de ser el anochecer, que le aturdía. No estaba pensando en sus pies, por supuesto, en lo que pensaba era en líneas y proporciones. Porque a eso era a lo que se dedicaba en la vida. Su trabajo. Ángulos. Ella se había puesto a deambular por la habitación con su candela, derramando charcas de luz, y él se dejó pensar en los fuertes arcos que sostenían aquellos silenciosos pies suyos.

Entonces ella le tomó totalmente por sorpresa al acercarse y mirar por encima de su hombro. No tenía escapatoria.

Ahora era ella la sorprendida:

—*My hands?*

Él dio un respingo.

—*Yes.*

Ella se quedó mirando un rato más el dibujo, luego comenzó a mirar sus propias manos, las de verdad, levantándolas despacio y girándolas, como si las comparase. Como si las viese cuando antes, quizá, le hubiesen pasado desapercibidas. Pero también como si no fuesen suyas. Él dijo:

—*I'm sorry.*

—¡Oh! No. —Y le regaló la más breve, la más tenue de las sonrisas para tranquilizarle. Luego, vacilante, llevó la punta del dedo índice hasta el papel, hasta un trazo de carboncillo, donde lo detuvo como resistiéndose a seguir la línea. Luego lo apartó y apretó decorosamente las manos. Le regaló otra breve sonrisa, esta vez como dándole las gracias formalmente. Este dibujo no se lo regaló. Al fin y al cabo, no era más que un estudio. Un ejercicio técnico. No era más que eso.

A partir de entonces, escarmentado, se dedicó a dibujar ostentible el extremo más alejado del salón, aplicando el sombreado con rigor, frunciendo el ceño por el esfuerzo. Cecily había vuelto a su bordado, su hijo daba golpecitos con aire somnoliento al perro y el viejo emitía traqueteantes ronquidos. Cuando consideró que había pasado un lapso aceptable, Rafael se excusó. La mirada de Cecily al levantar la vista parecía aturdida y, al darse cuenta a su vez de que el tiempo había pasado, trasladó su mirada de Rafael a Nicholas, para ver qué hacía. Y allí estaba, dormido. Rafael tampoco se había dado cuenta. Pero no le sorprendía, el niño tenía un resfriado bastante fuerte. Cecily refunfuñó, exasperada, tendría que despertarlo para llevarlo a la cama.

Rafael reprimió el impulso de ofrecerse a cogerlo. Sería demasiado familiar por su parte. Pero también debió de ocurrírsele a Cecily, porque ahora le miraba como si no se atreviese a pedírselo. Tendría que hacerlo, pues, y se sonrojó de placer por poder hacer algo, poder ofrecerle algo. Todavía preocupado por excederse, le preguntó por señas: «¿Puedo…?».

La respuesta fue una mueca llena de esperanza: «¿Le importaría?».

Dejó sus bocetos y su carboncillo, convencido de que iba a hacerlo mal, con torpeza, y despertar al niño, que se alarmaría al verse manoseado por un español desconocido. Mientras se acercaba, Rafael calculó el tamaño del pequeño, pensando en cómo asegurar la menor molestia para el niño y la mayor potencia para levantarlo. Cecily revoloteaba a su alrededor como ofreciendo ayuda, pero sin prestar ninguna en realidad, si bien poco podía hacer salvo sonarle la nariz a su hijo. Rafael se agachó, metió las manos por debajo de los brazos de Nicholas y lo atrajo hacia su pecho. «Vamos, hombrecito», se sorprendió susurrándole, tal como haría con Francisco. El niño no opuso resistencia alguna y Rafael estuvo a punto de caerse de espaldas. Corrigió la postura, se preparó para levantarlo, sostuvo el peso y lo acomodó en sus brazos, maravillándose ante lo diferente a Francisco que podía resultar el pequeño y, al mismo tiempo, en cierto modo, idéntico. Su corazón se opuso a la confusión. Al tiempo que aspiraba la musgosidad del cabello del niño, indicó a Cecily con la cabeza que se adelantase para guiarle.

Ella le guió desde el salón a la escalera y luego por unos estrechos escalones de piedra hasta una puerta del primer piso, abrió la puerta, le dejó pasar y sacó una carriola de debajo de la cama principal. Él procuró no mirar a su alrededor —sería inadecuado— mientras posaba a Nicholas en el colchón. Nicholas frunció el ceño, se dio media vuelta y dobló las rodillas; Cecily se inclinó sobre él, volvió a sonarle la nariz y luego se puso a colocar las mantas. Rafael se retiró, aventurándose a volver la vista desde la puerta y obteniendo una preocupada sonrisa de agradecimiento. Ella se quedaba en el cuarto. Él se dirigió al suyo.

Al día siguiente llegaron visitas: el secretario de Mr. Kitson —que estaba en Londres por negocios— con cuatro hombres elegantemente vestidos a quienes Rafael no reconoció. También hablaron durante toda la cena, pero solo entre ellos, tal vez de negocios, provocando un respetuoso silencio en la habitual compañía de Rafael. Puesto que empezaba a padecer el resfriado de Nicholas, Rafael estaba más que contento con quedarse sentado observando. No escuchaba las palabras en sí, sino los sonidos, y descubrió que estaba empezando a distinguir entre ellos; sí, eran sonidos abruptos, especialmente los relativos a las cosas cercanas —la comida y el perro, por el que se interesaban tanto como por un niño, de hecho, en lugar de mostrar interés alguno por el niño de verdad— pero luego volvían a su conversación, que era más fluida, y Rafael captaba acordes de latín y francés. El inglés era una verdadera mezcolanza.

Para la cena siguiente, ya se habían ido. Tras aquella comida, Rafael se retiró como siempre a los cojines junto con Cecily, su hijo, Richard —el anciano— y el perro, para dibujar de memoria la fachada principal de la casa, para Francisco. *Aquí es donde me alojaba. Esta de aquí es mi ventana.* Tras un rato, se le ocurrió que Cecily podía estar observándole, de vez en cuando levantaba y giraba rápidamente la cabeza en aquella dirección. En una ocasión, logró encontrar su mirada, pero ella volvió a bajar la vista, sin expresión alguna, como si esperase que él no la hubiera visto. Al dibujarla la había incomodado, y lo lamentó. Ella estaba ansiosa por saber qué hacía, por ver si volvía a ser ella el motivo de su boceto. Pero sería un reconocimiento demasiado explícito por su parte tomar la iniciativa y mostrarle su dibujo. En lugar de ello, decidió dejarlo de vez en cuando al alcance de su vista, mientras se sonaba la nariz; luego, cuando eso no pareció funcionar, lo dejó a un lado mientras caminaba de un lado a otro para estirar sus piernas doloridas. Después de esto, no volvió a haber más miradas furtivas.

A lo largo de esa semana, se descubrió entreteniéndose con la hendidura de entre el pulgar y el índice de la mano izquierda de Cecily. Aislado, el pliegue no era reconocible: apenas un borrón de carboncillo. Nada, en realidad. Un espacio.

Pero había algo en su frente, en la amplitud de su frente, que había notado la primera vez que la vio. Había algo atractivo en ella. Tenía los ojos separados, a diferencia de tantos rostros ingleses, que tendían a tenerlos demasiado juntos. El suyo era un rostro franco. Medio esbozó, medio garabateó, teniendo en cuenta lo escaso de sus cejas o pestañas. Eran superficiales e incompletas, como si fuesen resultado del más breve de los intentos. Tenía que aplicar con gran ligereza el carboncillo para dibujar su ausencia.

Podía ver parte de su cabello aun sin mirar. Reflejaba la luz, pero no veía si era dorado o plateado. Aquí las mujeres llevaban las tocas hacia atrás, revelando la raya y el cabello pegado a la cabeza. En España jamás se atisbaba el pelo, solo las frentes, altas y desnudas. Leonor no saldría bien en un dibujo, aun cuando él se atreviese a intentar dibujarla. Las mujeres españolas solían tener rasgos suaves y ojos almendrados, pero Leonor tenía un rostro anguloso, ojos de color pétreo y una boca dura, de labios finos, torcida. Él adoraba aquella boquita obstinada, nunca dejaba de sentir un vuelco en el corazón cada vez que la veía. Al recordarla, incluso. Tenía el cabello castaño y era de complexión cetrina, lo que sugería que era delicada cuando en realidad no lo era en absoluto. Era una trampa. No poseía una belleza clásica, pero Rafael estaba cautivado por ella.

Aquella noche, por primera vez en mucho tiempo, pensó en Beatriz. Había sido doncella de su madre y, a sus quince años, le parecía que siempre había estado en la casa, aunque probablemente solo habían sido dos o tres años, y probablemente no era mayor que él. Él nunca la había mirado, esa era la verdad. No de ese modo. Sencillamente estaba allí, era la doncella de su madre. Más adelante, se preguntaría cómo había podido no ver lo extraordinario de su aspecto, con su tez pálida y sus ojos color ámbar. De su cabello —un montón de diminutos bucles cobrizos— no podía haber sabido nada.

Una tarde en que estaba sentado en el jardín, se dirigió a él, acercándose como con curiosidad. Se inclinó para mirarle a los ojos y le sostuvo la mirada. A él le preocupó haber hecho algo malo y haber sido descubierto, pues lo miraba como si supiera algo. No podía hacer más que devolverle la mirada y esperar. Nunca antes la había mirado a los ojos —por supuesto que no— y le intrigó su color. Un color que no había visto jamás en los ojos de nadie, que ni siquiera había creído posible en unos ojos. *Ámbar.* Entonces ella enredó los dedos en su cabello, apartándoselo de la frente, alejándolo de su rostro, como si tuviese fiebre. De repente fue consciente de su pecho encorsetado, tan cerca de él. La caricia en el pelo le estaba provocando una agitación física que había sentido antes —no tenía sentido fingir lo contrario—, pero nunca en respuesta directa al tacto de otra persona. Y entonces ella se fue, a través del jardín, de vuelta a la casa.

Sabía algo. De repente, estaba en posesión de un conocimiento que, estaba seguro, iba a cambiar su vida: el tacto, el mero tacto de una mujer, era lo único que importaba, razón suficiente para estar vivo.

Desde entonces, ansiaba su presencia. Eso era todo. Estaba seguro de que volvería a él; comprendía que eso era lo que ella había querido que supiese. Y un par de días más tarde, volvió a él. En el jardín, otra vez. Se detuvo como si él la hubiese llamado, pero no lo había hecho, y le miró con aquella misma mirada, pero desde la distancia. Era él quien debía acudir a ella, entonces. Su quietud le recordó al «corre que te pillo» de la infancia, a la pausa previa a la carrera. La sangre le palpitaba en los oídos con grandes zumbidos mareantes. Cuando llegó a su altura, no sabía qué hacer; no sabía qué se suponía que debía hacer. Se sentía inútil allí, ante ella. *Su rostro.* La banda de lino de su toca, su borde orgulloso bajo las yemas de sus dedos; la más diminuta de las gotas bajando por la piel desnuda, junto al manantial apenas perceptible de una sien. La seda salvaje de sus cejas. Los pliegues de su nariz, a un lado y a otro. La cima de sus labios, su resistencia. Luego los labios, su resistencia al paso de su dedo, rodeándolos lentamente. *Sus labios,* de la anchura de su dedo, como hechos para él.

Aquellos labios se entreabrieron, solo un poco, lo suficiente para atrapar la yema de su dedo entre los dientes con el más leve de los mordiscos, la más pequeña de las amenazas. Los bordes serrados de sus dientes y la irregularidad de su disposición. Y luego su lengua, una ráfaga de calor suave y húmedo.

Retiró el dedo, pero solo porque deseaba colocar allí su lengua, al encuentro de la de ella, dentro de sus labios. Su aliento era inesperadamente cálido y mohoso. La punta de su lengua levantó la de Rafael, y le sorprendió su fuerza.

Temiendo caer en la deshonra, apartó su boca de la de Beatriz, pero en un instante estuvo dispuesto a asumir el riesgo y volvió. De repente, ella se alejó, y se abrió paso a través del jardín, solo entonces oyó él lo que ella debía de haber escuchado: pasos. Vio aparecer al pinche de cocina con un puñado de hierbas aromáticas. En lo único en que podía pensar Rafael era en cómo él y Beatriz podían continuar. Le urgía tanto como si alguien le impidiese respirar.

La siguiente vez que la encontró en el jardín, ella se detuvo y le miró, pero luego se alejó y él se dio cuenta de que debía seguirla. Salió por la cancela y se adentró en el bosque y, a partir de entonces, allí era donde se reunían. Ella se sacaba la toca y dejaba libre su hermoso cabello. La toca era lo único que se quitaba; nunca la vio más que completamente vestida. Se acostaban y se besaban; ella se echaba sobre él y él era demasiado consciente de la almohada de su pecho. Yacían abrazados, apretándose el uno contra el otro para estar aún más cerca. Tras casi una semana así, ella estiró las manos para desatarle la camisa, pero él dio por sentado que solo trataba de hacer que estuviera más cómodo. Ella sabía que él jamás se atrevería a hacerlo en su compañía, así que lo hacía por él, permitiendo, tolerando su indecoroso estado.

Jamás se le había ocurrido que ella podía hacer algo más para aliviarle. Eso le correspondía hacerlo a él luego, a solas. Un día, sin embargo, durante los besos y después de desatarle la camisa, mientras ella estaba a horcajadas sobre él, presionando hacia abajo, algo cedió y él se dio cuenta de que, de algún modo, había entrado un poco en ella. Dureza y suavidad, esa era la sensación. Su reacción inicial fue que algo había ido mal, pero luego —casi al instante— vio que no, que algo había ido bien. Ella ya se estaba acomodando sobre él, él ya estaba un poco más adentro.

Se convirtió en lo único que hacían. Él vivía para hacerlo. Y cada vez que lo hacían, se estremecía por lo bien que encajaban, se deleitaba en ello. Después de un rato, ella jadeaba y apretaba la mano que reposaba sobre su hombro. La primera vez que lo hizo, temió haberle hecho daño y dejó de moverse, pero ella presionó más, le conminó a seguirla y él captó la idea que, a su vez, provocó su respuesta.

Aquella cadencia suya siempre se producía como algo accidental, una consecuencia fortuita de sus besos. Él contribuía a crear esa impresión, pero a solas, en sus sueños, no hacía otra cosa: no había besos siquiera, solo aquella cadencia, y más, cada vez más rápida. Después sentía que en cierto modo era una traición hacia ella, pensar en ella de aquel modo, pero no le preocupaba especialmente. Desde luego, no le importaba mientras lo hacía. Si hubiera podido atarla al dosel de su cama, lo habría hecho. Lo único que le preocupaba era no hacerle daño ni molestarla para que no dejase de hacerlo con él.

Al recordarlo, de adulto, era capaz de reconocerlo, por más que le avergonzara. De comprenderlo, incluso: *un muchacho de quince años*. Si tuviera la oportunidad, Francisco probablemente haría lo mismo un día, y Rafael no creía que pudiese hacer gran cosa al respecto.

Beatriz nunca se dirigía a él en aquella época. Nunca hablaban. A ese respecto, nada cambió.

Él nunca supo, entonces ni más adelante, si ella había mantenido relaciones con sus hermanos, con todos o con alguno. Tal vez. Su instinto le decía que no —¿sus píos hermanos?—, pero, por otra parte, podía suceder, ¿no era cierto? Y los hombres piadosos probablemente fuesen los peores. Al pensar en ello ahora, sospechaba que no era virgen. No lo hubiera sabido en aquel entonces; no sabía nada en aquel entonces.

¿Cuánto tiempo había durado? No había llevado la cuenta, era algo que sucedía, era su vida. Meses, en cualquier caso. Y un día, su madre, con Beatriz a su lado, informó a la familia de que su doncella abandonaría la casa en tres días para volver a su aldea y casarse. Sabía, dijo, que todos deseaban unirse a ella en su felicitación, y así lo hicieron, entre expresiones de pesar por la inminente partida. Y Beatriz asintió, sonrió y dio las gracias tímidamente por las felicitaciones y los pesares. *¿Casada?* No habían hablado de matrimonio, aunque, por otro lado, no habían hablado en absoluto. De modo que Rafael lo aceptó. Era algo que las criadas hacían a veces.

Pero era algo que él ya no iba a hacer, y la perspectiva era funesta. Intentó ver a Beatriz, pero siempre parecía estar en compañía de su madre. Esperó en vano en el bosque y soportó más vigilias en el jardín, pero pasaron tres días y allí estaba él, de pie junto al resto de la casa para decirle adiós. Y ella ni le miró. Y si alguna vez volvieron a mencionarla en la casa, nunca oyó nada. ¿Aunque por qué iba a hacerlo? Las conversaciones sobre las criadas eran cosa de mujeres. Solo veinticuatro años más tarde y a más de mil millas de distancia, incómodo y lleno de remordimientos, se descubrió preguntándose sobre su marcha, sobre el destino al que se dirigía y por qué.

❦

Algunas noches, Antonio se dignaba a volver a casa de los Kitson y entonces todo era distinto; había conversaciones. Animadas conversaciones, entre él y Cecily. Ella a menudo le encontraba divertido, se reía mucho y a Rafael su risa le parecía sincera.

No intentaba escuchar, pues no captaba más que alguna palabra sin interés de vez en cuando como *you, the house, London, in Spain,* pero observaba a Cecily, sentada bien recta, concentrada en discernir palabras comprensibles en el acento de Antonio. A menudo le respondía, y a veces hacía preguntas, pero a pesar de que entablaba aquellas conversaciones con Antonio con más frecuencia de lo que nunca lo había hecho con Rafael, él tenía la impresión de que se entregaba menos que en sus forzados intercambios. Sus manos, por ejemplo: Rafael se fijó en cómo para él siempre estaban moviéndose, levantadas, entregadas al esfuerzo de mostrarle lo que quería decir, mientras que con Antonio se mantenían en su regazo.

Y Antonio era un inútil con su hijo. Rafael sospechaba que era inútil con los niños en general, daba el tipo, los veía como rivales por la atención. Resultaba difícil imaginar cómo podía ser así en aquel caso concreto, pero en cualquier caso, Antonio no hacía intento alguno por incluir al niño, ni siquiera le dedicaba una mirada ocasional. Rafael a menudo hacía el esfuerzo de sonreír, por más que fuese completamente inútil.

Fue tras una velada —y una noche— con Antonio cuando Rafael se decidió a pedir ayuda a Cecily. Ahora se sentía capaz de pedirlo para su última semana, especialmente dado que los Kitson no iban a estar por allí: «*It's possible... Antonio, me: two rooms?*».

Ella frunció el ceño para indicar que estaba pensando, luego le hizo un gesto para que la siguiese. Se dirigieron a la escalera principal y subieron, recorrieron la galería hasta otras escaleras —distintas de las que conducían a su antiguo cuarto— y luego otra galería más estrecha que llevaba a otra escalera. No había signo alguno de vida por ningún lado, por supuesto, todos se habían ido. Todo había desaparecido: en las paredes se apreciaban las marcas donde había habido tapices o cuadros, y rayaduras en los lugares donde había habido bancos o arcones. El niño iba con ellos, pero no corriendo delante como hubiera hecho Francisco. A Francisco no le hubiera importado no saber dónde iban. De hecho, esa hubiera sido la gracia: adelantarse corriendo con la creciente anticipación de que le mandarían volver atrás. Este niño, sin embargo, remoloneaba tras ellos, pasando los dedos de una mano —Rafael podía oírlo— por las paredes. Delante, Cecily se disolvía en la penumbra y resplandecía en ella a la vez.

Se detuvo ante una puerta cerrada, cogió una llave de su cinturón para abrirla y dio un paso atrás para mostrarle la habitación. La primera impresión de Rafael fue que era de buen tamaño. Cama grande, chimenea y dos arcones de roble. Aunque, para su decepción, también daba al nordeste. Cecily estaba diciendo algo rápido, señalando la cama, levantando las manos y dejándolas caer luego. Supuso que hablaba de las cortinas de la cama, cuya ausencia era notable, pero su tono era alegre e imaginó que estaba diciendo que podía encontrar unas. Aceptó con entusiasmo la oferta y le mostró su gratitud. No había duda: el cuarto le iría estupendamente con cortinas o sin ellas, incluso orientado al nordeste. Lo que realmente importaba era que Antonio no estaría en él.

Tras el éxito de esta petición, Rafael decidió intentar poner remedio a la falta de otro elemento que haría más soportable el resto de su estancia: agua fresca para beber. La cerveza no aplacaba su sed, especialmente cuando estaba resfriado, y llevaba resfriado prácticamente desde su llegada. Sabía que beber de las canalizaciones de las calles, de los pozos o del agua que llevaban a la casa los aguadores no era en absoluto recomendable. Añoraba el pozo que había en el patio de su casa, sumergir el caldero en los pliegues frescos e inundados de las profundas rocas. Ansiaba oír la melodía de la polea y el aplauso de las gotas desperdigadas cayendo sobre las losas. Si había un manantial de agua fresca en algún lugar de Londres o sus alrededores, aunque costase dinero —y pagaría cualquier precio, encontraría un modo de pagar cualquier precio— sin duda Cecily, como ama de llaves, había de saberlo. Pero cuando le preguntó, la noche siguiente a su éxito con el cuarto, ella se mostró horrorizada por su sugerencia y se esforzó mucho, por lo que pudo ver, en convencerle de que nunca debería tener tal tentación.

No obstante, pareció captar su desesperación, pues, muy amablemente, fue a buscarle una jarra y un vaso de barro, le indicó por señas que tomase un sorbo y fingió estupefacción: *ácido,* le decía con la sacudida hacia atrás de su cabeza, los labios fruncidos, los ojos parpadeantes. Luego sonrió lentamente, mostrándole que, al final, aquel líquido ácido resultaba agradable. Refrescante, le decía. Él le dio las gracias y aceptó la jarra y el vaso.

—¿Qué es? —preguntó, aunque no estaba seguro de poder entender la respuesta de Cecily.

Algo de manzana, dijo.

Él entendió a medias.

—¿Manzana?

Ella levantó la mano —*Espere*—, desapareció unos minutos y al poco volvió a oír el crujir de su falda. Rafael reconocía el sonido de cuando ella andaba atareada por la casa. Nunca oía pasos, las suelas blandas de sus zapatos eran mudas sobre las losas. Apareció con algo en la palma de la mano: una fruta pequeña, como una manzana; parecida a una manzana, pero mucho más pequeña. *Algo* manzana, insistió ella, pero no reconoció la palabra. Tomó un trago del zumo. Su representación mímica había sido precisa, pero tenía razón, era refrescante. Era ácido, y comprendía que algunas personas llegasen a apreciarlo. Ella le observaba de cerca, de modo que hizo evidente su aprobación.

También echaba en falta las aceitunas, el tacto de su pulpa en la lengua, el reto de su amargura. Entre sus compatriotas se decía que podían encontrarse en Inglaterra, y que las habían visto en alguna mesa, pero en sus pesquisas no encontró más que encogimientos de hombros y la mención de mercados. No sabía dónde estaba el mercado más cercano, todavía se desviaba poco de su ruta de ida y vuelta hacia el río. Un día de esa misma semana, le preguntó a Cecily: «*Is it possible?*» y le mostró un puñado de monedas para dejar claro que la petición que se avecinaba no afectaría al presupuesto de la casa (quién sabía lo caras que serían): «*Olives?*». Inclinaba la cabeza a un lado y luego al otro en sus esfuerzos por comprender. Cuando finalmente lo hizo, sin embargo, se entusiasmó, olvidándose de todo y parloteando sin caer en la cuenta de que no la entendía, cosa que le hizo gracia. Oyó *market*. Luego hizo un gesto como para apartarle la mano: ella las compraría. No, no, no, insistió él. Era más: «¿Puedo venir?», quería decir *¿Puedo ir?,* pero solo sabía decir *venir.* «*¿Con usted?*». Se sorprendió a sí mismo al preguntarlo, pero de repente le apetecía hacer una pequeña expedición en la relativa seguridad de su compañía, y podría comprar regalos para Leonor y Francisco.

Y así fue como se encontraron juntos en la puerta, una mañana de septiembre, ambos vestidos con sus capas casi negras, del tono amoratado que constituía la versión asequible del negro. La de Rafael era corta, a la española; ella colocó pequeños ganchos de metal en el dobladillo de la suya, probablemente para evitar que se manchase de barro. Habían reunido cestas a sus pies. Ella había intentado en vano convencer a su hijo para que se quedase en casa. Eso había oído Rafael mientras ella bajaba las escaleras: su tono bajo, enfático, pero luego quebrado, como si luchase —físicamente— por liberarse y, al mismo tiempo, un grito de protesta o desesperación del niño. Cuando Rafael llegó al pie de la escalera, el niño estaba allí, vestido para ir con ellos, y Cecily parecía avergonzada. Derrotada.

Rafael recordó la última táctica de protesta de Francisco. Era una argucia relativamente nueva, quizá de un par de semanas antes de su marcha. Se preguntaba si Francisco seguiría haciendo aquella declaración: *¡No volveré a ser tu amigo!,* y era toda una declaración: altiva y teatral. Sin zalamerías, ni enfados sino, por el contrario, calculada, calibrada: Francisco arrojaba el guante, pero con un destello de humor en los ojos. Y de hecho, salvo en las situaciones más difíciles, a Rafael le había parecido secretamente divertido, aunque el origen de la gracia no fuesen aquellos ojos cómplices sino su boca. El mohín de extraordinarias proporciones, copiado de quién sabe dónde y ejecutado con destreza.

Le gustó caminar con ellos, pero no duró mucho. Al final de la calleja, giraron a la derecha y enfrente, en la distancia, estaba el mercado. El Chepe, dijo ella. Cheapside. El sol estaba cubierto de nubes a sus espaldas, sin proyectar ni una sombra. Se alegró de no haberse aventurado solo. Se vieron arrastrados entre el gentío, en una cola que deambulaba sobre los tablones colocados encima del barro. Junto a ellos pasaban gentes con buenas botas o sin calzado alguno, desafiando la mugre, gentes a caballo o en carruajes tirados por irascibles caballos. Pisando con pie seguro entre todo aquello pasaban comerciantes que llevaban bandejas con objetos de alfarería. Y también ladrones, Rafael sabía que andarían cerca. Cecily llevaba a su hijo de la mano, y a Rafael le maravillaba su equilibrio. Pero aunque Nicholas se manejaba bien, la destreza de un niño pequeño tiene sus límites y Cecily estaba visiblemente tensa, guiándole y apoyándole, con la cesta balanceándose junto a su cadera.

Había carnicerías y pescaderías, cuyo olor hizo tambalearse a Rafael, junto a los tentadores puestos de los panaderos. Cecily se decantó por uno en particular, al que le compró dos hogazas. Había un puesto de especias en el que Rafael se hubiera demorado de haber tenido ocasión. Al lado, con un olor no menos penetrante pero menos agradable, había quesos y pequeños bloques de manteca. Algunos de ellos contenían trocitos de hojas, quizá hierbas aromáticas. Cecily se detuvo y soportaron el zarandeo del gentío al pasar hasta que lograron hacerse un hueco y ella pudo pedir uno de aquellos bloques, sin hojas. Manteca salada, sospechó Rafael: solo había probado la manteca salada en Inglaterra y, a pesar de que apenas tomaba manteca en España, le apetecía más. Cecily no compró queso, cosa que no molestó a Rafael. El queso de leche de vaca le parecía insulso comparado con los quesos de oveja y de cabra que comía en casa.

Luego hubieron de esquivar sacos de grano y barriles de vino, malvasía y jerez procedente de España; cajas de manzanas y calderos de flores y hierbas aromáticas colocados para atraer la atención de los londinenses que carecían de jardines propios. Un puesto de pócimas gozaba de gran popularidad, y estaba provocando un embotellamiento. Más allá había puestos de telas y alfombras. También de cuero, rollos de cinta y bobinas de cuerda. Rafael atisbó una mesita con plumas y apartó la vista al ver una repleta de cañas de pescar de madera de abedul. Una muchacha pasó junto a él con una bandeja sobre la que tintineaban un montón de diminutas campanillas, probablemente para halcones. Luego divisó a un muchachito —más o menos de la edad de Nicholas— con un muñeco de pan de jengibre, un niño bien vestido, llevado de una mano, mientras en la otra sostenía el premio, que contemplaba cautivado. Rafael se preguntó cómo alguien —por poco tiempo que llevase en este mundo, por pequeño e inocente que fuese— podía dejarse subyugar por tan torpe representación de la figura humana: una cabeza, un par de ojos, brazos y piernas. Pero funcionaba, siempre, nunca fallaba. ¿Quién no había sucumbido alguna vez a los encantos de un muñeco de pan de jengibre?

Nicholas también detectó al niño y a su muñeco de pan de jengibre, y a Rafael le impresionó el hambre de su mirada. No era tanto un hambre física como un anhelo de ser agasajado, de que se le concediese algo especial —una chuchería, nada menos— para él y solo para él, que la decisión de qué comer —¿la cabeza o las piernas primero?— y cuándo —¿comerlo todo ahora o dejar algo para luego? — fuese únicamente suya.

Pero allí estaba Cecily, apretando más la mano de su hijo, dejándole claro que no había lugar para jueguecitos con muñecos de pan de jengibre en aquella atareada jornada en busca de provisiones. No había tiempo, ni probablemente dinero para esas cosas. Y había algo más, adivinó Rafael: la preocupación de que si cedía en esta ocasión, Nicholas esperaría que lo hiciese en el futuro. Como padre, Rafael la comprendía. Por supuesto que sí. Lo que le pilló completamente por sorpresa fue su propia compasión por aquel hosco chiquillo.

Y él tenía la libertad de no ser el padre de Nicholas, podía disfrutar de esa libertad. Más aun, era una visita, un invitado, por lo que tenía el deber de agasajarle. Podía hacerlo. Frenó a Nicholas poniéndole la mano sobre el hombro y, como pretendía, al notar la repentina resistencia, Cecily también se detuvo. Se alejó de ellos y se abrió paso hasta el puesto de confitería donde, mientras le atendían, limitó la conversación al mínimo —masculló las gracias— y el pastelero, atareado, no le miró dos veces. De modo que lo había logrado, y ahora solo quedaba enfrentarse a la posible cara de desaprobación de Cecily. Si en efecto lo desaprobaba, lo comprendería —y se disculparía—, pero le rogaría comprensión: *Mire su carita, Cecily, y permítame, solo por esta vez.*

Si desaprobaba su conducta, cuando regresó, tuvo la delicadeza de no darle importancia y se limitó a dirigirle aquella mirada angustiada de reprobación que decía, *No debería haberlo hecho,* pero que él consideró únicamente obligada. Procuró mostrar entusiasmo por Nicholas, «Mira, ¡qué bonito!», pero luego le indicó: «¿Qué se dice?».

Rafael no había previsto eso. Tal vez debería, pero no lo había previsto.

—Da las gracias.

Rafael era consciente de cómo la sonrisa se le borraba de la cara, de cómo el corazón le arañaba la garganta. Aquello —que Nicholas se viese forzado a hablarle— no era lo que quería. No era la razón por la que le había comprado el muñeco de pan de jengibre, aunque sin duda así sería como Nicholas lo vería ahora. Rafael negó con la cabeza, pero Cecily no le estaba mirando.

—Da las gracias a Mr. Prado.

El niño levantó la vista del muñeco de pan de jengibre y, con los ojos bien abiertos, miró a Rafael. Parecía atrapado. Su madre empezaba a perder la paciencia.

—¡Nicholas!

—Por favor, no —imploró Rafael a Cecily, pero fue como si nada, una palabra de cortesía. ¿Pretendía algo con aquello? Rafael no creía que así fuese. Su manera de proceder era despreocupada, lo que daba a entender que estaba acostumbrada a que su hijo hablase y había olvidado, o no había notado nunca —¿era posible?— que no hablaba con Rafael ni en su presencia siquiera.

—Nicholas, por favor. ¡Da las gracias a Mr. Prado!

No, se descubrió deseando Rafael, *mantén tu silencio.* Y entonces le desconcertó caer en la cuenta de que había deseado aquello desde su llegada, que el niño se viese acorralado, humillado, obligado a admitirle. Sí, lo había deseado. Él, un hombre adulto. Se sonrojó de vergüenza.

—Por favor, Cecily, no —y le puso la mano en el brazo. Y funcionó, lo dejó, si bien con un bufido de indignación y una mirada furiosa hacia Nicholas.

Echó a andar y Rafael la siguió hasta un puesto de dátiles, higos secos y aceitunas. Las aceitunas todavía estaban en salazón, no habían sido puestas en aceite, pero mejor eso que nada, así que compró unas cuantas. Pensó en comprar dátiles e higos para Cecily, a pesar de lo secos que estaban. En el puesto de al lado, ella estaba pidiendo copos de avena. Al coger el cono de papel de la mano del tendero, se giró, expectante, y preguntó «¿Dónde está Nicholas?». Rafael hizo lo mismo, se giró para buscarlo e incluso preguntar a alguien, aunque no había nadie a quien pudiese preguntar. Se giró dos veces, recorriendo con la mirada la zona cercana y la más alejada. Ni rastro de Nicholas. ¿Cómo podía haber desaparecido? Tenía que haber una explicación simple para su momentánea desaparición. Sencillamente, no lo estaban buscando en el lugar adecuado. Pero Cecily ya estaba preguntándole a todo el mundo «¿Dónde está Nicholas?». Por supuesto, nadie respondía. Un par de personas se hicieron a un lado, dejándola pasar, cohibidas, sin saber qué se les pedía. Cecily empezó a gritar el nombre de Nicholas: ya no preguntaba a los transeúntes, sino que llamaba directamente a su hijo desaparecido. Rafael se llenó de consternación e incredulidad, incluso de furia. *¿No habrás sido capaz, verdad? No habrás sido capaz de escaparte. No aquí. Precisamente aquí.*

Se oyó gritar también, pero lo que oía era su acento. Se oía como lo oían los demás y los veía mirarle. Se giraban no por la conmoción ante un niño perdido, sino para encontrar el origen de aquel acento. Era una carga para Cecily: la gente le miraba a él en lugar de buscar a su hijo. Su furia se trasladó a ellos: estúpidos, estúpidos ingleses. Entonces los ojos de Cecily se encontraron brevemente con los suyos, vio el terror en ellos y lo reconoció como propio. Uno de ellos debería quedarse por si Nicholas volvía. «Quédese aquí», le dijo, si bien sabía que sería una agonía para ella, que su instinto la impulsaba a irse, a buscarlo. Pero no podía decir, *Yo me quedo, váyase,* no podía decir eso. Había hablado el primero, y no podía haber dicho otra cosa. Ella trató de protestar, pero él la hizo callar —*Por Nicholas*— y se fue antes de que ella pudiese detenerlo, abriéndose paso a codazos entre el gentío, comprobando de un vistazo cada puesto, cada callejón. Era culpa suya, sí, culpa suya, por haberle dado a Nicholas el muñeco de pan de jengibre. Rafael gritó su nombre por encima de las cabezas de la gente, desafiante, haciéndose notar al máximo porque el niño no podría dejar de percibir su acento, reconocerlo, mirar, entregarse.

¿Cómo podía nadie llegar a ninguna parte en medio de aquel gentío, mucho menos perderse? Un niño de cuatro años no podía haber ido lejos. Aunque, por otra parte, lo contrario también era cierto: sería imposible encontrar a una persona perdida en medio de todo aquello. Y de repente, el miedo de Rafael se convirtió en un ridículo miedo por sí mismo, se volvió contra él, se encabritó y le dio una coz, ¿y si Cecily no le había escuchado? ¿Y si no se quedaba y abandonaba el puesto de grano para ir a buscar a su hijo? Tenía que afrontarlo: eso era lo que iba a hacer, ir en busca de su hijo. Y entonces él, Rafael, estaría perdido. Ella encontraría a su hijo y se iría a casa, aliviada, mientras Rafael se quedaba allí, entre los astutos comerciantes y los mendigos, incapaz de encontrar el camino de vuelta a la casa. Así era como se sentía, aunque sabía que era una locura. Estaba a apenas unas calles y podía preguntar aun en su mal inglés, o podía bajar hasta el río y encontrar el camino de vuelta desde allí.

Esto es ridículo, se dijo. *Céntrate,* se ordenó, pero todo se interponía en su camino: cestas, cajas y barriles, botas y bajos de capas, perros, grupas de caballos. *Céntrate, céntrate.* No lo lograba. Le estaba fallando a un chiquillo que estaría aterrorizado. Era un inútil sobre los tablones, avanzaba dando bandazos y no conocía el terreno, no sabía a dónde conducía Cheapside, no sabía qué callejones carecían de salida. Y no podía preguntar nada a nadie. No tenía que haber salido corriendo, haciéndose el valiente. Cecily hubiera sido más rápida y aguda.

Había avanzado bastante en una dirección; Nicholas —o cualquiera que tuviese a Nicholas— no podía haber ido más lejos en aquella dirección en ese tiempo. Tenía que comprobar la otra dirección el doble de rápido. Empezó a abrirse paso a empujones para volver, tratando de pasar por donde estaba Cecily sin que ella le viese, para que no se diese cuenta de que todavía no había encontrado a su hijo, pero cuando se acercó al lugar donde la había dejado vio que no estaba allí. *No estaba.* Miró a su alrededor, buscándola. La esperaría, suspendería la búsqueda, alguien tenía que esperar allí a Nicholas por si encontraba el camino de vuelta. Ella debía de haber llegado a la misma conclusión que él, que ella podía buscarle mejor. Se quedó junto al puesto. Cecily había recobrado el juicio y se había ido, ojalá tuviese suerte. Le encontraría. De repente, Rafael supo que le encontraría. Y sólo entonces cayó en la cuenta de lo que era obvio: Nicholas no era un niño capaz de perderse. No Nicholas. Si se había ido, había sido a propósito. Y si se había ido a algún lugar, lo más probable era que Cecily —en cuanto tuviese un momento para pensarlo— supiese adónde.

Y debía de saberlo porque —¡gracias a Dios!— regresaron en unos minutos y Nicholas tenía buen aspecto. Sin embargo, la expresión de Cecily no era de triunfo ni de alivio, sino de desánimo, como si hubiese tenido que hacer algo que le resultaba desagradable. Ir a recogerlo, eso era lo que había hecho. No lo había estado buscando, había ido a recogerlo a algún sitio. El niño miró fijamente a Rafael, como solía hacer, y dio un mordisco —el primero, pudo ver Rafael— a la cabeza del muñeco de pan de jengibre. No le dieron explicación alguna.

Pero más tarde, ya en casa, Rafael le preguntó, o intentó preguntarle: «Nicholas… en el mercado… ¿dónde?», aunque no sabía cómo iba a poder entender su respuesta. En cualquier caso, entenderla no supuso problema alguno, puesto que ella se limitó a encogerse de hombros, dando a entender que Nicholas no estaba en ningún sitio en particular y que simplemente había tenido la suerte de encontrarlo. Rafael no la creyó.

❦

Para cuando llegó su sexta semana en Inglaterra, a finales de septiembre, su diseño ya llevaba tiempo terminado y seguía sin tener noticia alguna sobre la probabilidad de que le pagasen, ni siquiera de que se cubriesen los gastos de piedra, bronce, madera, pintura y pan de oro que él y Antonio necesitaban si habían de proceder con la construcción. Visitaba la delegación española a diario, pero estaba asediada de quejas y disputas entre españoles e ingleses. En cualquier caso, numerosos funcionarios alegaban no tener constancia alguna de que jamás se le hubiese contratado para construir un reloj de sol, y su contacto inicial estaba en España. Exigió hablar con alguien —con cualquiera— de mayor rango, pero las reiteradas promesas de que se le concedería su petición habían sido infructuosas hasta el momento. Tenía consigo una carta de su contacto inicial, pero nadie de la delegación mostraba demasiado interés por leerla. Aquella indiferencia daba a entender que las circunstancias no eran las previstas y que lo que se hubiese acordado en España ya no era de aplicación aquí, en Inglaterra.

No sabía si debía abandonar y exigir su pasaje de regreso. Las seis semanas prometidas habían pasado, pero aquellos funcionarios relativamente subalternos, distraídos y exhaustos, podían estar equivocados y cuando la situación se calmase —si se calmaba—, sería Rafael quien habría de responder por el abandono del proyecto del reloj de sol. No sabía si podía dejar a Antonio para que lo construyese más adelante si lo llamaban, no sabía si Antonio accedería y, de hacerlo, qué anticipo le pediría ni, lo que era más importante, si sería capaz de hacer el trabajo. Antonio era un cantero excelente, pero Rafael había contado con mucho más tiempo del esperado para elaborar su diseño y era superior a cualquier otro de los que había hecho. Había ideado una estructura tan alta como un hombre, compuesta por dieciocho relojes de sol esféricos: inclinados, reclinados y declinantes. Tendría que confiar en Antonio para que seleccionase y administrase con prudencia diversos materiales, y subcontratase las tareas de orfebrería, carpintería, pintura y sobredorado. Más aún, tendría que seguir indicaciones mucho más complejas de las que había manejado nunca. Rafael detestaba la idea de dejar un trabajo que no estuviese perfectamente terminado, pero especialmente aquel, el mejor diseño que había hecho nunca. Por otro lado, el diseño en sí estaba terminado, ¿qué le importaba a él el aspecto que tuviese aquí en Inglaterra? Aquel no era país para relojes de sol, y no había allí nadie a quien quisiese impresionar. Por supuesto que le gustaría que la Reina tuviese un buen reloj, pero si no era lo bastante bueno, ella tampoco iba a darse cuenta.

Seguía almorzando a diario en Whitehall. *Me estoy haciendo inglés,* bromeaba sombríamente consigo mismo, no me interesa más que comer. Los ingleses también bebían, pero su sed de cerveza iba bien más allá de lo que podía calificarse amablemente como interés. Rafael comía lo que servían en palacio únicamente porque no tenía nada más que hacer, ningún otro lugar al que ir, y no podía permitirse o conseguir ninguna otra comida hasta la hora de la cena. Y porque, si había noticias sobre algún barco de vuelta a casa, quería oírlas.

Mientras comían y bebían, los ingleses chismorreaban, eso decían los conocidos de Rafael. Los ingleses eran una nación de cotillas, sin nada importante que decir pero que nunca se callaban. Pero lo que Rafael oyó en el almuerzo un día de finales de septiembre no era ningún cotilleo. Era oficial, una noticia y, como tal, algo de lo que informaría aquella noche en la casa. Esperaba que nadie se lo hubiera contado a Cecily, quería que fuese un regalo para ella. Deseaba poder ofrecerle algo por una vez, a ella, que había sido tan generosa con él con el fruto de su trabajo en la casa y tan dispuesta a ofrecerle su amistad. Sospechaba —y le avergonzaba— que hasta entonces había sido una molestia en la casa. Pero esta noche entraría por la puerta con una sonrisa sincera.

Al entregar la tarifa acordada al barquero en el embarcadero de palacio, evitó mirarle, como siempre, pero notó menos animosidad, estaba seguro, y los barqueros —que nunca disimulaban su parecer— eran buenos indicadores del estado de ánimo general. La buena noticia era buena para todos y, al parecer, la actitud de los ingleses para con sus visitantes ya empezaba a suavizarse. No obstante, prefirió no arriesgarse, se mantuvo invisible, sin dirigir la mirada hacia ningún lugar en concreto y con gesto inexpresivo, algo en lo que había adquirido práctica, al igual que la mayoría de sus compatriotas. La cuestión era aparentar indiferencia, pero sin rastro alguno de despreocupación, que podría ser tomada erróneamente por la proverbial arrogancia española, sobre la que habían corrido rumores mucho antes de que ninguno de aquellos londinenses hubiese visto realmente a nadie procedente de España, y persistían a pesar de todos sus esfuerzos.

El único gasto esencial de Rafael eran aquellas barcas que tomaba diariamente para ir y venir de palacio y en aquella ocasión, como en tantas otras, tuvo que costearlo él solo. Dada la probabilidad de que hubiese alguna celebración informal en palacio, Antonio había decidido quedarse hasta tarde. ¿Cómo podía permitírselo?, siempre andaba quejándose de falta de dinero ante todo el que quisiera oírlo pero solía encontrar el suficiente para pasar la noche bebiendo cerveza. Debía de ganarlo jugando o pedirlo prestado. Desde luego no lo conseguía de Rafael, aunque, por supuesto, se lo había pedido. Pero a Rafael no le habían pagado y no podía pagar a Antonio.

—Está el dinero de los materiales —había objetado Antonio.

—Es para los materiales —había insistido Rafael.

Antonio se había echado a reír:

—Venga —se había burlado—, sabes que no va a pasar nada —y lo había intentado otra vez—: Déjame algo.

A diferencia de Antonio, Rafael había sido muy cuidadoso con el dinero que había traído consigo. Todo, salvo las barcas, tenía que esperar. No repararía sus botas hasta que volviese a casa. A todos los españoles que conocía les pasaba lo mismo, estaban sin blanca. Solo podían intentar mantener las apariencias hasta su marcha.

Antonio iba a necesitar suerte con sus prestamistas hoy; sin duda habría alguna celebración por la noche. Entre los españoles se había hablado toda la tarde sobre la vuelta a España, y con buen ánimo, en lugar del abatimiento habitual. El trabajo estaba hecho: la Reina estaba encinta. El príncipe podía irse; por fin podía irse y seguir con la guerra contra Francia. Porque ese había sido el trato, ¿no era cierto? El plan. Y si el príncipe se iba, también lo harían todos los demás. Pronto dejarían atrás aquella isla dejada de la mano de Dios, eso era lo que la gente decía. Rafael quería compartir ese optimismo pero, mientras se acomodaba en la barcaza, recordó cómo, aquella vez, la Reina había dicho *Mi marido* y no estaba seguro de que ella hubiese tenido nunca plan alguno de que él se fuese.

Casa: llevaba toda la tarde diciéndose esa palabra, impulsado a saborear todo su peso como si fuese un tesoro. Eso era todo lo que había hecho con ella: pensarla, solo esa palabrita, sin atreverse jamás a mirar en su interior, a convocar recuerdos de casa, ¿por miedo a qué? A romperla, al menos, así lo sentía. Leonor y Francisco permanecían en el interior de esa palabra. No se atrevía a precipitarse con ella. No se atrevía a esperar demasiado. No había que tentar al destino. Otros, sin embargo, arrojaban alegremente la prudencia al viento. *Corramos para salvar nuestras vidas,* había oído decir a alguien entre risas, a la hora del almuerzo, sin avergonzarse de reconocerlo. Aliviado, de hecho, por darle voz. Tachando de salvajes a los ingleses. Los españoles habían cumplido con su parte, habían interpretado el papel de perfectos invitados, corteses y solícitos, pero a cambio de sus esfuerzos habían recibido sobreprecios, timos, empujones, burlas, incluso tomatazos, escupitajos, ataques y robos. Aquellas últimas semanas, Rafael había recibido advertencias sobre pandillas que operaban ágilmente a plena luz del día. La semana pasada, dos españoles habían matado a un inglés en defensa propia y habían sido ahorcados por ello. A Rafael sólo le sorprendía que no hubiera habido más muertes, con tanta gente —españoles e ingleses— armada, incluso mujeres y niños con cuchillos escondidos en sus cinturones. Apostaría a que la mayoría de los pasajeros de aquellas barcazas llevaban cuchillos. Pero él no. Lo había intentado, siguiendo la recomendación de los funcionarios del príncipe de que todo español debía estar preparado para defenderse, pero le parecía una distracción. Temía que acabase siendo utilizado contra él. Llegado el momento, prefería pelear a puñetazos o patadas, no a cuchillazos. Menuda elección. Con todo, procuraba no ir más que a palacio y a casa, por la ruta más directa. Aun cuando todo estaba a punto de ir mejor, estaba cansado. Casa: ¿era tanto pedir ahora, después de dos meses? *Por favor, llévenme a casa.* Se agarraba mentalmente a Leonor y a Francisco como a una cuerda de salvamento.

Se decía que el príncipe estaba considerando meter a todos sus hombres en las dependencias de palacio, por seguridad, hasta que pudiesen marcharse. *Seremos objetivos inmóviles,* se desesperaba Rafael, contemplando el agua fangosa azotada por el viento. Quería quedarse con Cecily todo el tiempo que tuviese que permanecer en Inglaterra. Su único pesar al dejar aquel lugar era que dejaría a Cecily ante un largo y frío invierno. A pesar de que no había habido verano, el invierno llegaba venteando. El aire nunca había sido cálido, pero ahora se daba cuenta de que antes poseía una suavidad cuando ahora se tornaba inexorablemente mordaz. Tampoco había esperanza alguna de un respiro ahora. En agosto había existido la esperanza —si bien vana— de que el tiempo mejorase. Pero aquí, ahora, estaban ya los últimos días de septiembre e Inglaterra se había alejado demasiado del sol.

Se estremeció al pensar en aquella estrecha isla septentrional desolada en diciembre, enero, febrero: el frío húmedo, la penumbra empapada de la que le habían hablado, la oscuridad a media tarde. Gracias a Dios, no estaría aquí para verlo. Pero Cecily sí. Y el frío y la monotonía no serían lo peor. El invierno se derramaba sobre Inglaterra junto con una cosecha desastrosa y, durante una larga temporada, habría poca comida. Sí, habría importaciones para quienes pudiesen permitírselas, y sin duda entre ellos estarían los Kitson, pero habría poca variedad en lo que se podría traer por barco. Prácticamente un año de comida sacada de barriles, salada, seca. Y era el segundo año así.

La gente decía que el hambre que se avecinaba era el castigo de Dios a los ingleses por haberle dado la espalda. Cuanto más se habían alejado los ingleses de la Iglesia Católica, peores habían sido sus cosechas. Así era como la Reina lo entendía, según decía todo el mundo. Rafael envidiaba la determinación que tal creencia le otorgaba, el motivo para el optimismo, la creencia de que podía hacer algo para recobrar la benevolencia divina. Creía tener una labor crucial que hacer para devolver Inglaterra a Roma, y Rafael dudaba que se desviase de ella. Recordaba cómo había dejado reposar sus manos sobre su vestido y le había dicho «Rece por mí». La gravedad con que lo había dicho, la aceptación. Fe. Y así lo había dispuesto Dios, al parecer. Había bendecido su matrimonio, así lo vería ella, y así lo vería la mayoría de la gente. Un desecho de mujer de treinta y ocho años que ahora esperaba un hijo. Había mantenido la fe cuando parecía imposible, y la fe era lo único que había tenido siempre, nunca había recurrido a las armas, nunca había masacrado a sus adversarios, pero había triunfado. Aquella mujer que, durante décadas, había sido ignorada. Aquella mujer a la que el tiempo parecía haber dejado de lado. Se había mantenido firme y, contra todo pronóstico, décadas más tarde, había llegado su hora. Dios estaba de su parte, eso era sin duda lo que parecía.

De vuelta en casa de los Kitson, junto a la puerta, había una araña —similar a un cangrejo y punteada— en una tela sobre uno de los arbustos de romero, y Rafael guardó las distancias mientras llamaba a la puerta con la cabeza de leopardo. La noticia que le traía a Cecily era la mejor posible para aquel país suyo. Nada se podía hacer por la falta de cosecha, pero al menos la perspectiva de un heredero traería algo de estabilidad. Al menos —al fin—, tendrían eso. Un heredero supondría dejar de ir de un lado a otro cada pocos años: católicos, protestantes, católicos. Pondría fin a la confusión en que Inglaterra llevaba sumida veinte años. Y un heredero relegaría a la hermana —la egoísta hermana— que todos consideraban un problema.

—Hay noticias —dijo Rafael a Cecily cuando le hubo abierto la puerta y él hubo esquivado al inquieto perro—, buenas noticias. —Se sentía extraño, como si estuviese a punto de hacer una representación. Comprobó primero—: ¿Lo sabe? —*Tal vez lo haya oído ya.* Pero no, su mirada carecía de expresión. No carecía de expresión, era franca y atenta, como siempre. Sintió una punzada, el dulce dolor del reconocimiento, porque le encantaba aquella mirada suya. Tener que venir a Inglaterra le había resultado odioso, pero había encontrado el inesperado regalo de Cecily, de haberla conocido.

La puerta se había cerrado tras él cuando dijo:

—La Reina… un hijo. —Su primera sorpresa fue que ella no pareció entenderle, su expresión permaneció inmutable, pero luego inclinó la cabeza e inquirió:

—¿La Reina? —La segunda sorpresa fue su tono, distinto a cualquiera que le hubiese oído. Mordaz. Pero podía entender que le resultase difícil de creer lo que acababa de decirle, era una noticia inesperada. Se le encogió el estómago de pánico, sin embargo, pues ahora tenía que convencerla de que decía la verdad, tarea que no había considerado.

—Sí —confirmó, poniendo cuidado en reflejar su escepticismo—, un hijo. —Encogió los hombros notablemente, invitándola a unirse a él en su sorpresa para aceptar la noticia: *Los caminos del Señor son inescrutables.*

Ella siguió sin reaccionar, luego dijo:

—¿Se lo cree? —Aquello también era nuevo, un reto. Había dado por sentado que sería fácil dar aquella noticia, pero había algo que no estaba haciendo bien.

Ella tenía razón al cuestionarla, debería haberse preparado mejor. Llegar con semejante noticia sin ser capaz de
respaldarla… no lo estaba haciendo bien. Con dificultad
para responder —¿cómo se decía «anuncio» en inglés?—,
anduvo dando vueltas y finalmente tuvo que conformarse
con decir—: la Reina dice que sí, y los doctores.

Ella siguió retándole:

—¿Lo han *anunciado?* —Nunca le había hablado
así, con los ojos bien abiertos, sin pestañear, feroces. Y
tuvo la sensación de que no habría sonrisa alguna cuando
se lo confirmase. Estaba aturdido, ¿qué estaba pasando?
No había presenciado sino reacciones de alivio y felicidad.
A los protestantes les preocuparía la perspectiva de un heredero católico, si bien innecesariamente, pues la Reina
era célebre por su tolerancia, pero Cecily no era protestante, la había visto en misa. ¿O era protestante? Pero
aquella reacción suya parecía personal, una herida muy
real, no una cuestión de doctrina. ¿Por qué había de inco-
modarla la noticia del embarazo de otra mujer?

¿Lo han anunciado?, había dejado claro que no podía haber error alguno, le había exigido una respuesta inequívoca. Con razón, era una noticia importante, debía
ser transmitida adecuadamente. Pero nunca antes había
visto aquella frialdad en ella. Le emocionaba aun cuando
le afligía, porque hacía apenas unos momentos creía cono-
cerla y ahora aquello, ahora aquello: más por conocer.
Hizo lo que le pedía y respondió con tanta decisión como
ella le había exigido:

—Sí.

Lo aceptó. No respondió. No dijo nada.

—¿Es buena noticia? —Se avergonzó al oír lo patético, bobo y entrometido que sonaba. Necesitaba que ella le tranquilizase haciéndole ver que había hecho algo bueno al traerle aquella noticia. Necesitaba que le dijese qué había hecho mal. Por el contrario, ella fingió que nada había sucedido.

—Sí, buena noticia. —Su voz era más alta de lo normal, se esforzaba por sonar despreocupada—. Muy buena noticia. —Para mayor escarnio, alzó las manos y las dejó caer con una palmada con gesto de sorpresa, fingiendo que era la sorpresa lo que la había enervado. Se despidió de él con una sonrisita rígida que no llegaba a sus ojos y se dio la vuelta para irse. Sin más. Pero él no iba a aceptarlo. Parecía haberla ofendido y no podía enmendar la situación hasta saber qué iba mal. Había deseado tanto ser portador de buenas noticias…

—Cecily —protestó, y antes de poder darse cuenta, la había cogido por el brazo. No podía creer lo que había hecho, pero por otra parte, ya estaba hecho, así que no la soltó. Tal vez incluso la agarrase con más fuerza. Ella se alejó más—. Cecily. —Pero ella no respondió. De modo que, desesperado, la tomó de la barbilla, que ella hundía y giraba en dirección contraria, y la obligó a mirarle. El corazón le latía salvajemente, no podía respirar. El contacto con su barbilla era tan leve como para no ser apenas contacto, pero, aun con renuencia, ella se dejó llevar. Con todo, aquella negativa a mirarle, aquella huida deliberada, furiosa, de su mirada, persistía, pero vio que tenía los ojos enrojecidos y su corazón se encogió de sorpresa.

—Es buena noticia —dijo ella; una simple repetición en la que estaba atrapada.

Escarmentado, la soltó, y solo entonces ella le miró, recomponiéndose y repitiendo «buena noticia», pero únicamente, él lo sabía, para dejar claro que no habría discusión. Fue entonces, sin embargo, cuando ella le tocó el brazo, apenas un roce de los dedos en la manga, en un gesto que a él le pareció tranquilizador —*No es por usted, Rafael, no es culpa suya*— y se le llenaron los ojos de lágrimas, rebosante de alivio. No hubo urgencia ahora cuando ella le dio la espalda y se dirigió al interior de la casa, a sus tareas, dejándole preguntándose aún qué había hecho. Tal vez estuviese llorando por las oportunidades perdidas en su vida; tal vez fuese eso.

❧

Durante las semanas siguientes, su humor no mejoró. Había cierta tristeza en ella. Durante mucho tiempo, sin embargo, aquel había sido un país triste y tal vez ella llevase así mucho tiempo y él no lo hubiese visto, tal vez porque no la había observado con tanta atención como ahora. Temía que estuviese enferma, pero no veía síntoma alguno. Tal vez antes hubiese puesto más empeño en ocultarle su melancolía pero, ahora que lo conocía mejor, no se molestase. La vida debía de ser dura para ella, pensó, sola allí, en aquella casa, con su hijo. Viuda. Él sabía mucho de viudas; estaba casado con una.

Seis semanas como máximo, le habían dicho. En el primer barco rumbo a casa, le habían prometido. El primer barco rumbo a casa ya había zarpado hacía más de una semana: el duque de Medinaceli con todos sus hombres. El problema de Rafael era que él no era hombre de nadie. Pero, dijo a la delegación española, estaba dispuesto a viajar de cualquier modo, en cualquier barco mercante que se dirigiese a cualquier punto de España. Y ahora que las seis semanas habían pasado y seguían sin poder informarle sobre la posibilidad de que se financiase el reloj de sol, consideraba que estaba en su derecho de irse. Lo estudiarían, le decían una y otra vez aquellos funcionarios que no podían ver más allá del siguiente hombre que esperaba su turno en la cola para quejarse.

Cecily bordaba por las noches sin levantar la vista, mordiéndose el labio, trabajando en las puntadas más que complaciéndose en ellas. Nunca habían sido capaces de conversar mucho, pero había habido una franqueza donde ahora ve que ella se cerraba ante él. Una vez incluso había llorado. Él lo había interpretado como la típica costumbre inglesa de sorberse la nariz hasta que, con un respingo, se dio cuenta de su error. En aquel momento, estaba sentado a la mesa, escribiendo la que, una vez más, creía que sería su última carta a casa. Se quedó mirando los trazos de tinta húmedos, preguntándose qué hacer. Qué decir. Cualquier cosa que hiciese la avergonzaría casi con toda certeza, pero no podía quedarse allí sentado, ignorando su aflicción. No podía soportarlo. Un simple, *¿Se encuentra usted bien?* sería refutado con un simple *Sí, gracias,* supuso. Logró decir:

—¿Cecily? ¿Ocurre algo? —*¿Ha ocurrido algo?*

Alzando la vista con sorpresa, ella le agradeció su preocupación con una rápida y cumplidora sonrisa a través de sus evidentes lágrimas.

—Oh, no, nada. Pero gracias. —Luego volvió a su bordado y él se sintió impotente, perdido. No le quedó más remedio que volver a la carta que tenía ante sí. Seguiría sin tener respuesta alguna, puesto que Leonor le esperaba en cualquier momento. No escribas, le diría, porque volveré pronto. Llevaba ya un mes diciéndole eso.

Últimamente los más de los días, si la lluvia parecía contenerse el tiempo suficiente, salía a pasear. Se decía que las calles eran seguras desde la buena nueva de la Reina y, efectivamente, no encontró problema alguno, solo las miradas de los curiosos. Pasear le ayudaba a sentirse menos atrapado. Era curioso sentirse libre en las callejas atestadas, recibiendo los empujones de los compradores, eludiendo a mendigos y vendedores de manzanas asadas, esquivando espetones. Pero mantenía los pies sobre la tierra, que era lo que necesitaba. Calles buenas corrían junto a calles malas, y nunca sabía con cuál iba a encontrarse hasta que se metía en ella, aunque nunca volvió a cometer el error de tomar Fleet Street, con su cloaca abierta y su prisión de aspecto infernal. Algunas zonas tenían su encanto: los puestos de quesos de Bread Street, las librerías que rodeaban St. Paul's. Sin embargo, evitó la catedral tras su primera visita. Cientos de londinenses de ojos ávidos recorrían la nave, sin duda conduciendo negocios más que dudosos; no era lugar para espectadores. Desde las cercanías de St. Paul's solía bajar hasta el río, donde se deleitaba en su fulgor y en la inesperada apertura. Con la brisa penetrando sus ojos hasta hacerlos resplandecer, observaba en la distancia a los hombres que cabalgaban el flexible lomo de aquel cuerpo de agua para ganarse la vida: barqueros locuaces y estoicos pescadores. En ocasiones, algunos bueyes saciaban su sed en los vados bajo la mirada de los boyeros. Y río abajo estaba el Puente de Londres: aquella gran extensión de arcos y, alzándose sobre ella, casas de entramado de madera. Aunque le encantaba mirarlo, jamás se atrevería a ir hasta él, y mucho menos a cruzarlo, pues sabía por Antonio que la orilla sur estaba repleta de tabernas y burdeles. Además, allí era donde tenían lugar los combates de osos y en agosto uno se había escapado y había devorado a un hombre.

Era a última hora de la tarde cuando paseaba, nunca más tarde, pues la caída del sol —y con ella, el toque de queda—, se había adelantado mucho. A pesar del fresco y las nubes densas y oscuras como humo, había algo en el aire del otoño que no dejaba de atraerle. Lo aspiraba profundamente y se estremecía. Era una sensación cortante, ante cuya expectativa su cuerpo se tensaba. La estación estaba cambiando, nunca antes había experimentado un cambio de estación tan duro y repentino como aquel. La perspectiva del invierno le horrorizaba, pero su cuerpo se avivaba, como el de un animal, ante su llegada.

⚜

En octubre enfermó: durante dos días languideció con un caldero, echado en la cama observando la mortecina luz del sol que vagaba por su cuarto, ansiando agua fresca, salpicada de sol. Añoraba a Leonor. Ella misma reconocía que era mala enfermera, pero eso era lo que anhelaba: la risueña incompetencia de sus cuidados. Su bondadoso fracaso. Cuando volvió a bajar a la primera planta, no había rastro de Cecily y Nicholas y los hombres se las arreglaban solos en la cocina, manteniéndose a base de pan y queso, hasta que cada uno de ellos fue desapareciendo a su vez durante un par de días. Cuando Cecily volvió a aparecer, actuó con cautela durante un día o dos, con los ojos ensombrecidos. Ella también había estado enferma y probablemente también el niño.

En cuanto le fue posible, volvió a la delegación española, donde le dijeron que había una clara posibilidad de que él y Antonio zarpasen en dos semanas. Le informarían de los detalles a su debido tiempo. Por fin había progresos, y los dos funcionarios que le dieron la noticia parecían seguros, incluso alegres. Sus esperanzas se elevaron.

Por esos días, la casa se llenó de arañas. En España no había una estación de arañas y en su casa raras veces aparecían dentro, pero en casa de los Kitson era como si respondieran a una llamada. Se colaban por rincones y ranuras y parecía que, mirase donde mirase, había alguna, enorme como una bestia, agazapada en la pared. A veces parecían ciegas, aturdidas por verse en campo abierto, inconscientes y con tantas probabilidades de avanzar como de caer. Otras veces, las veía vigilantes y malignas, esperando el momento oportuno, la exagerada curvatura de sus patas amenazando con una caída repentina. Odiaba que saliesen de la oscuridad. Odiaba verlas trepar por las paredes como dedos burlones y brincar frenéticamente sobre los pliegues de los tejidos. Y su silencio, prefería mil veces el barullo de los ratones en el tejado, al menos sabía dónde estaban. Las arañas podían estar en cualquier parte

120

y, en casa de los Kitson, a menudo lo estaban: tras su cortina, incluso, y agarradas al interior de su capa, en una ocasión.

Una noche, Cecily levantó una tela de su cesta y una mancha negra se precipitó a las sombras del hogar. Ambos recularon, para compartir luego una tímida risa de alivio. Revolviendo nerviosamente el resto de las telas, dijo:

—¿Sabe? Trae buena suerte encontrar una araña en el vestido de novia. —¿Quería eso decir que había encontrado una araña en su vestido de novia? ¿Debía preguntar? No lo hizo, no se atrevió, y la oportunidad se esfumó.

Algunas noches con Cecily eran mejor que otras, y algunas eran casi como antes. Una noche, inesperadamente, ella habló mientras seleccionaba el hilo:

—Oreja de oso. —No se dirigía a nadie en particular. Su hijo —que practicaba atar nudos— no pareció escucharla y Richard estaba dormido.

Rafael inquirió:

—¿Oreja de oso?

Ella se sobresaltó por el malentendido.

—No, no es de oreja de oso —dijo con una risa dubitativa. Levantó unas hebras de seda y las tensó entre sus manos—. El color es «oreja de oso». —Entonces él rio también. Ella hurgó en su bolsa de lino en busca de otra madeja, la liberó y la balanceó en el aire—: Paloma».

—Paloma —repitió él, con gesto de aprobación.

Eso pareció complacerla. Cogió otra, de color rosa:

—Rubor de dama.

—¿...dama?

—Rubor de dama. —Se dio unos golpecitos en las mejillas y alzó las cejas.

Oh. Sonrió. *Rubor.*

Las guardó y luego señaló otra que había dentro de la bolsa: «Cáscara de limón». Ahora se expresaba con naturalidad. Otra: «Brasil». La última: «Color Isabella». Luego, volviendo a su tarea de bordado dijo:

—Mi padre era tratante de lana. Vivíamos en una granja.

Un tratante de lana, una granja de ovejas. Un gran negocio. El esquilado anual, las hilanderas que bajaban y se instalaban en la granja mientras limpiaban la lana y la empacaban para traerla a Londres, clasificarla y empacarla de nuevo para exportarla. El ajetreo cotidiano de una granja, no solo arar la tierra, sembrarla y cosecharla, sino cavar, arrancar malas hierbas y hacer reparaciones que nunca se acababan. Y en la casa, como en cualquier casa de campo, elaborar la cerveza, recoger los huevos, hacer el queso, las velas y preparar la carne. Y había una oficina para recaudar diezmos y arriendos y llevar las cuentas. Se hacía mucho dinero con la lana en Inglaterra. ¿Cómo, pues, había acabado allí? Tenía un puesto valioso y de responsabilidad en casa de los Kitson, pero no dejaba de ser una criada.

—¿Su padre? —le preguntó ella.

—Doctor.

Ella asintió con aprobación.

—Y un hermano doctor. —Evitó mencionar que los otros dos eran sacerdotes.

—Pero usted no —dijo ella con una sonrisa.

—Yo no. —Devolvió la sonrisa. Ella sabía en qué trabajaba, pero le preocupaba que no comprendiese del todo por qué no estaba trabajando allí. Se preguntaba si debía intentar explicárselo, pero ella ya le estaba preguntando:

—¿Su padre...? —llena de preocupación, le preguntaba si su padre vivía.

—No. Pero mi madre sí.

—Oh —dijo con prudencia, expresando su pesar por la muerte de su padre, y su alegría porque su madre estuviese viva.

—¿Usted? —se atrevió a preguntar.

Ella bajó la vista y negó con la cabeza.

—Cincuenta y uno.

Hubo de comprender el número antes de poder recordar la epidemia inglesa de 1551, la clausura de los puertos de su país ante los barcos procedentes del de Cecily.

—Lo lamento mucho —dijo, y ella levantó la vista de su labor en agradecimiento. Y eso fue todo por esa noche, no se dijo nada más.

Más tarde, Rafael recordó el primer encuentro de Francisco con la idea de la muerte, cómo le había impresionado la reacción de su pequeño. *¡Pero la gente no quiere morir!,* su indignación, su aflicción, habían sido inmediatas e inequívocas. ¿Cómo lo había sabido? Nunca se lo habían dicho, nunca se había hablado del tema —tenía tres años—, pero él lo sabía.

Era algo que todos sabían.

La niñez rural de Cecily volvió a surgir cuando, unos días más tarde, fueron a recoger moras. Rafael estuvo encantado de que le invitase a acompañarla. La salida era toda una ocasión, a juzgar por los animados preparativos de Cecily. La mañana era gloriosa, la primera en todo el tiempo que llevaba allí. Richard les llevaría. «Hasta Shoreditch», dijo Cecily. Hasta Nicholas parecía complacido ante la perspectiva, pero nadie estaba tan emocionado como el perro: fue el primero en subirse al carro, y nadie le reprendió.

Richard condujo por Threadneedle Street y luego tomó Bishopsgate Street. Desde el carro, Rafael podía mirar de vez en cuando por encima de los muros de los jardines. Muchas de las casas y edificios que había por el camino tenían pequeños jardines —algunos con relojes de sol simples que, por una vez, eran útiles— e incluso huertecitos. Vio árboles frutales y viñas, así como otras enredaderas, matas de rosas, amapolas y clavelinas, aunque ninguna estaba en flor. Francisco había pasado por una fase en la que recogía flores para Rafael, las flores más pequeñas que podía encontrar y una sola cada vez. *Te he traído una flor, ¡mira! Te he traído una flor, papá.* Una ofrenda solemne, una pequeña representación, un gesto que podía hacer. *Oh, gracias, Francisco, es muy bonita, bonita de verdad, gracias.* Durante varios meses, aquellos flacos tallos con sus diminutas flores marchitas anduvieron por toda la casa y Rafael siempre tenía que andar dictaminando cuándo Francisco había perdido el interés en ellos para poder tirarlos. No siempre acertaba con aquella traición a su hijo.

124

¿Dónde está la flor que te di, papá?, o ¡Eh! ¿Quién ha tirado mi flor?

Francisco llegó a sospechar de él, estaba seguro, o medio sospechar, por más que le costase creer la falta de consideración de su padre. Se volvió vigilante, cada vez le resultaba más difícil deshacerse de aquellas flores. Para cuando partió a Inglaterra, Francisco ya no buscaba flores; ya no tenían interés para él. Había muchas más posibilidades, podía hacer tantas otras cosas... su mundo era mucho más grande y rápido.

Al acercarse a Bishopsgate, pasaron por un lugar que parecía haber sido una institución religiosa. Era una ruina: puertas rotas y ventanas abiertas, cancelas robadas, tejas que faltaban y vigas al aire, pero habían empezado a reconstruirla; había dos escaleras de mano apoyadas contra una pared y un montón de ladrillos en uno de los patios. Cecily se dio cuenta de que se había fijado y le leyó la mente:

—No —dijo negando con la cabeza—, es para gente rica, una casa grande. —Y comprendió que no se trataba de la restauración de una orden religiosa, sino de la reforma de una residencia.

Había mucho tráfico, no solo de vehículos, también había una bandada de gansos que era conducida al mercado. No sabía si había algo en la puerta —trozos de traidores, de cuerpos de traidores—, evitó mirar. Más allá de la garita seguía habiendo construcciones junto a la carretera. Un grupo de ordenados edificios justo después de la puerta parecía suscitar un interés especial, Cecily y Richard lo miraron. «Hospital» le dijo Cecily a Rafael cuando se dio cuenta de que él la observaba, y Richard se dio un golpecito en la cabeza. «Bedlam», dijo Cecily. Rafael atisbó un gran reloj de sol en piedra que sobresalía de una de las paredes con orientación directa al este, el constructor no había tenido que calcular el ángulo de declinación.

Vio uno de los entrenamientos de tiro con arco de los que había oído decir que tenían lugar fuera de las murallas. Había demasiadas casas en la zona para aquello. Cada vez había menos edificios junto a la carretera. Cecily cerró los ojos. A Rafael le encantó verla así: relajada, al sol. Le encantaba viajar a su lado. Por fin llegaron a lo que, en algún momento, probablemente había sido una aldea bastante alejada de Londres. «Shoreditch», anunció Cecily.

Flynn fue el primero en bajar, saltando del carro y estirándose en el suelo caliente para empaparse de sol. Cecily mostró a Rafael los frutos que había que coger, las moras, y él estaba ansioso por hacer lo que estuviese en su mano para ayudarla. Las plantas tenían espinas y también debía tener cuidado con las ortigas. Los setos le parecieron interesantes, compuestos por distintos tipos de plantas. «Espino blanco», le dijo Cecily señalando uno de los matorrales que parecían más comunes. Le gustó que quisiese enseñarle. Al observarlo de cerca, vio que en algunas partes las ramas habían sido manipuladas para que adoptasen una robusta ondulación. «Trenzado», lo llamó ella. También había otros frutos, menos corrientes, tan pequeños como las moras pero suaves, esféricos y de un azul casi negro. Se los señaló a Cecily: «¿Estos?» ¿Debía coger aquellos? «Endrino», dijo del arbusto, «endrinas», de los frutos, y negó con la cabeza: «noviembre». Lo mismo —«noviembre»— dijo para algo que era más árbol que arbusto a lo que llamó «*bullace*» y que, por lo que veía, daba frutos con idéntico tono negro azulado pero ovalados y más grandes, como ciruelas diminutas. *Noviembre,* sintió que ella le sostenía la mirada por un instante al decirlo. En noviembre ya se habría ido.

El sol derramaba su luz, amontonándola en un rico cieno. En casa la luz del sol era fina y penetrante, y atacaba desde arriba. Bajo aquella iluminación sesgada, los árboles proyectaban telarañas de sombras. A veces su misma sombra le tomaba por sorpresa, devolviéndole su silueta de repente: nítida, compacta, sólida, avanzando con seguridad. El sol bendecía su rostro, sus hombros, su espalda. Los árboles bullían con la brisa, un abejorro zumbaba como la cuerda de un arco. Nicholas y Richard se aplicaban a la tarea. El rostro de Cecily había cobrado color, apreció Rafael. *Rubor de dama.*

El día debía haber sido perfecto, pero Cecily estaba tensa porque la cosecha había sido escasa. Aparte de aquellos pocos frutos parecidos a las ciruelas, las moras eran el último fruto antes de que llegase el largo invierno, le dijo, y deberían haber sido abundantes. Rafael observó que no le gustaban los demás recolectores que había por los alrededores porque eran competencia, pero quizá también porque muchos de ellos iban obviamente armados, con armas de fuego al hombro. Cuando alguien ajeno al grupo andaba cerca, Rafael guardaba silencio y bajaba la cabeza. Se daba cuenta de que estaba todavía menos protegido que en Londres. ¿También se habría dado cuenta Cecily?

¿Lo veía igual de vulnerable allí? Esperaba que no, y esperaba no haber sido imprudente al ir.

Cada vez que alzaba la vista, allí estaba Londres, en la distancia, todo chapiteles. Una ciudad llena de iglesias, sí, pero desde allí las ruinas de unas y el aspecto saqueado de otras eran invisibles. Al verlo detenerse para admirar la vista, Cecily le confesó:

—No me gusta Londres.

Le sorprendió, nunca lo había dado a entender.

—¿No? —Ella se limitó a negar con la cabeza—. ¿Prefiere…? —abarcó con un movimiento del brazo los alrededores, el campo abierto.

Ella sopesó su respuesta.

—Vengo de lejos —dijo finalmente, con el cuidadoso inglés en que le hablaba.

—Yo también —dijo él, y entonces ambos rieron. Le hubiera encantado preguntarle más, de haber sabido cómo. Y ella había tomado a broma lo de que él también venía de lejos, pero él también se había criado en el campo. A tres millas de Sevilla, aunque había ido a la escuela en la ciudad y su padre trabajaba allí, como todos sus hermanos.

El hecho de que su hermano Pedro trabajase fuera de Sevilla a diario era lo que había dado lugar a que su esposa, Jerónima, tuviese una aventura. Rafael trataba de no pensar en ello, pero aquella noche, después de recolectar las moras, no pudo contenerse.

Jerónima tenía una sonrisa juguetona, pero no parecía jugar con nadie salvo, por supuesto, con sus dos adorables hijas. Con el resto de los de la casa se mostraba amablemente distante. Cuando Rafael tenía diecinueve años, llevaba cinco años conviviendo con ella y seguía sin saber nada de ella. ¿Pero por qué iba a hacerlo?, tenía diecinueve años, no era más que un crío, y ella era una mujer elegante de veintitantos años, esposa y madre.

Un domingo, Rafael se había caído por unas escaleras; estaba conmocionado y magullado, con un tobillo torcido e hinchado, y su madre le había permitido quedarse en casa en lugar de ir a misa. Estaba en su cuarto, echado en la cama y sin pensar en gran cosa, como hacía a menudo. Gracias a Dios eso era lo único que hacía porque, de repente, su cuñada apareció en el umbral. Él no sabía que ella también estaba en casa, no sabía que también estaba indispuesta; tal vez se lo hubieran dicho pero no había prestado atención. Estaba en camisón, con el cabello suelto y lucía aquella sonrisa suya. Entró en su cuarto y cerró la puerta. Él se incorporó, sobresaltado, confuso, sin saber qué quería de él, pero, sin saber cómo, ella ya estaba sentada en el borde de la cama, inclinándose y besándole. El tacto de sus labios, de su lengua contra la suya, la reacción física, fue inmediata y se sintió fuerte e impotente a la vez. ¿Qué tramaba? Debía de ser algún tipo de juego. Un juego que él no acababa de entender. Pero lo entendería, lo entendería en un segundo, cuando todo hubiese terminado y estuviesen sentados dándose la espalda y riendo. Hasta entonces, era su cuñada. Su boca reposaba en la suya. Dos razones de peso para callarse y hacer lo que ella le pedía.

Su boca era distinta de la de Beatriz, eso fue lo que pensó. Y estaba perfumada, llevaba un aroma floral. Qué astuta, perfumarse así. Ladina. Perfumada y de huesos finos, los huesos de su espalda se erizaban bajo las manos de Rafael. Era hermosa. Era realmente hermosa y había estado ciego al no verlo.

¿Pero qué estaba haciendo? Su cuñada, aquella mujer gloriosa, se levantó, se colocó a su lado —aún con la sonrisa— y luego se apretó contra él, cómoda como un gato, antes de ayudarle a ponerse encima de ella. Un juego, una broma desvelada demasiado pronto pero a la que, hasta entonces, se entregaría. Era tan cálida. Había olvidado el calor de un cuerpo y lo embriagador que resultaba. Le siguió el juego: la besó, se echó sobre ella. Con placer, sí, pero simplemente siguiéndole el juego. No es que no estuviese excitado, por supuesto que lo estaba, pero lo estaba casi siempre, aunque nunca arrimado a su cuñada. Esperó inútilmente que ella no lo hubiese notado, si aquello era un juego, no quería estropearlo.

Ella le hizo acostarse boca arriba, se arrodilló junto a él y empezó a quitarle la ropa. Como si lo hiciese de continuo. No llegó a canturrear, pero le quitó la ropa como si así fuese: con rapidez, con desenfado. Tal vez aquello estuviese yendo demasiado lejos; pensó en resistirse, poner su mano sobre la de ella para detenerla, pero había terminado antes de que pudiese hacerlo y, en cualquier caso, ella era su cuñada y él no tenía derecho a detenerla. Eso le parecía. No tenía derecho a hacer más que obedecer. Y le parecía bien. Su estado era ahora obvio para ella, pero no pareció molesta. Por el contrario, se levantó el camisón por encima de la cabeza y lo dejó caer al suelo. *Desnuda.* No, llevaba algún tipo de prenda interior —no se atrevió a mirar, pero la vio de soslayo— que desató de un tirón y luego también aquella prenda cayó al suelo. Y entonces se quedó desnuda, desnuda. Nunca antes había visto unos pechos y no había previsto su hermosura, pero aquellos, aquel par, con su hinchazón en contraste con los hombros huesudos y las delicadas yemas de los pezones... De repente, ella volvía a estar debajo de él, él estaba echado sobre ella, temeroso de aplastar aquellos pechos. Sus piernas eran fuertes, nunca había pensado que tuviese las piernas fuertes, en realidad, nunca había pensado en sus piernas, solo en aquellas largas y bonitas faldas suyas. Y de repente estaba dentro de ella y, de inmediato, terminó. Ella le miró con risueña exasperación —una regañina— pero le mantuvo en su interior de todas formas y, durante unos instantes, se movió rítmicamente contra él, solo un poco, como quien repasa el plato vacío con la cuchara para rebañar hasta el último resto.

Finalmente, se quedó demasiado pequeño y blando hasta para eso y ella se levantó y volvió a ponerse la ropa. Fue entonces cuando vio la sangre. Ella le hizo verla (él no la habría mencionado, ¿qué hubiera dicho?) y entonces fue cuando habló por primera y única vez durante su encuentro. «Nada de niños», dijo alegremente, cosa que, por supuesto, él no comprendió. De hecho, la malinterpretó y creyó que la sangre se había producido como consecuencia del fracaso de la concepción. La concepción —la posibilidad de la concepción— era algo que no había considerado.

Y entonces se fue, volvió a su cama, a recostarse sobre sus almohadones para que la encontrase allí su esposo al volver de la iglesia. Rafael se quedó en la cama, pegajoso y manchado de sangre, sin lavarse. Las sábanas estaban sucias. Él estaba abatido. Su *cuñada.* Estaba condenado. Había visto desnuda a su cuñada, por no hablar de todo lo sucedido. Le había permitido hacerlo, no había apartado la mirada, no la había detenido. ¿Se había vuelto loca? ¿Era eso lo que había sucedido? ¿Alguna extraña locura femenina que debía haber conocido, contra la que debía haber estado en guardia? Ella le odiaría por ello, por no devolverle la cordura. Le había fallado. Podía haberla ayudado y no lo había hecho. Y ahora, cuando recobrase la cordura, le delataría.

Rezó allí mismo, una y otra vez, cerrando los ojos, entregándose a Dios. Y con todo, con todo… su sangre palpitaba por todo su ser. Estaba vivo, vivo; vivo como no lo había estado desde que Beatriz se había ido. Había visto a Jerónima tal como era, cuando antes había estado ciego, ciego ante aquella maravillosa creación de Dios. Sabía algo, algo que debía ser sabido, la misma sensación que había tenido con Beatriz. Había hecho lo mismo que con Beatriz, pero más rápido, más fuerte, con más hambre, con una mujer desnuda abierta a él sin pudor.

Ella no volvería a él. Aquella única vez había sido un accidente, lo sabía. Ella no estaba bien. Sería un preciado recuerdo. Lo reviviría cada noche, experimentando el inmenso placer que en cierto modo no le proporcionaba placer alguno.

Un día, sin embargo, a la vista del resto de la familia pero lejos del alcance de sus oídos, ella se le acercó furtivamente —provocándole cierta incomodidad física— y le preguntó si conocía la casa de su amiga Mariana. La conocía. «Reúnete allí conmigo», dijo, dándole una fecha y una hora. Por increíble que más tarde le pareciese, seguía sin entenderlo, imaginó que quería enfrentarse a él, exigirle una disculpa. Había cometido un error terrible y ella lo sabía —oh, cómo lo sabía— y ahora le pedía cuentas.

Así, llegó a la casa lleno de inquietud. Se demoró junto a la cancela, sin saber por quién preguntar, cuando ella le llamó desde una ventana. «Entra», dijo y, efectivamente, la cancela estaba desatendida y abierta. La puerta principal tampoco tenía el cerrojo echado y ella volvió a llamarle una vez hubo entrado: «Aquí arriba». Subió las escaleras y allí, en un dormitorio, estaba ella, con su bonita sonrisa a modo de saludo antes de darle la espalda: «¿Me desatas, por favor?». Como si no fuese una sorpresa para él. Como si hubiese ido allí para eso. Obedeció con torpeza porque estaba temblando y porque nunca antes había desatado el vestido de una mujer. Ella fue paciente y se mantuvo bien quieta. Más tarde se le ocurrió que tal vez estuviese saboreando cómo le desataba el vestido y que quizá le hubiese gustado prolongar el momento. Pero entonces se preguntó si debía oponerse. *Di algo,* se dijo. Di: *Jerónima, creo que…* pero ¿qué? ¿Qué pensaba realmente? No estaba pensando, estaba desatando el vestido de una mujer. Quería liberarla de aquel vestido. No, «querer» no era la palabra, no bastaba para expresarlo, no bastaba en absoluto; *tenía que sacarle el vestido.* Tenía que estar desnuda y él tenía que entrar en ella.

Va a suceder. Se anticipaba con tal ansia que le dolía respirar, como si fuese él el que llevaba lazos alrededor de las costillas. Su corazón daba vueltas y la amaba, cómo la amaba a ella y a su astucia de haber encontrado aquella casa para ellos, hubiera hecho cualquier cosa por ella en aquel momento, cualquier cosa que le pidiese, sin importar el qué, ya lo pagaría después. Llevaba semanas pagándolo y seguiría haciéndolo, duplicaría sus esfuerzos, lo haría, pero *después.*

Una vez desatado el vestido, se lo sacó con aquella actitud casi profesional suya y, con un gesto de la mano, le indicó que debía hacer lo mismo. Vio en su ropa interior que volvía a haber sangre, una manchita en un fardo de lino, y supuso que había estado sangrando todo el tiempo y no podía tener más hijos. Ni siquiera estaba seguro de dónde salía aquella sangre. No comprendió hasta más tarde que ella había calculado cuándo podían mantener relaciones. Entonces le sorprendía que se expusiese ante él de aquel modo, ella, con sus elegantes vestidos. Pero tenía que hacerlo, hacía lo que tenía que hacer, sin remilgos.

Sus formas le maravillaban: la perfecta anchura de sus caderas, un arco perfecto. Él colocaba las manos en el aire, frente a él, abarcando el arco, la envergadura exacta que debían tener. También su trasero, su seductora planicie y amplitud, era increíble que normalmente hubiese de permanecer oculto bajo su vestido. Debería andar siempre desnuda, siempre.

Ella había sacado un trozo de lino grueso de una bolsa y lo había colocado sobre la cama; se metió en ella y se recostó, mirándole a los ojos. A él no le gustaba estar allí desnudo, de pie, y se reunió con ella de inmediato. Sintió el calor de su piel sobre la de ella. Su aroma. Ella dijo: «No tenemos mucho tiempo», pero él no iba a permitir que eso le importunase.

Ella no emitía más que un murmullo apreciativo de vez en cuando. No respiraba hondo como Beatriz solía hacer, pero eso no preocupó a Rafael, casi había olvidado que hubiese sucedido alguna vez y suponía que se trataba de una peculiaridad de Beatriz. Cuando hubo terminado, ella se quedó allí acostada, con los ojos cerrados, sonriendo como si expusiese su rostro al sol de primavera. «Mañana» fue lo único que dijo.

¿Mañana? No tendría tiempo para expiar su culpa, pues. Tendría que esperar. Mañana sería una continuación del mismo delito. Todavía no había terminado. La expiación quedaba para más tarde. Por el momento, quedaba en suspenso.

La segunda vez que se citaron en aquel cuarto, ella le detuvo justo cuando iba a empezar, con las manos firmemente asentadas en sus hombros y le ordenó: «Más despacio». Él comprendió: debía darle tiempo. Empezaba a aprender. Un poco, al menos.

Hubo un tercer día, pero luego no sucedió nada en semanas. Aquellas semanas fueron insoportables. No podía mirarla, temía ir a explotar. Una vez se acercó a ella, no dijo nada —¿lo había hecho alguna vez?— pero se presentó a su lado, poniéndose a su merced. «El mes que viene», dijo ella. Tuvo la sensación de que era sincera, de que le estaba dando su palabra. Esperaba que él comprendiese; no comprendió, pero lo aceptó. Empezó a emplear la espera en algo útil, reviviendo sus encuentros, practicando para ir más despacio, para que durase más. *¿Quieres que vaya despacio? Iré despacio.*

O, al menos, lo intentaría.

No sabía —ni siquiera se lo preguntó jamás— cómo había logrado hacerse con aquel cuarto para sus citas. Era cosa de Jerónima. Lo que a él le incumbía era llegar allí. Nunca hablaban de lo que hacían. Él no sabía que había palabras para ello, que podía decirle a una mujer lo que deseaba hacerle y que ella, a su vez, podía decir lo que quería hacer y que, de algún modo, solo con decirlo, sucedía, como por encantamiento. Jerónima jamás emitía más sonido que un jadeo ahogado o una risa, yacía bajo él, abierta a él de un modo que no había conocido con Beatriz y le gustaba permanecer acostada después, durante un rato, del mismo modo. *Abandonada.* Llegó a considerar ridículo el recuerdo de Beatriz, a enfurecerse incluso con ella por haberse entregado tan poco, por haber permanecido vestida. Todas aquellas veces podían haber sido como ahora. Como Jerónima guardaba silencio, no temía hacerle daño, por fuerte que la embistiera, y era entonces, cuando él se dejaba ir, cuando ella soltaba aquella media carcajada, como si fuese gracioso, quizá un tanto ridículo.

La expiación se pospuso indefinidamente. Rafael se sentía bendecido, había recibido un regalo completamente inesperado. El hecho de que su relación tuviese lugar fuera del matrimonio, de que ella estuviese casada con su hermano, no era más que un mero detalle, un detalle inconveniente. No estaban haciendo nada malo, de hecho, hacían algo bueno: celebrar la vida, las maravillas de la creación divina. Estaban en su mismo centro, *conocían la vida.* Y, en cualquier caso, era un secreto, un secreto que no hacía daño a nadie. Daba por hecho que duraría siempre. Fue en esa época cuando Gil trajo a casa a Leonor como su esposa. Rafael se alegraba por él, aunque también le preocupaba que no fuese como Jerónima: hermosa, de miembros esbeltos y lánguida. Leonor era pequeña, achaparrada y seria. No podía imaginar a Leonor haciendo lo que hacía Jerónima, yaciendo en la cama con aquella sonrisa primaveral.

Pero entonces sucedió: se terminó. Jerónima le había prometido el mes siguiente, como siempre, y, como siempre, confió en ella para que lo organizase y le convocase. No llevaba la cuenta de los días, se limitaba a deleitarse en la certeza de que el momento se acercaba. Tras un tiempo, empezó a sospechar que el intervalo había sido más largo de lo habitual. Esperó una semana más antes de buscarla. «No es posible», fue su única respuesta. Lo dijo con pesar, pero se negó a decir más, se dio la vuelta y se alejó. *Pero hiciste que fuese posible antes,* quería gritarle, *¿qué ha cambiado?*

Nunca lo averiguó. Cuestiones prácticas, probablemente, porque seis meses más tarde —seis meses absolutamente carentes de gozo— se acercó con su sonrisa habitual y le pidió que se reuniese con ella por la tarde. Pero para entonces ya estaba enamorado de Leonor. Dramáticamente herido por un nuevo amor, se negaba a pensar en hacer el amor —como ahora deseaba verlo— con nadie más. «Lo lamento, no puedo», le dijo y se aseguró de que ella lo comprendiese: «No puedo hacerlo más, Jerónima».

Si ella deseaba atribuirlo a la venganza o a unos escrúpulos recién descubiertos, dejaría que así fuese. Era así de descortés.

Ahora, veinte años después, se preguntaba cuáles habían sido los motivos de Jerónima. ¿Había tenido otros amantes antes o después? Ahora, a sus cuarenta años y con seis hijos, probablemente careciese del tiempo o la energía. Además, había estado indispuesta mucho tiempo tras el nacimiento de su último hijo. Pero cuando era más joven, seguro que Rafael no había sido el único. Él estaba a mano, en la misma casa, y era lo bastante joven como para fingir que no sabía lo que hacía y, como hermano menor de Pedro, tenía casi tanto que perder como ella para mantener el secreto. Razones suficientes, tal vez, para que ella le buscase. Pero no podía haber disfrutado demasiado del sexo, era lo bastante mayor como para reconocerlo. No sabía realmente lo que hacía, ella no podía haber disfrutado gran cosa. Y aun así, lo había hecho, mes tras mes. ¿Podía haber estado tan aburrida? Aislada lejos de Sevilla como esposa de Pedro y única nuera de su madre, madre a su vez de dos pequeñas con la seguridad de que vendrían más, tal vez se hubiese sentido atrapada. Desesperada por que sucediese algo, algo que fuese solo para ella. Sentirse viva mientras aún le quedase tiempo. Ahora lo comprendía. Lo que le dolía era que nunca había tenido en cuenta el riesgo que ella corría. Si les hubieran descubierto, él habría caído en desgracia, pero ella lo habría perdido todo. Habría perdido a sus hijas.

Noviembre. Su marcha no había tenido lugar en octubre porque, por alguna razón que Rafael no acertaba a comprender, los mismísimos funcionarios que habían ignorado su declaración de que estaba en Inglaterra para construir un reloj de sol habían cambiado de opinión y habían escrito a su contacto inicial para que aclarase la situación. Rafael se desesperaba, ¿cuánto tardaría en llegar la respuesta? ¿Seis, ocho semanas? Pensó en escribir él mismo para solicitar que se abandonase el proyecto después de tanto tiempo pero, por otra parte, si el reloj no se construía, era casi seguro que no le pagarían. Habían pasado ya más de dos meses y seguía sin hablarse de su compensación. Tendría que recurrir a los fondos que había reservado para la adquisición de materiales. Tendría que darle parte a Antonio. No lo suficiente desde el punto de vista de Antonio, por supuesto, pero al menos era algo. Si el reloj de sol finalmente salía adelante, modificaría su diseño para que la construcción fuese menos costosa.

En palacio se hacían preparativos para las fiestas que se avecinaban y se decía que serían grandes, pues no solo se celebraría el nacimiento de Jesús, sino también la llegada de un príncipe. Aquí y allá, en pequeños patios, bajo baldaquinos de lienzo, se construían y pintaban estandartes: chillones diseños heráldicos, exuberantes paisajes terrestres, ondulantes escenas marítimas. Una vez, Rafael vio una docena de personas probando algún tipo de disfraz en torno a un montón de alas de brillantes plumas.

De memoria, hizo un bosquejo de aquella gente con su aleteante montón de alas para Francisco, y en la carta que lo acompañaba le pedía a Leonor que escribiese, confesándole que no creía poder estar de vuelta hasta después de Navidad.

El príncipe todavía no se había marchado y ahora, para guardar las formas, tendría que pasar allí la Navidad. Terminadas las fiestas, sin embargo, sería demasiado tarde, puesto que el embarazo de la Reina estaría muy avanzado, ¿cómo podría marcharse entonces? ¿Qué impresión daría si lo hiciese? Su esposa, en avanzado estado de gestación a los treinta y nueve años, y, en cualquier caso, demasiado avejentada para su edad. Se rumoreaba que el príncipe estaba tan desesperado por irse como sus súbditos, y a Rafael no le costaba creerlo. Inglaterra seguía siendo hostil, no estaba más cerca de ser Rey, había consumido sus fondos y, sin duda, añoraba a su amante. También se rumoreaba, sin embargo, que la Reina no iba a dejarle marchar, cosa que a Rafael tampoco le costaba creer. Porque, si el príncipe se iba, ¿cuándo volvería? Ya había costado bastante hacerle venir la primera vez. Se había demorado, llegando casi dos meses más tarde de lo esperado y sin ofrecer ninguna explicación convincente. Pero ahora, desde el comprensible punto de vista de la Reina, estaba felizmente casado y esperaba un hijo, de modo que ¿por qué no había de desear quedarse para compartir el gozo, si todo iba bien, o reconfortar a su esposa si no era así? Y —por razones meramente prácticas—, si sucedía lo peor, debía estar en Inglaterra para asumir el mando. Y había algo más, no menos importante, pensaba Rafael: ¿qué pensaría el pueblo si no permanecía al lado de la Reina? ¿Qué pensaría el mundo? Era un mundo cínico lleno de gente cínica, y la Reina sabía bien que la estaban observando.

Cada vez que Cecily se interesaba por sus gestiones para volver a casa le describía sus decepciones lo mejor que podía, y ella se mostraba compasiva. *Lo lamento mucho, Rafael. Es absurdo, todo esto es absurdo.* Una vez, suspiró: «Debe usted…» y se encogió de hombros. *¿Estar desesperado? ¿Añorar a su familia?* Y en una ocasión le había dicho con una tímida sonrisa: «Pero yo no quiero que se vaya» y aunque lo había dicho sin darle importancia, como si nada, como si bromease, él sintió —para su sorpresa— que el sentimiento en sí no era una broma, y se conmovió. Respondió a su vez con una sonrisa y dijo «Gracias» y deseó decirle que él también la echaría de menos.

Era cierto. No podía imaginar por qué había ella de añorarle —él era una carga, una persona más para la que cocinar, para la que limpiar— pero disfrutaba en su compañía. Se sentía cómodo con ella, aunque si se lo hubiera dicho habría sonado a poca cosa, y eso no cuadraba con cómo se sentía. Y de hecho así era como lo había considerado anteriormente, como algo que otros hombres podrían decir de sus esposas. La presencia de Leonor, sin embargo, nunca le había resultado especialmente cómoda; la compañía de Leonor era muchas cosas, pero nunca cómoda. Disfrutaba en compañía de Cecily aunque no hiciesen nada. Quizá especialmente cuando no hacían nada. Se sentía comprendido por ella, aun cuando no era capaz de decir mucho. Jamás había experimentado eso con una mujer. No sabía que era posible. La forma en que le miraba: *directa,* si bien ello no implicaba que hubiese nada inapropiado en ella. Por el contrario, la forma en que le miraba era clara, sin complicaciones, como ninguna mujer en España miraba.

Al igual que todos sus compatriotas, Antonio se quejaba por el retraso de su vuelta, pero aunque echaba en falta el sol y la comida de España, y le gustaría escapar a la hostilidad de Inglaterra, no tenía a nadie especial junto a quien regresar. No había lazo alguno que pudiese haberse deteriorado por su ausencia. Y se las arreglaba para vivir su vida aquí en Inglaterra casi como la vivía en España: amigos y diversión. Saldría indemne de aquella aventura, que era lo único que pronto sería aquello para él. Pero aquellos a quienes había pedido prestado o les había ganado dinero empezaban a andar escasos de fondos y se volvían menos generosos. Tenía que volver a casa de los Kitson más a menudo para pasar la noche. Lo que resultaba irritante era que, por su forma de comportarse, daba a entender que era decisión suya y —lo que era peor— que ellos debían estar encantados de que les honrase con su presencia.

Fue durante esas veladas con Antonio cuando Rafael se dio cuenta de que su inglés había mejorado. Para su sorpresa —y orgullo— ahora era mejor que el de Antonio, tal vez porque Antonio había pasado mucho tiempo con españoles. A diferencia de las primeras semanas, Rafael entendía todo lo que Antonio decía, o intentaba decir, en inglés y podía incluso ayudarle a traducir. Con su recién adquirida confianza en sí mismo, se descubrió arriesgándose más y, en consecuencia, aprendiendo aún más. Aunque, en realidad, solo practicaba su incipiente inglés con Cecily.

Ponía cuidado en no mencionarle nunca la Reina a Cecily, aunque no sabía por qué evitaba hacerlo. Había visto a la Reina una vez, en palacio: había pasado junto a él con su séquito, luciendo un vestido de Corte amplio cerrado por la espalda aun cuando solo estaba embarazada de tres meses. Parecía alta al caminar, a pesar de su diminuta estatura. Le había recordado a Leonor cuando estaba embarazada. Rafael se había preparado para ver a Leonor embarazada durante su primer año de matrimonio con Gil, aunque se preguntaba con turbación cómo se sentiría. Sentía que se le revelaría más su naturaleza. Le parecía que dejaba ver muy poco de sí misma, pero, embarazada, no tendría elección. Y estaba ansioso por verlo.

Pero no había sucedido. Dos años y nada. Luego pasaron otros dos años, y otros dos. Gil hablaba de ello, nunca había sido de los que evitan mencionar lo importante, era un hombre abierto. Pero, en realidad, no había nada que decir. *Es voluntad de Dios. Aún puede suceder. Tiene sus compensaciones. Lo siento por Leonor.* Justo lo que Rafael esperaba que dijese. Si en alguna ocasión Leonor tenía que mencionar el hecho de que no tenía hijos, encogía sus menudos hombros huesudos, hacía un mohín y desviaba la mirada como eludiendo la cuestión. Gil era comunicativo con los niños pero, por otra parte, era comunicativo en general. No era por aparentar. Ella era todo lo contrario pero eso también formaba parte de su forma de ser y funcionaba igual de bien. No hablaba a los niños con condescendencia. Aunque, por otra parte, no hablaba a nadie con condescendencia. No sabría hacerlo. Su forma de proceder con los niños, como con todo y todos, era callada y cauta.

$\sim$

Era dos de diciembre, domingo, a media mañana, y Rafael intentaba decidir si debía salir para Whitehall. Los fines de semana no diferían de los días de diario en cuanto al almuerzo pero, tanto entre semana como los fines de semana, aceptaba la oferta cada vez con menos frecuencia. Tenía sus pros y sus contras: almorzar y hacer dos trayectos por el río con un frío terrible (y últimamente, durante cinco días, el río helado había tomado la decisión por él), o quedarse sin almuerzo junto al hogar en casa de los Kitson. Siempre estaba ansioso por huir del ajetreo de la casa —hacía una semana que los Kitson habían regresado para pasar la Navidad— pero su ropa no era adecuada y no podía permitirse mandar hacer otra nueva. Tal vez pudiese haber pedido prestada una capa más gruesa —quizá Cecily pudiera encargarse de ello— pero no quería atraer la atención sobre sus apuros. De hecho, había recibido orden de no hacerlo. Todos la habían recibido. Algunos españoles debían dinero aquí y allá y se limitaban a mantener las apariencias hasta poder saldar sus deudas.

A pesar del regreso de los Kitson, había logrado mantener su cuarto. Al menos tenía eso. Nadie le molestó al respecto, cosa que sospechó que era obra de Cecily: ella le había encontrado el cuarto y tal vez se lo hubiese conservado, ya fuese callando, ya fuese defendiéndole. Una

144

cosa más por la que le estaba agradecido y, a pesar del frío, pretendía saborear su privilegio tanto tiempo como le fuese posible. Que no fue mucho. No había visto chimeneas encendidas en ninguno de los cuartos más pequeños y el suyo no era la excepción. Al parecer, la leña escaseaba en Inglaterra, hasta para familias como la de los Kitson. De modo que se sentaba en su cuarto frío como la nieve, con toda la ropa puesta, todas y cada una de las prendas que había traído consigo a Inglaterra, y envuelto en sus mantas, trabajaba en sus diseños y cálculos tanto tiempo como sus manos soportaban. Después envolvía las manos en la manta y se quedaba otro rato sentado, mirando por la ventana. Y luego tenía que rendirse e ir a la cocina, hacer lo posible por parecer sociable. Los criados se congregaban allí y toleraban su presencia, aunque no le invitaban a unirse a sus partidas de cartas. Cecily solía estar allí y siempre le saludaba con una sonrisa, pero desde el otro extremo de la habitación.

Tenía un diente que le molestaba cada vez más. Solo era cuestión de tiempo hasta que tuviese que pagar los servicios del sacamuelas. No lo había mencionado en sus cartas a Leonor, no era más que un diente. Odiaba que le postrase. *¿Cómo estás?,* le preguntaba a Leonor en sus cartas. Era algo que raras veces le preguntaba en persona porque nunca obtenía respuesta, una verdadera respuesta. *Estoy bien, Rafael,* le respondía con tono mordaz, sugiriendo en realidad *¿Por qué? ¿Por qué lo preguntas? ¿Qué es lo que quieres saber exactamente?*

Sería su hermano Pedro quien se lo preguntase, quien le leyese las cartas en voz alta. También sería Pedro quien escribiese sus respuestas y Rafael se preguntaba si esa era la razón por la que no había tenido noticias suyas.

Desde su cuarto, a media mañana de ese domingo en particular, vio a más gente de la normal bajando por la calleja. Tras quitar un poco de hielo de la ventana, vio a toda la gente yendo en la misma dirección, a paso ligero y con gesto taciturno. Algo estaba pasando. Algo importante, por lo que parecía. Los niños iban de la mano y la gente menos capaz que los demás recibía ayuda. Esperaba que se fuese agotando, fuese lo que fuese, pero, por el contrario, mientras miraba, iba ganando intensidad. Se convirtió en un gentío, una pequeña multitud. Tomó la impulsiva decisión de investigar y el hacerlo le animó: se puso la capa y bajó las escaleras en apenas unos pasos.

Por una vez no había previsto el frío y le sorprendió sentir su bofetada en la nariz, que hizo que los ojos se le llenaran de lágrimas. La atención de la multitud estaba puesta en su destino y se introdujo en ella sin ser visto. Se movía con rapidez para sacudirse de encima el frío que le calaba los huesos. No había indicio alguno de adónde se dirigían; escuchaba con atención, pero aquella gente sabía dónde iba y no tenía necesidad de hablar de ello. Solo la ocasional, áspera y fría reprimenda a algún niño: *Vamos, sigue caminando.* Por una vez, los ingleses no chismorreaban y mantenían la sobriedad, no se oían más que su estridente sorber la nariz y sus profundas toses. De vez en cuando, Rafael notaba que le miraban —*español*—, pero las miradas apenas le rozaban, le observaban pero le consideraban irrelevante. Pasar desapercibido en Inglaterra era más de lo que podía esperar, pero se conformaba de buena gana con no ser considerado merecedor de un segundo vistazo.

Había avanzado bastante por Cheapside —seguía doliéndole respirar por el frío, que se le metía en el diente malo—, cuando se dio cuenta: se dirigían a St. Paul's. Claro, debería haberlo imaginado. Algo sucedía en St. Paul's, alguien predicaba en Paul's Cross, eso era todo. Sabía que los domingos tenían lugar aquellas prédicas a las puertas de St. Paul's ante cientos de londinenses, aunque le sorprendía que asistiese tanta gente en un día tan frío como aquel. Alegrándose de poner fin a su pequeña aventura, empezó a dar la vuelta, pero el gentío se había acumulado tras él y vio que no podía retroceder.

Tampoco podía avanzar, porque la multitud se había detenido. Rafael no estaba cerca del atrio de la catedral. En cuanto dejó de caminar, el frío se apoderó de las plantas de sus pies, de los dedos. El resto de su cuerpo salía mejor librado por estar completamente rodeado, pero aquel gentío despedía tal hedor que apenas se atrevía a respirar, pues temía sufrir arcadas. Echó la cabeza hacia atrás en busca de aire. No había cielo, nada de cielo, solo nubes. Cecily había dicho algo el día anterior: *Hace demasiado frío para que nieve.* ¿Era posible que hiciese demasiado frío para que nevase? Parecía que Cecily sabía lo que decía pero ¿era posible? Aunque, bien mirado, él no sabía nada sobre el frío, sobre la nieve.

¿Cuánto tiempo iba a verse atrapado allí? Su estómago emitió un quejido —se avergonzó— y el de alguien respondió, y luego el de alguien más. Sentía como si el interior helado de sus orejas fuese a romperse y sintió otra punzada de dolor en el diente estropeado. Pero, de repente, algo sucedió: el gentío empezó a revolverse más adelante y de inmediato a su alrededor; durante un instante o dos no lo entendió, no podía comprenderlo. Luego sí, justo a tiempo: se estaban arrodillando. Todos y cada uno de ellos, recomponiéndose para llevar las rodillas al suelo sobre el lodo salpicado de escarcha. Se apresuró a hacer lo mismo. A su alrededor, las gentes cerraban los ojos y juntaban las manos. Absolución, estaban siendo absueltos. El obispo, allá adelante, en St. Paul's, les estaba concediendo la absolución.

Unos días antes, Inglaterra había vuelto oficialmente a Roma y aquí estaban los súbditos de la Reina, solicitando el perdón por haberse desviado del buen camino. En el pasado, si Rafael había de creer lo que había oído, parte de aquella gente había expresado sus protestas arrojando perros muertos al interior de las iglesias, así de bajo habían caído. Ahora, habían acudido a la catedral a cientos —quizá incluso miles— para ofrecerse. Era el final de veinte años de disputas, esa era su intención, como veía en aquellos rostros serenos, con los ojos cerrados, y sabía que debía sentirse conmovido, pero se sentía incómodo. No es que dudase de la sinceridad del gentío. Era la sinceridad la que suponía un problema. La solemnidad. *No era nada inglesa.* El silencio del gentío, un gentío arrodillado, que Rafael conocía demasiado bien en España, donde la Inquisición había sido su maestra.

La Reina había disuelto la Iglesia de Inglaterra, tras lograr por fin derogar el decreto de su padre. Se decía que había gritado de alivio en su trono. No había derramado una sola lágrima al ser nombrada Reina, ni durante su co-ronación, pero al poner fin a la Iglesia de Inglaterra había dejado brotar las lágrimas y no las había enjugado. Por esa razón, había dicho a sus nobles, y solo por esa razón, se había convertido en Reina. Por esa razón había permane-cido en Inglaterra en lugar de huir a España durante todos aquellos años de desolación y peligros. Por esa razón Dios la había protegido y había garantizado su triunfo, para que enmendase un terrible error, para deshacer las accio-nes de un hombre que parecía haber enloquecido y con-denado a su pueblo. Ella lo había salvado. Estaba hecho. Lo había logrado por voluntad de Dios.

Sus hombres se habían emocionado al ver sus lágri-mas, tanto, de hecho, como para que hasta el último hidal-go del país se alinease, antorcha en mano, para llevar su estandarte de fuego en procesión de Westminster a Whi-tehall. Allí, se habían arrodillado para suplicar el perdón por haber apoyado la Reforma que, por supuesto, les fue concedido sin demora, pues la Reina no era una mujer rencorosa y siempre estaba dispuesta a creer lo mejor de las personas. Y aquí estaba el pueblo de Inglaterra, días más tarde, haciendo lo mismo, su propia versión, acudien-do a St. Paul's y arrodillándose en las calles. Como si, pen-só Rafael, bastase con eso. Quizá bastase.

❧

El tres de diciembre era el cumpleaños de Francisco, el cuarto, y el mismo cielo le regaló el mejor regalo posible, de haber estado allí para verlo: *nieve*. Nada más despertar,

Rafael sabía que algo se había derramado sobre la tierra. Tras su ventana, el silencio era absoluto y su cuarto estaba leve pero uniformemente iluminado. Fuera, todo se había vuelto de un blanco limpio, como si alguien hubiese realizado un encantamiento. Ansiaba tener a Francisco a su lado para que lo viese, lo imaginaba maravillado al principio y luego ávido, y ya corriendo hacia la puerta en busca de la escalera. *Ven aquí, hombrecito, vamos a vestirte como es debido.* Rafael había decidido no hacer lo habitual en el cumpleaños de su hijo, pero conmemorarlo de algún modo —ir a algún lugar, hacer algo— y ahora el problema estaba resuelto: daría un paseo por la nieve.

El sonido y la sensación de cada paso eran completamente nuevos para él, aunque imaginaba que caminar sobre ciertos tipos de arena debía de ser parecido. El frío seguía allí, pero no le atacaba como solía hacer el viento, caía sobre él y le envolvía, revelando su suave y espectacular cara oculta. Cada rama, cada brizna —hasta la cosa más pequeña, la cabeza de un clavo en el portón, un nudo en la madera de las jambas— estaba cubierta de nieve. Había realizado su delicada labor por doquier. Pero el día también se afanaba por hacer su trabajo y la capa ya poseía cierta irregularidad, gloriosa en sí misma, compleja e intrigante. *Esto es para ti, Francisco,* pensaba sin cesar Rafael, mirando a su alrededor. ¿Para quién más habría de ser en el cumpleaños de Francisco?

Pero Francisco no estaba allí para recibirlo y la extraordinaria presencia de la nieve hacía evidente su ausencia. Rafael se estaba cansando por la tensión de evitar resbalar a cada paso, y, con el cansancio, le iba llegando el frío. Se rindió y puso rumbo a casa de los Kitson, a la cocina y, esperaba, a una bebida caliente.

Acurrucado en una esquina con una taza de leche especiada que uno de los mozos de cocina había tenido la amabilidad de darle, era consciente de que allí nadie sabía que era el cumpleaños de su pequeño. Ni siquiera Cecily, que estaba en alguna otra parte. En ese sentido, Rafael tenía a su hijo para él solo. Se preguntó qué estaría preparando Leonor para Francisco en su día, si todo iba bien. *Si todo iba bien.* Aun cuando todo fuese bien, temía haber perdido a Francisco, que a estas alturas le hubiese olvidado. Sí, recordaría su nombre —papá— y recordaría que había habido un padre, alguien que era papá, pero nada más concreto, sospechaba Rafael. Se mencionaría a «papá», mucho, hoy —*papá estará pensando en ti por tu cumpleaños*— pero dudaba que eso le hiciese más real para Francisco. Sentado en la cocina de los Kitson, ardía en deseos de reiterar su realidad ante Francisco: *Estoy aquí… aquí estoy, aquí.* Pero *aquí* no significaría nada para Francisco.

El cumpleaños de Rafael era once días después y lo eludió tímidamente. Decidió liberarse de él.

❧

La Navidad llegó y se fue y Rafael seguía en la cama. Durante un día y una noche de los que apenas fue consciente, la fiebre lo zarandeó como un perro zarandea a su presa. Sentía la piel irritada, el tacto de las sábanas le hacía daño. *Me muero, voy a morir aquí, lejos de casa,* pero no se sentía como hubiera esperado sentirse: no sentía rabia ni angustia. *De modo que así es como acaba,* era lo único que tenía fuerzas para pensar. Lo aceptó. Tenía que aceptarlo. Había escrito a casa y esperaba que alguien pudiese enviar sus cartas. Eso era lo único que realmente deseaba. No podía desear nada más.

Tras quizá un día o dos, Cecily fue a su cuarto, pero él no se dio cuenta —no verdaderamente— hasta más tarde. Lo vivió y recordó como un sueño. Había descorrido un poco las cortinas de la cama y le había hablado, pero él no había entendido ni intentado siquiera entender lo que decía. Más tarde, medio despierto, reparó en que había una jarra, algo de pan y lo que parecía un trozo de corteza junto a su cama. Lo tocó: era corteza. Seguramente había notado su ausencia y había ido a ver cómo estaba. No debería haberlo hecho, no debería haberse arriesgado al contagio. Pero estaba demasiado cansado para pensar más en ello, salvo que debía de tener un aspecto horrible y debía de haberle parecido un desagradecido, y volvió a caer dormido.

En algún momento de la noche, bebió el zumo. Muerto de sed, volvió a beber varias veces y su cuerpo lo absorbió todo, sin necesidad de utilizar la bacinilla.

Cecily volvió otra vez, probablemente un día después, y esta vez el sonido de su llamada en la puerta y la acción de abrirla —sin respuesta por su parte— se abrieron paso en su sueño. Pero abrir los ojos era lo más que podía hacer, y ella tendría que aceptarlo. Quería más zumo. Tal vez pudiese volver a llenar la jarra y dejarlo tal como lo había encontrado. No tenía que despertarlo. De hecho, debía marcharse lo antes posible, alejarse del peligro. Se acercó a la cama, le habló desde detrás de las cortinas: susurró, indecisa, su nombre. Dos veces. Luego movió un poco las cortinas. «Sí», respondió él por fin y, como esperaba, dejó caer la cortina. Pero no se marchó, lo sabía. Volvió a decir su nombre, esta vez sin dudarlo, con gentil firmeza. Le exigía que respondiese. Él movió la cortina, solo para que ella supiese que estaba atento, pero se aseguró de mantenerse en la penumbra. Ella acercó algo hasta la abertura: un trozo de corteza. «Rafael», insistió, y entonces él prestó más atención, levemente intrigado. Ella se inclinó, llevando su rostro a la altura del de Rafael; él contuvo el aliento, sabía que era repugnante. «Rafael», volvió a decir, y fingió masticar el trozo de corteza. Masticar, sin duda, y no comer, haciendo rechinar deliberadamente los dientes. Entonces, antes de que él pudiese evitarlo, ella le puso la mano en la frente y a continuación sobre una de sus mejillas sin afeitar y emitió un sonido de desaprobación: *fiebre.* A su pesar, su piel se deleitó con el tacto de Cecily. *Hazlo otra vez.* Agitando el trozo de corteza —*No lo olvide*—, ella se levantó, le dijo que había más zumo para él y él le dio las gracias con un susurro.

La visita de Cecily le había alterado, no podía volver a dormir, así que acabó por masticar el trozo de corteza. Era algo que hacer. Tenía cierto dulzor, cosa que jamás hubiera esperado. Cuando emergió de la siguiente cabezada se sentía un poquito mejor y a partir de entonces siguió con el trozo de corteza.

Cecily iba a verle a diario y, a pesar de su miedo por el riesgo al que se exponía y la incomodidad de aquellas breves visitas, vivía para ellas. Que ella entrase en su cuar-

153

to mientras él estaba en la cama constituía una situación delicada, que ella manejaba sin decir casi nada, limitándose a llevarle más zumo, más corteza y un poco más de comida cada día, a comprobar su fiebre —aquel toque rápido y fresco de las yemas de sus dedos sobre la frente, la mejilla— y a reservarse su opinión para sí. Por su parte, él permanecía acostado, prácticamente cubierto del todo por las sábanas, cuidando de no moverse, haciendo la menor impresión física posible.

Enviaba a otra persona, un muchacho, a buscar la bacinilla que, afortunadamente, apenas tenía que usar. También le cambiaba el agua de la palangana para que pudiese limpiarse los dientes con un paño recién humedecido.

Los días apenas eran días, el cuarto permanecía sumido en la oscuridad casi todo el día. En ese sentido, no echaba nada en falta. Lo que sí echaba en falta era la oportunidad de preguntar por su correspondencia en la delegación española y cada vez estaba más seguro de que había una carta de Leonor esperándole, aunque no podía imaginar qué diría.

Pasaron ocho o nueve días hasta que pudo levantarse. Tristemente, aquel primer día le hizo falta toda su energía para sentarse, aturdido, en el borde de la cama. No obstante, lo hizo varias veces, decidido a recuperar las fuerzas. El segundo día, llegó hasta la puerta para interceptar a Cecily, para cortarle el paso. La estuvo esperando —tampoco tenía nada más que hacer— y, en la puerta, le entregó su jarra y su plato antes de que ella le diese los nuevos. Sonrió pero no la miró a los ojos, horriblemente consciente del mal aspecto que debía de tener. Pretendía lavarse como es debido más tarde, pero acabó en la cama, dormido. Al día siguiente logró completar, entre gestos de dolor y gemidos, un baño frío como la nieve y luego, con un par de descansos al borde de la cama, vestirse. Al otro día, intentó ir a la planta baja y hubo de sentarse dos veces por el camino, si bien acabó dando la vuelta —haciendo más pausas— para volver. Todavía no estaba en condiciones de ser visto: necesitaba afeitarse.

Para el afeitado tendría que ir a palacio. Al día siguiente, fue a buscar su capa y descubrió que tenía un forro nuevo, mucho más grueso. De fustán. Tenía que ser cosa de Cecily. Lo tocó maravillado y con profunda gratitud. No solo se había arriesgado al contagio, sino que también había hecho esto por él.

No podía ir a darle las gracias antes de afeitarse, de modo que salió de la casa sin ser visto. A pesar del forro nuevo de su capa, el frío le azotó como nunca y se estremeció, con las lágrimas a punto de brotar y horrorizado por su debilidad. El trayecto por el río —incluso la caminata hasta el río— sería imposible hasta dentro de un día o dos. A punto estuvo de gimotear de impotencia y frustración. Tendría que arriesgarse a ir a un barbero local. ¿Qué le haría un barbero local? ¿Cortarle el cuello? Bueno, que se lo cortase. Lo que le importaba era que no podía ir a buscar su carta. Estaba a una distancia imposible. A su propia carta, que llevaba consigo, añadió: *He estado enfermo, pero ya estoy bien.* En cuanto se había dado cuenta de que no iba a regresar a tiempo para Navidad, había enviado un dibujo del Puente de Londres para Francisco.

Sin embargo, Francisco no podía haberlo recibido aún, si llegaba a recibirlo, si no acababa naufragando, disuelto en el agua del mar. Le había llevado dos días hacerlo, sentado en las escaleras de Coldharbour; lo había realizado con tanto detalle como había podido. Lo que en realidad le hubiera encantado enviarle a Francisco, sin embargo, era un trozo de hielo de algún charco. *Mira, Francisco, ¿lo ves? Agua sólida.*

Entró en la primera barbería que vio y el encuentro fue estupendamente: el mínimo intercambio de palabras y un rápido y diestro afeitado antes de entregar dos de sus preciadas monedas. Al abandonar el lugar, estaba preparado para enfrentarse al mundo y a Cecily, por supuesto, que era a quien fue a ver en primer lugar. Estaba en la cocina, cosiendo, con su hijo acurrucado a su lado. «¡Ah!», pareció sorprendida y encantada de verle, tanto que se preguntó si había dudado de su recuperación. Alabó mucho su buen aspecto —lo supo por su tono—, cosa que solo sirvió para que se avergonzase de lo horrible que debía de haber sido antes. Le mostró el forro de su capa: «¿Usted?»

Ella le quitó importancia: tenía un poco de sobra, imaginó que decía mientras sacudía la cabeza y señalaba un montón de telas que tenía al lado. Él se lo agradeció profusamente, diciéndole en su lengua —pero con un brazo señalando la puerta— que ahora le resultaba mucho más fácil estar fuera. «Gracias», dijo otra vez, «gracias», y ella se ruborizó aun cuando trataba de quitarle importancia.

La Navidad había llegado y se había ido durante su enfermedad, pero los Kitson no emprenderían el viaje de vuelta al campo hasta que pasase lo peor del invierno. En su primera cena en la casa, Rafael vio que los jóvenes que normalmente servían la mesa no estaban y que sus tareas eran realizadas por el mayordomo rubio y un par de criados. Sentados a la mesa principal, sin embargo, había tres jóvenes que, sin duda, pertenecían a la familia Kitson. De modo que habían estado fuera —¿sirviendo la mesa principal de otra casa?—, pero habían vuelto a casa por Navidad, y los muchachos que servían en casa de los Kitson probablemente habrían regresado, a su vez, a sus casas. Qué situación más curiosa, pensó Rafael. ¿Por qué no iba a querer una familia tener a sus hijos en casa?

Un par de días más tarde, los tres muchachos Kitson volvieron a desaparecer y los sirvientes habituales estaban de vuelta. Rafael se había preguntado si vería más cambios ahora que el invierno arreciaba con fuerza, pero no había ninguna carencia de comida evidente en la casa. Se dejaba menos pan al final de las comidas de lo que recordaba de cuando la casa había estado llena por última vez, pero podía deberse a que el frío hacía que todos tuviesen más hambre. Sospechaba que el potaje no era tan espeso, pero era más picante como para ocultarlo, lo que lo hacía más sabroso. No obstante, en general, y especialmente desde su enfermedad, Rafael prefería sabores sencillos y nítidos en su paladar. En el mejor de los casos, la comida invernal inglesa tenía mucho sabor, pues la cocían durante mucho tiempo, pero esto no hacía más que excitar el ansia de Rafael por la frescura de algo recién recolectado, la tosca preparación de una longaniza, la suave lechosidad del queso de cabra, la dulzura meliflua de las almendras molidas maceradas en zumo de naranja. Y la naranja en sí: cómo le gustaría enterrar el pulgar en una naranja, abrirla y aspirar su aroma.

Pensar en una naranja ya era un lujo, lo sabía; en Londres había muchas personas que no podían pensar más que en lo necesario. Al final del día, se juntaban en el portón de atrás más de las que recordaba de la última vez que los Kitson habían estado en la casa, y se fijó en la escasez de las sobras que los mozos de cocina les llevaban. Ahí era donde se encontraba la carestía de los Kitson: en la puerta de atrás. Ahí era por donde empezaba.

Dentro, la hospitalidad se había extendido a más invitados que antes. Cuando los Kitson habían estado en la casa en verano había músicos y, por supuesto, se quedaban a cenar, pero ahora traían mujeres y niños consigo, y todos ellos habían de ser alimentados. Pero nadie los recibía con mal gesto; se servía generosamente a todo el mundo. Cuando el doctor de los Kitson fue a cenar la primera semana de enero, llegó acompañado de su esposa, cinco niños y una señora mayor, seguramente su madre o su suegra. Un par de noches más tarde, uno de los socios que había ido a cenar con el secretario de los Kitson en octubre llevó consigo al ama de cría de uno de sus hijos menores, que comió mientras el niño dormía en su regazo.

Cecily no tenía que comprar víveres cuando la casa estaba al completo. Los Kitson habían traído algo de comida del campo y lo demás iban a buscarlo los mozos de cocina. En ocasiones, había oído a alguien salir de la casa antes del amanecer y volver más o menos una hora después, todavía antes de que saliese el sol. Las tareas de Cecily habían vuelto a ser las que tenía cuando Rafael llegó. Habían disminuido en variedad pero no en cantidad, a juzgar por las telas con las que se afanaba cada vez que la veía. Cuando la veía. Con la casa llena era más difícil verla, y la echaba en falta.

❧

La segunda semana de enero, un criado entró en la cocina para decirle a Rafael que un hombre de palacio preguntaba por él en la puerta principal. Rafael lo tradujo a una sola palabra: *casa.* ¿Era eso, lo mandaban a casa? La delegación española debía de haber recibido respuesta de su contacto original y, bien lo eximían de su deber de construir el reloj de sol, bien le pedían que lo construyese después de todo pero, en cualquier caso, volvía a casa, ya fuese ahora o, a más tardar, dentro de un mes. Se echó a temblar más de lo que creía físicamente posible, estremeciéndose de pies a cabeza con cada aliento. *Casa.* Pero luego pensó: ¿podía tratarse de alguna mala noticia de casa? Seguía sin tener noticias de Leonor y, ¿no era eso lo que hacían en esos casos, llamarlo a palacio para darle la mala noticia? El cosquilleo que sentía en su interior cambió por completo para convertirse en un martilleo.

Corrió a la puerta y preguntó al muchacho uniformado cuál era el objeto del emplazamiento, pero el muchacho se encogió de hombros por toda respuesta. ¿Quién preguntaba por él, entonces? Volvió a encogerse de hombros. Rafael se dio por vencido, no tenía tiempo para aquello; preguntó únicamente «¿Ahora?».

—Ahora.

Un minuto, dijo Rafael, y salió como un rayo escaleras arriba en busca de su capa pero, cuando bajó, el muchacho había desaparecido.

Rafael no sabía si el Támesis estaba helado. Hacía dos días, los barqueros rompían hielo en los muelles y abrían senderos en él hasta un canal central por el que poder moverse. ¿Pero de qué otro modo podía llegar a palacio? Corrió hasta el río con los charcos crujiendo bajo sus pies y el viento flagelándole el rostro por un camino iluminado por los témpanos que colgaban de los aleros de los primeros pisos. Desde el muelle vio barcas en movimiento, menos de las habituales y con escasa carga, pero había tráfico.

En un principio, no sintió más que el frío en el esquife, seguía sin saber nada y el susto se renovaba con cada latido de su corazón. Conforme pasaba el tiempo, se le ocurrían otras razones posibles para aquel emplazamiento. Tal vez Antonio hubiese provocado algún problema. Tal vez alguien tuviese otro trabajo que encargarles. Trató de vaciarse de sus miedos fijando la mirada en las oscuras aguas y de mantenerse abierto a diversas explicaciones, pero en su interior palpitaba una y otra vez, como la sangre: *¿Mi hijo, mi esposa, mi madre? ¿Una caída, una fiebre, un incendio?*

A su llegada a Whitehall, al saltar del esquife, resbaló en los escalones helados y se raspó las rodillas y uno de sus guantes. Se levantó y corrió a la delegación española. Allí, sin embargo, el funcionario le miró con desconcierto —y desinterés— antes de dirigirse, sin demasiada prisa, a algún otro lugar para consultar la cuestión. Rafael se quedó imprudentemente cerca del fuego y no oyó la puerta abrirse a su espalda, pero cuando se dio la vuelta, allí estaba ella, la dama de compañía de la Reina, Mrs. Dormer, la del jardín, la de la sonrisa. Había tenido un buen motivo para sonreír al ver que no se daba cuenta de que estaba en presencia de la Reina.

—Venga —dijo ella. De modo que lo había encontrado allí y pensaba divertirse un rato.

—No… —su inglés le abandonó y no supo sino señalar el escritorio, el escritorio vacío del funcionario. No creía posible que aquella sonrisa suya pudiese ampliarse, pero lo hizo.

—No, *yo* —dijo ella—. Fui yo quien mandó a buscarle. La Reina desea verle.

Se le retorcieron las entrañas, se le pararon todos los órganos, pero volvieron a funcionar y soltó una carcajada de alivio: *qué graciosa*. La sonrisa de Mrs. Dormer, sin embargo, vaciló, parecía que hablaba en serio, pero nadie le había dicho que iba a ver a la Reina y estaba completamente impresentable. Como bien podía ver ella. Había ido tal como estaba, ni siquiera se había afeitado y estaba cubierto de barro por la carrera hasta el muelle y arañado por la caída. Ella podía verlo y aun así, allí estaba, sosteniendo la puerta para él.

—No, no, no. —Hizo un barrido con la mano por delante de él, mostrándose ante ella, dejándole claro que no estaba presentable, pero ella suspiró como si fuese una minucia, una minucia encantadora.

—Tiene usted un aspecto excelente, Mr. Prado —dijo con su frescura habitual—. Ahora, acompáñeme.

Se apresuró a seguirla para continuar con sus objeciones, siguiendo la estela de su susurrante capa de lana negra; sus pisadas sobre las losas eran apenas ecos de las de ella, con sus gruesas suelas nuevas. Llevaba una estola de piel y guantes de cabritilla y se había bañado por la mañana, como era debido, con agua calentada para ella.

—Por favor —le dijo, insistió—. *Por favor.*

—Mr. Prado. —Se detuvo, dio media vuelta y Rafael vio que le divertía poner objeciones a sus objeciones—: Tiene usted un aspecto *excelente.* —De nuevo aquella sonrisa, rápida y callada y—: Tiene aspecto de *español.*

Apostaba que aquella era la primera vez que tal cosa se decía como un cumplido en Inglaterra. Y si ella supiese que no, que no parecía español a los cristianos viejos españoles… Volvió a intentarlo, contradiciéndola lo mejor que pudo en su inglés aterrorizado:

—Pero es la Reina…

Esta vez ella no respondió nada, se limitó a fingir una mirada fulminante y vio en aquellos ojos bien abiertos, que le miraban con resolución, que estaba perdiendo la disputa. No tenía más opción que ir a ver a la Reina de Inglaterra, sin haberse lavado y con aquellas ropas húmedas y manchadas de barro. ¿Podían decirle al menos por qué había sido llamado? Eso era lo mínimo que Mrs. Dormer podía hacer.

—Señora, por favor, ¿por qué ha reclamado la Reina mi presencia?

Por una vez, ella pareció considerar seriamente lo que había dicho, se detuvo y se giró hacia él:

—En ocasiones… —explicó—. La Reina no se encuentra bien hoy.

A lo que él respondió presto:

—¿Está enferma?

—No está enferma. Solo… —se tocó la frente— tiene jaquecas. —Lo dijo elevando la voz, como si fuese el primer elemento de una lista, pero no añadió nada más. No obstante, se llevó la mano al corazón. Se encontraba mal, por tanto—. Cansada. Trabaja muy duro, muy duro, demasiado —y suspiró con desesperación, como diciendo *Se lo he advertido, he intentado advertirla,* evidenciando no ya el duro trabajo de la Reina, sino su impaciencia al respecto—. Y hoy le duele la cabeza. Necesita que la alegren.

¿Debía distraerla? No era de extrañar que no le importase su aspecto, debía haber acudido a todo el mundo y ahora echaba mano del último recurso. Porque Rafael no era ningún conversador, ni siquiera en su idioma, mucho menos en inglés. No sabía nada. Un constructor de relojes de sol atrapado en una isla cubierta de nubes, eso era lo que era. No tenía nada que ofrecer a nadie. Oh, ¿por qué no podía irse a casa? ¿Por qué no le dejaban en paz? A la Reina le vendría bien conversar con algún devoto cristiano viejo español, eso era lo que necesitaba, y él en absoluto cumplía ninguno de los dos requisitos.

Aquello era ridículo. Se negaría. ¿Qué iba a hacer Mrs. Dormer? ¿Llevarle a rastras a la habitación? Bueno, sin duda eso sería toda una distracción. Diría que estaba enfermo. En el peor de los casos, podía regatear, pedir más tiempo, tiempo para volver a casa de los Kitson y adecentarse. Dos horas. Sin duda supondría la misma distracción, si no mejor, dentro de dos horas. Estaría mejor preparado. Pero todavía la seguía y parecían estar acercándose a su destino, acababan de introducirse en una galería llena de guardias. Podía intentar huir, pero estaba en clara minoría. Qué aspecto debía de tener para aquellos hombres: motivo de risa, en el mejor de los casos, una ruina, en el peor. *Este no soy yo,* deseaba que supiesen, este no es Rafael de Prado, constructor de relojes de sol del Rey de España. Este era el hombre desaliñado y abatido en que se había convertido durante los cuatro largos meses que llevaba en Inglaterra.

¿Pero quiénes eran ellos para juzgarle? Un par de años atrás aquellos hombres habrían deseado la muerte de la mujer que ahora era su Reina. Entonces, durante el reinado de su hermano menor, era una traidora por sus creencias. Y allí estaban ahora, alineados para defenderla. La habían defendido un año atrás, cuando miles de rebeldes llegaron a la otra orilla dirigidos por un carismático plebeyo y el nuevo reino parecía haber llegado ya a su fin. Estaban allí de pie mientras, tras la lejana puerta, las damas de la Reina se encogían de miedo y ella iba de una ventana a otra; las damas lloraban —eso había oído Rafael— pero la Reina se asomaba a la ventana, deseando en voz alta poder bajar y unirse a sus hombres. Otra cosa que había oído era que había ordenado que no se pusiese en peligro la vida de personas inocentes abriendo fuego de un lado a otro del río. Por el contrario, esperaría a que los rebeldes lo cruzaran para llegar hasta ella. Sus guardias no podían saber que la rebelión pronto quedaría en nada, que encontraría las puertas cerradas al llegar a las calles de

Londres. Aquí arriba, habían oído que por todas partes se estaban construyendo barricadas en las puertas. Se oía el repiqueteo de las armas improvisadas mientras mozos, jardineros y lavanderas juntaban mangos de escobas, rastrillos y palas.

La habitación estaba justo delante de ellos, dedujo al ver que Mrs. Dormer aminoraba el paso y se componía para entrar. Se detuvo brevemente para volverse hacia él. Ahora no sonreía.

—Está asustada —le confesó—, pero su esposa tenía su misma edad cuando tuvo a su hijo. Quiere que le hable de su esposa. Háblele de su esposa.

Delante, la puerta se abrió para ellos y, antes de que pudiese darse cuenta, había cruzado el umbral. Su primera impresión fue de calor y aunque apenas unos minutos antes estaba dispuesto a darlo todo por sentir un calor así, le echó para atrás, era sofocante. No miró al frente, no se atrevía, se limitó a seguir a su guía con los ojos puestos en sus hombros cubiertos de piel. Ella sabría qué hacer, era su tormento y su salvación. Lo que hizo, sin embargo, fue irse, desapareció tras él con un único y grácil paso. Cayó en la cuenta de que le estaba presentando, y dejándole solo. *Hable con ella.* Se quedó mirando la alfombra de intricado tejido y, sobre ella, sus penosas botas. Sentía el corazón latiéndole en la garganta. *Déjeme ir,* era lo único que deseaba decirle a la Reina, *déjeme abandonar su ofendida presencia,* y desandó mentalmente el camino hasta la oficina donde todo había empezado, donde diría: *Mándenme a casa* y, furiosos con él, eso sería exactamente lo que harían.

No había levantado la vista, pero atisbó la pieza central de la habitación, no podía dejar de verla, una inmensa silla con un baldaquino dorado. Un trono. Y ocupado, eso también lo había visto. Así que hizo su reverencia, desaliñado y ruborizado.

—Mr. Prado —sonó su profunda voz.

No parecía asustada. ¿Debía alzar la mirada o no? ¿Cuál era la norma? Alzó la mirada, pero con cautela, con la cabeza todavía baja, poniendo una vela a Dios y otra al diablo. Se veía diminuta en aquella silla, bajo el baldaquino lleno de borlas; su cara parecía apenas un arañazo en medio de tanto lujo. Qué extraño, pensó, sentarse sobre un estrado en su propio cuarto. Una dama de compañía ocupaba un cojín en el suelo, junto al estrado, pero la distancia y la diferencia de altura no debían de facilitar la conversación.

La Reina hizo amago de ir a levantarse, pero no lo hizo, no del todo. ¿Y ahora qué? *Hable con ella.* ¿Pero desde allí? Logró levantar la vista y echar un vistazo a su alrededor: damas con rostros caballunos repartidas en grupos de cojines que, de algún modo, le observaban al tiempo que evitaban mirarle. Una táctica muy hábil; probablemente requería años de práctica. Estaba claro que no iba a recibir ayuda alguna de ellas. De repente, la Reina resolvió el problema liberándose de su trono y acercándose, toda vestido y joyas que se arremolinaban y bamboleaban en torno a ella, y él se maravilló ante su porte. El vestido se cerraba por delante, aun cuando su embarazo —de cinco meses como mucho— todavía era imperceptible. ¿Cómo podía soportar el calor con toda aquella ropa? Él estaba sofocado. Hizo otra reverencia —allí estaban, de nuevo, la fabulosa alfombra y sus horribles botas— cuando ella pasó a su lado entre el murmullo de las telas que la envolvían.

—Acompáñeme.

Se acercó a una ventana y le miró expectante, con una expresión fuera de lugar en una estancia llena de rostros cautos. Rafael la imaginó en una habitación igual —tal vez aquella misma— durante el reinado de su hermano, insistiendo, con los ojos hinchados, en su derecho a practicar su religión; imaginó también las miradas de impaciencia y repulsión que debía de haber encontrado. Con una mano cubierta de impresionantes joyas, le indicó que se uniese a ella. Él obedeció, pero mantuvo una respetuosa distancia. *Háblele de su esposa.* Estaba esperando que ella iniciase la conversación, tras lo que él haría todo lo que estuviese en su mano.

—Mi médico dice que tengo que descansar hoy —empezó con naturalidad—. No puedo leer debido a mis jaquecas. —Repitió mordazmente—: *Descansar.*

Es lo único que hago aquí, pensó él, avergonzado. Solo que no lo hacía, en realidad. Nunca se sentía descansado en Inglaterra. No hacía nada, pero no lograba descansar. La Reina, por su parte, parecía incapaz de descansar. Incluso ahora, con las manos apretadas una contra otra. Tenía unas manos escuálidas, cruelmente enrojecidas, no eran las manos de una Reina.

Él le ofreció sus condolencias por su indisposición —así fue como lo expresó— y a continuación su felicitación por la noticia del inminente alumbramiento real. Su inglés no era elegante, pero tuvo la impresión de que se había defendido bien y, cuando menos, era un comienzo.

—Gracias —dijo ella, agradecida. Miraba al jardín, a pesar de que había muy poco que ver y no demasiada luz para verlo. Ya había caído el sol. Aquel día de enero, apenas había salido siquiera. Apenas era media tarde, pero ya había caído el sol. Lo único que Rafael podía ver era un sombrío tejo y quebradizas matas de lavanda medio muerta. Para su sorpresa, la Reina mandó traer su capa.

Tras deshacerse de todos los guardias, le condujo a través de una puerta y por unas escaleras de piedra hasta un porche abierto. Y allí se quedaron, mirando los jardines como habían hecho desde la ventana.

—Necesito un poco de aire —dijo. En el porche, el aire llegaba a ráfagas, y tan frío que poseía un sabor metálico. Estaba a punto de obligarse a hablar, pero ella le tomó la delantera, preguntándole— : ¿Cómo está Francisco?

Recordaba su nombre, Rafael estaba atónito. Muy bien, le dijo, a pesar de que en realidad no tenía ni idea, y le agradeció efusivamente su interés. Le hubiera gustado corresponder a su interés con alguna noticia, pero no tenía ninguna y sintió vértigo al volver a recordarlo.

En una ocasión, Francisco le había preguntado con sincero interés: «¿Cuándo crees que moriré, papá?», y había añadido: «Creo que caeré bajo las ruedas de un carro» y cuando Rafael le había dicho que él se aseguraría de que no sucediese tal cosa, Francisco le había respondido: «Tú no estarás presente».

Los bulbosos ojillos de la Reina estaban puestos en él y se dio cuenta de que se estaba mordiendo los labios con fuerza, como para poder soportar algo. Avergonzado, dejó de morderlos.

Ella le preguntó:

—¿Por qué sigue usted en Inglaterra?

No lo sabía y, aunque lo hubiera sabido, probablemente no habría podido decírselo, pues tenía un nudo en la garganta. Se suponía que debía reconfortarla, se recordó, no descargar sus propios miedos. Pero ella había preguntado. Se arriesgó y se encogió de hombros. ¿Estaba permitido encoger los hombros en presencia de una Reina? Bueno, él lo había hecho en presencia de aquella. Ella no se inmutó.

—Debería haberle enviado a casa. —Su irritación era evidente. Daba voz a su decepción con su marido más que a su compasión por Rafael, pero era mejor que nada.

—Sí —dijo, y repitió—: Sí. —Con la esperanza de que ella no lo dejase correr. Tenía la loca esperanza de que dijese, *Le diré que le envíe a casa.*

Volvió a girarse hacia la desolada vista.

—Quiere irse. —Una ráfaga sacudió el jardín, haciendo cimbrear las ramas—. No a España, sino a Francia. A la guerra. —Dio un gran suspiro—. No hay necesidad de hacer la guerra a Francia. No hay ninguna necesidad. Lo que hay que hacer es hablar, no ir a la guerra —repitió—. Quiere irse. —Luego dejó el tema con un cansado—: pero usted ya sabe todo eso.

Rafael se estremeció porque lo sabía, no podía sino saberlo. Todo el mundo lo sabía, y ella sabía que lo sabían. La compadeció por su falta de vida privada. Ya era lo bastante malo en su caso, en su pequeña casa familiar. Pero aquí no tenía más que vida privada. Aquí en Inglaterra nadie sabía o se preocupaba en absoluto de él, y eso tampoco le gustaba.

Entonces abordó la cuestión:

—¿Se encontraba bien su esposa durante el embarazo? —Le miró fijamente, ansiosa por saber la verdad, en lugar de oír vacíos comentarios tranquilizadores. La verdad era que él no lo sabía realmente. Por lo que él sabía, a veces se había encontrado bien y a veces no. En general, sin embargo, suponía que lo había llevado bien. Sí, le dijo a la Reina. Se quejaba —tenía dolores y molestias, muchos— pero nada había ido demasiado mal, intentó explicar, o nada de lo que él tuviese constancia, nada que tuviese consecuencias. No le dijo que había estado ensimismada durante el embarazado, y que él había dado por sentado que así era como se comportaban las mujeres. Nunca supo lo que pensaba y en ocasiones lo había agradecido.

La Reina dijo:

—Me está resultando muy difícil. —Mrs. Dormer se equivocaba: él no debía oír aquello. Era cosa de mujeres, eran aquellas mujeres de la habitación quienes debían oírlo. Le dijo que lamentaba oírlo—. Este cansancio... —Estaba aterrada—. Estoy tan cansada... Más cansada de lo que he estado nunca, y no puedo hacer nada, no puedo pensar, y hay tanto que hacer, tanto en que pensar...

Él dijo sinceramente:

—Mi esposa estaba muy cansada.

Ella suspiró:

—El invierno no ayuda.

Por supuesto que no. Se quedaron mirando el jardín muerto, consternados. Unidos en su consternación.

Entonces ella se dio la vuelta para mirarle.

—Estoy contenta —insistió, mirándolo fijamente, como tratando de someterlo con la mirada—. Estoy contenta. —Sus palabras contrastaban tanto con su expresión que, a pesar de todo, Rafael se hubiera echado a reír—. Pero estoy asustada. Y no debería estarlo. Debería tener fe en Dios. —Se corrigió—: La tengo, pero —añadió con incredulidad— no dejo de tener miedo.

Rafael asintió y se revolvió; tenía los pies helados. No le pareció nada extraordinario que ella, ni nadie, tuviese fe en Dios y estuviese asustada. Leonor nunca le había hablado de sus miedos, pero estaba bastante seguro de que los había tenido. Desde luego, él los había tenido, por ella, y estaba a punto de hablarle de ello a la Reina, pero ella no había terminado.

—He estado asustada otras veces, Mr. Prado, he pasado gran parte de mi vida asustada, pero he tenido fe en Dios —angustiada, separó las manos, las abrió, y volvió a juntarlas—, y me ha bastado. Pero ahora… —Tembló, se estremeció—. ¿Sabe, Mr. Prado? —escrutó su mirada—, temía perder a Dios si amaba a un hombre, tener menos amor que darle, distraerme. ¿Pero no es así, verdad? Es al revés. Tengo más amor por Dios. —Rehuyó su mirada, apartó los ojos de él—. Antes no sabía que amaba a Dios. No era amor. Sentía devoción, por supuesto, ¿pero *amor?* Pero ahora sí, y por eso ahora, por primera vez, me aterroriza perderle.

La compadeció. Era lo único que podía hacer, estar allí.

Ella continuó:

—Me está resultando difícil ser esposa y Reina. —Rafael no lo dudaba—. Quiere que le nombre Rey. —El príncipe. Rafael lo sabía, por supuesto. Todo el mundo lo sabía. Era una expectativa perfectamente razonable, para los españoles—. Pero no puedo hacerlo. —Le miró—. Quiero decir que, de verdad, no puedo. El Consejo… —Agitó una mano, tal vez para mostrar la actitud despectiva del Consejo, tal vez para reflejar su desesperación—. Y el pueblo de Inglaterra… —Se encogió de hombros, con aceptación, resignada—. Son mi pueblo. Mi deber es servirlos. Pero mi marido no lo comprende y se niega a escucharme —dijo, quejosa—. He deseado ser Reina durante tanto tiempo, poder asumir mi puesto y realizar mi tarea… pero ahora, en ocasiones, me gustaría no ser más que una esposa. —Le miró con el gesto suave que en ella se parecía a una sonrisa—. Tener un hijo es un trabajo duro, ¿no es así, Mr. Prado? —Colocó ambas manos sobre su vientre—. Mantenernos a los dos con vida, hacer que crezca, que nazca. Una tarea dura para una mujer de treinta y ocho años, y nunca he sido fuerte. Pero él confía plenamente en mí, ¿verdad? —Con gesto grave, añadió—: Esta es la única época en que lo tendré sólo para mí. No sabe lo importante que es, dormidito aquí adentro. Quiero decir, lo importante que es para todos los demás. Por supuesto que es importante para mí, él ya sabe eso. Pero para todos los demás es el pequeño príncipe. —Respiró hondo, con decisión—. Es usted muy bueno conmigo,

Mr. Prado. —Y se giró hacia las escaleras, hablándole por encima del hombro—: Tengo confesores, damas de compañía, funcionarios, doctores —y se recordó a sí misma—, tengo un marido. —Al decirlo, al tener que recordárselo a sí misma, estuvo a punto de sonreír—. Y, por supuesto, le tengo a él. —Volvió a llevarse la mano al vientre—. Pero… —No terminó, simplemente siguió caminando delante de él, guiándole escaleras arriba.

Se preguntaba qué sentía que había hecho él por ella. No había hecho nada. Se suponía que debía tranquilizarla, pero había fracasado.

En la puerta, ella se detuvo y se volvió hacia él:

—¿Sabe, Mr. Prado? —dijo, fijando en él su mirada acuosa—, si alguna vez puedo hacer algo por usted en agradecimiento, debe acudir a mí. Prométame que acudirá a mí.

Había mandado que le diesen de comer antes de emprender el viaje de vuelta a la ciudad. Mientras le escoltaban fuera de la habitación, y luego desde el corredor lleno de guardias, tenía intención de decir que prefería marcharse. Estaba desesperado por marcharse con su recuerdo del tiempo que había pasado con la Reina, guardarlo intacto, conservarlo. Quedarse en palacio sería arriesgarse a que se asentase, se hundiese, se le escapase. Pero, de algún modo, su cortés negativa no se había producido y allí estaba, sentado en el extremo de una larga mesa al fondo del salón. Trajeron una bandeja de carne cortada en lonchas finas, servida con una cucharada de una jalea elaborada con alguna fruta silvestre, pan envuelto en lino —pan blanco— e incluso un vaso de vino blanco, vino español.

173

Tuvo que recordarse saborearlo, sin embargo, pues no dejaba de pensar en la Reina, de pie a su lado, pequeña pero inquebrantable en aquel porche frío como una cueva. Asediada por debilidades, miedos y enemigos. Deseaba haber podido hacer algo más por ella que limitarse a escuchar. Terminó lo que le habían servido y llevó la bandeja, la servilleta y el vaso a la ventana que comunicaba el salón con la cocina.

De camino a los escalones junto al río, intentó verse con los ojos de los diversos ingleses que le miraban de soslayo. No sabían dónde había estado, y jamás lo habrían adivinado. Ni él mismo acaba de creerlo. ¿Había estado allí realmente, un español, de una familia conversa, nada menos, con la Reina de Inglaterra, escuchando sus confidencias? La amó por eso, por haberle llevado allí, a su lado, y por haber sido tan franca con él. Le había demostrado, cuando había dejado de creerlo, que todo era posible.

❧

Por una vez, y a pesar del aguanieve, no se acurrucó con gesto huraño en el esquife, sino que estaba deseoso por asimilarlo todo: Londres, apiñándose hasta el río como para abarcar algo que, de otro modo, podría perder. Los ladrillos rojos y regulares y la mirada impertérrita de tantas grandes ventanas sin postigos. Y sobre los apretujados tejados, una exhalación infinita de chapiteles: Londres echaba la cabeza hacia atrás, temeraria. Qué extraño pensar en aquella mujer angustiada, sin sentido del humor ni elegancia, intentando gobernar aquella ciudad descarada y cínica. Por primera vez, vio lo que Londres tenía de admirable. Deslizándose entre copos de nieve, se descubrió escuchando con tanta atención como miraba. Se estaba abriendo por completo a la ciudad, intentando amarla, verse conmovido por ella, pero sabía que nunca sucedería del todo. Aquella era una ciudad que le mantenía a distancia.

Al volver a la casa, vigorizado por el frío y vibrando por la multitud, a punto estuvo de tropezar con Cecily. Adormecida por el calor de la casa, iba envuelta en su capa, con la cesta colgada del brazo y, a su lado, el niño. Allí estaban, uno entrando y la otra saliendo, hechos un lío. Dio dos pasos atrás involuntariamente. No esperaba cruzarse con ella, no tan pronto, aunque acababa de estar pensando en ella. Y ahora allí estaba, mirándole con sus grandes ojos inquisitivos. Quería saber dónde había estado, esperaba que se lo contase y él quería contárselo, ¿pero podía? ¿Por dónde empezar? Se lo contaría, pero una historia así no estaba destinada a un simple intercambio en la puerta. Había estado en un porche empapado, escuchando los verdaderos miedos de la atribulada Reina de Inglaterra, y no había ningún modo de contarlo que fuese a hacerlo más creíble. Pensaría que era un mentiroso, un fantasioso, o que se estaba burlando de ella.

—¿Va a salir? —preguntó, cosa que resultaba estúpida por su parte, pues era evidente que así era.

—Botones —dijo ella a modo de explicación, con una rápida e insípida sonrisa que no era sonrisa en absoluto—. ¿Le han llamado a palacio?

175

—Sí. —Se ocupó en quitarse la capa—. Nada. Solo trabajo.

—¿Trabajo? —preguntó cortés, pero sin dejar de incomodarle.

Él volvió a centrar la atención en ella:

—¿Son urgentes, los botones? —Ella se encogió de hombros—. Porque está nevando.

—Ya veo —dijo ella, señalando los copos que cubrían su capa.

Le preguntó:

—¿Puedo…? —*ir por usted,* quería decir, puesto que ya estaba mojado.

—¿Por los botones? —rió ella con sorna, ¿qué sabía él de botones?

Impotente, volvió a intentarlo:

—Pero está nevando.

—Ya sé que está nevando, Rafael —dijo ya impaciente—. Ya me ha nevado encima antes. —Luego le preguntó—: ¿Se va a casa? —Y a él se le encogió el corazón. Ella, como él antes, había dado por hecho que el emplazamiento tenía algo que ver con su regreso a casa. Pero fue el modo en que lo preguntó lo que le llegó al corazón, la urgencia de su pregunta.

—No —le dijo. Así, como si nada. Ella había preguntado y le había respondido, eso era todo, pero, de algún modo, en aquel breve intercambio, se habían convertido en conspiradores. Él sabía que eso era lo que ella quería oír, y que él quería decirle lo que ella quería oír. Estaba desesperado por volver a casa, pero también le había gustado decirle a Cecily que se quedaba.

Ella no podía decir «Me alegro», pero él la vio pensarlo y odiándose por pensarlo. Se dirigió a su hijo: «Vamos» y, para alivio y desesperación de Rafael, la puerta se cerró tras ella.

Aunque necesitaba sentarse junto al fuego con una bebida caliente, se fue a su cuarto. De pie junto a la ventana, contempló la nieve arrasadora. Le temblaban las manos; se las agarró para detener el temblor. ¿Qué había pasado abajo, en la entrada? Nada, una tontería, una locura. Una locura producida por estar tanto tiempo encerrado, lejos de casa. Solo eran imaginaciones suyas. Él y Cecily se apreciaban, eso era todo. Se echarían en falta cuando él se fuese, y no había nada de malo en ello.

Aquella noche, cuando se disponían a ir al salón para cenar, Antonio le confió que alguna gente andaba diciendo que la Reina no estaba encinta.

Rafael le miró sin entender.

—No está embarazada de verdad.

—Sí que lo está —replicó Rafael.

Antonio parecía divertido:

—¿Cómo ibas tú a saberlo?

Y Rafael se sonrió porque sabía lo ridículo que debía de haber sonado.

—En mi opinión, lo está.

Antonio parecía comprensiblemente decepcionado:

—Hay gente que dice que no lo está.

—Bueno, pero no lo saben, ¿verdad? ¿Por qué iba a decir que lo está si no lo está? No es un engaño que pueda mantener hasta el final, ¿no crees?

—Podría ser un error —explicó Antonio—. Las mujeres cometen errores.

—En cualquier caso —dijo Rafael, mientras se demoraban al final de la cola para prolongar la conversación—, ¿qué gente? ¿Quién dice eso?

—Alguna gente en Londres. El embajador de Francia.

—Bueno, es normal que el embajador de Francia lo diga. Diría cualquier cosa para desacreditar a la Reina.

—Inglaterra y Francia estaban prácticamente en guerra. Los franceses apoyaban a la hermanastra protestante.

Antonio concedió:

—Supongo que sí.

Mientras comía, Rafael pensó en que aquellas personas, fuesen quienes fuesen, no habían estado al lado de la Reina, no habían experimentado la recién descubierta importancia de su presencia. Era una mujer que creía llevar un niño en su seno, una mujer que dudaba tanto de sí misma que no lo habría anunciado, pensó Rafael, de no haber estado absolutamente segura.

Tras la cena, Rafael fue a la cocina para sentarse al calor y escribir a su esposa. Le escribió lo mucho que la añoraba, y lo mucho que necesitaba tener noticias suyas. *No me protejas,* quería decir. Aun cuando lo que tuviese que decirle fuese malo, necesitaba saberlo. Pero decirlo hubiera sido convocarlo.

Se preguntaba cómo sería para ella ver las marcas negras sobre la página mientras Pedro se las descifraba. ¿Se sentarían juntos en el salón principal? ¿Iba al despacho de Pedro, se colocaba de pie tras su escritorio?

Cecily sabía lo que estaba haciendo, podía verlo desde donde estaba sentada. Su intercambio de antes, junto a la puerta, le había hecho mantenerse cauteloso ante ella, aunque no era necesario, pues ella parecía completamente normal con él, de modo que su cautela le resultaba ligeramente vergonzante. Ella jugaba a las cartas con Antonio. Al ver a Rafael escribir, Antonio se mantuvo visiblemente alejado de él. Rafael detectó la mirada burlona de Antonio. Como si pensase: *No sé por qué te molestas.*

❧

Por la mañana, Cecily le abordó: «¿Rafael?», y su actitud era la misma que la noche anterior, junto a la puerta: el silencio, la franqueza, una apelación. A su pesar, se emocionó, su corazón se elevó, esperando expectante sus palabras. Pero se trataba del mozo de cocina enfermo, Harry: lo iban a trasladar al diminuto cuarto vacío que estaba enfrente del de Rafael. Le advirtió que habría idas y venidas, eso dijo, pero él sabía que quería decir que habría ruidos y olores. Y sabía por qué el pobre muchacho era trasladado: se estaba muriendo. Lo llevaban a morir en la paz y la tranquilidad del último piso de la casa. Hasta entonces había permanecido en la cocina, en un rincón improvisado para él —recostado sobre cojines— para que disfrutase del calor, las distracciones y la compañía, y para estar pendientes de él. El médico de los Kitson lo había visitado un par de veces; en esas ocasiones, se lo habían llevado a otro cuarto para sangrarlo, pero siempre lo devolvían a la cocina después.

Rafael sabía por Cecily que llevaba meses enfermo, tal vez seis, tal vez más. Se había quejado de que estaba cansado, mareado, débil y los cocineros habían sido indulgentes con él, dispensándolo gradualmente de sus tareas. Nunca había tenido fiebre ni tos, por lo que a nadie le había preocupado contagiarse. En noviembre le habían traído a Londres con el resto de la casa, no podían dejarle en la casa de campo. En su momento, Rafael le había preguntado a Cecily por qué no podía irse a casa, con su gente, y Cecily le había explicado que estaría mejor cuidado en casa de los Kitson. En su casa la situación sería desesperada, le había dicho, aquí se está caliente. Si bien Rafael procuró que nadie le viera mirando, al recuperarse de su propia enfermedad, había visto que el muchacho había sufrido un gran deterioro durante la Navidad. Estaba cadavérico y, de no haber sabido quién era, Rafael no le habría reconocido allí echado, sobre los cojines. Aquella figura demacrada de edad indeterminada ya no poseía juventud alguna.

Para Rafael, la perspectiva de la muerte de su propio hijo, incluso a edad avanzada, le parecía una burla. De hecho, hasta la propia vejez de Francisco le parecía absurda, escandalosa. La vejez parecía ridícula ante tal vitalidad y perfección.

Rafael detestaba presenciar el despiadado declive del mozo de cocina. Si Dios había de llevárselo, ¿por qué no llevárselo de una vez? ¿Por qué tenía que ser tan dura su marcha? Y ahora ya no podían manejarlo en la cocina, la enfermedad empezaba a volverse sucia. «¿Quién le cuidará?», le preguntó a Cecily. Ella, dijo.

Así, Harry agonizó en el piso superior, mientras abajo el ritmo de la casa permanecía inmutable, la cocina era atendida y la gente recibía su comida. Cecily estuvo ocupada un par de semanas. Rafael era consciente en todo momento de su presencia en el cuarto de enfrente. Ansiaba verla. A veces la veía de soslayo en las escaleras con un atado de sábanas, y a veces se atrevía a llamarla a través de la puerta para preguntarle si ella o Harry necesitaban algo. Ella le daba las gracias y solía decir que no. Un par de veces le dejó junto a la puerta lo que ella le había pedido. Una vez que tenía la puerta entreabierta, alcanzó a verla acariciar la cabeza del muchacho, echándole hacia atrás el poco pelo que le quedaba. Tenía la cabeza demasiado echada hacia atrás, con la barbilla en el aire, sonaba como si estuviese roncando, pero los sonidos que emitía no eran tan robustos y despreocupados como los ronquidos.

En otra ocasión, Rafael vio a la mayor de las hijas de los Kitson subir las escaleras para relevar a Cecily. Al encontrarlo de frente, se detuvo de inmediato, evidentemente nerviosa por haber sido vista. Sin duda era algo que no debería estar haciendo. Rafael sonrió con tristeza para tranquilizarla y se retiró a su cuarto para dejarle paso. Cuando estaba libre de sus labores de enfermera, Cecily debía de irse a su cuarto. Rafael siempre esperaba cruzarse con ella en la cocina, pero nunca sucedía.

A Nicholas, sin embargo, lo veía mucho. A menudo se sentaba en el último escalón, junto a los dos cuartos, jugando con algo, con cualquier cosa, botones, tiza y pizarra (sobre la que Rafael observó que era capaz de escribir N-i-c) o clavos que alineaba y a los que —Rafael estaba seguro— les susurraba. Tras varios días teniendo que esquivarle, sintiéndose incómodo, Rafael se atrevió a agacharse a su lado y preguntarle:

—¿Qué tienes ahí? —Clavos, en fila. Pero no obtuvo más respuesta de Nicholas que una mirada ceñuda—. Bueno, tiene buena pinta, sea lo que sea —dijo Rafael en su lengua intentando sonar alegre mientras se daba por vencido y seguía su camino.

Al día siguiente, Nicholas tenía la tiza y la pizarra y Rafael le dijo:

—¡Sabes escribir tu nombre! —y señaló el N-i-c—. Muy bien, Nicholas —pero el niño borró las letras con la manga.

Dos días después, Rafael volvió a sentir el impulso de acuclillarse junto a él y, en un intento por encontrar un interés común, le dijo:

—Hace muchos, muchos años —agitó una mano—, mil años, teníais un Rey en Inglaterra que era muy, muy pobre: Arturo. —Tuvo que decir el nombre en su lengua, no sabía cómo se decía en inglés—. ¿Lo sabías? —El niño había interrumpido su juego—. Pero antes de ser Rey, no era más que un muchacho. No era príncipe, solo un muchacho. Como tú. Vivía con su papá y su hermano mayor y quería… soñaba… con ser caballero —dijo *caballero,* en su lengua, pero esperaba que el énfasis transmitiese la grandeza. Rafael no recordaba exactamente el motivo de la fascinación por los caballeros que sentía a la edad de aquel pequeño, pero recordaba que él y su mejor amigo, Gil, la habían sentido. Dio vueltas, esperando que la palabra *caballero* tuviese sentido para Nicholas—: Cabalgar… vivir aventuras… —cayó en la cuenta de que sabía decir *torneos* en inglés—. Ser muy bueno, luchar contra los malos. Luchar por los buenos. Ayudar a la gente. —Hizo una pausa para que el niño pudiese indicarle si le entendía. Nada. Pero no había retomado el juego. Tal vez sólo estuviese escuchando, se atrevió a esperar Rafael. De modo que continuó—: Pero, oh, eran malos tiempos en Inglaterra, una mala época que duró mucho, mucho tiempo. No había Rey. Muchos hombres… luchando. Guerra. Años y años. Este hombre y aquel hombre —a pesar del limitado espacio, Rafael logró escenificar los sablazos—, e Inglaterra está cansada, todo el mundo está muy, muy cansado. Inglaterra no es nada. Pero hay alguien que puede ayudar: Merlín. —De nuevo, tuvo que decir el nombre en español—. Es un… —¿cómo decir *hechicero?*—. Hace magia. Y sabe quién es bueno para Inglaterra. Sabe quién puede ser Rey. Sabe que vendrá pronto, el nuevo Rey. Merlín clava una… —de nuevo, Rafael tuvo que escenificar la palabra *espada,* blandir una espada imaginaria imitando su silbido— en una piedra, una piedra muy, muy grande…

—Espada —dijo el niño, mirando al suelo.

—Sí, espada, gracias, una espada en una piedra —Rafael procuró no vacilar— y le dice a todos los hombres de Inglaterra: «La semana que viene habrá un torneo y quien logre quitar la espada de esta piedra, es el verdadero Rey».

Hizo una pausa para añadir dramatismo al relato y para darse tiempo para recordar la historia que él y Gil tanto habían disfrutado.

—El padre de Arturo y su hermano van al torneo, y Arturo les ayuda. Cabalgan durante dos días; duermen una noche en una posada. Entonces el hermano, que a veces es un poco tonto —y Rafael se dio una palmada en la frente—: «¡Oh, no! ¡Mi espada! ¡En la posada!», pero Arturo dice: «Voy a buscarla» y cabalga. Pero la posada está cerrada, todo el mundo va al torneo. —Dio un gran suspiro para expresar la decepción de Arturo—. Arturo vuelve, pero… —Rafael levantó una mano y la dobló hacia un lado para ilustrar que Arturo se había equivocado de camino— y ve una espada clavada en una piedra. «Oh», dice, «qué bien, una espada», y la saca de la piedra.

Nicholas le miraba expectante.

—Fácil —dijo Rafael— para Arturo. Y Merlín viene y dice: «Tú eres el verdadero Rey de Inglaterra», pero Arturo dice: «No, soy un niño, yo quiero ser…» —Rafael cerró los ojos, fingiendo concentración.

—Caballero —propuso Nicholas.

—«…caballero». Pero Merlín dice: «Tú eres Rey. Eres un Rey muy, muy bueno». —Rafael se puso en pie—. Mañana más —prometió.

Mientras bajaba las escaleras, medio esperaba que le interrumpiese pero, gracias a Dios, no oyó nada.

Al noveno año de su matrimonio con Leonor, Gil murió. Enfermó y murió en cuestión de días. Había tenido un dolor de estómago —Rafael recordaba que lo había mencionado— y luego había desaparecido unos días. Rafael no le había dado importancia, pero entonces llegó el mensajero con la noticia. «¿Está seguro?», le había preguntado al pobre hombre, sin poder creerlo, impotente de dolor. «Quiero decir, ¿está usted seguro?». Gil había empeorado rápidamente, doblegado y sudoroso, padeciendo entre gemidos algo similar a contracciones, luego había enfermado, había palidecido y, finalmente, se había vuelto incapaz de sentir dolor alguno. ¿Cómo podía haber sucedido?, siempre había estado tan lleno de vida… y era médico, además. Y el mejor amigo de Rafael. La única persona que siempre le había comprendido. Salvo que eso había terminado mucho tiempo antes, aun cuando Gil, el bueno y leal Gil, no lo sabía. Sin estar seguro de si Leonor le recibiría, Rafael fue a verla. Ella estuvo cortés pero distante.

Rafael siguió con las historias de Arturo durante dos días, en el último escalón, y a partir de entonces en la relativa comodidad de su cuarto, donde se colocaban, con las piernas cruzadas, en ambos extremos de la cama. Nicholas no había vuelto a hablar, se limitaba a mirar fijamente a Rafael como desafiándole para que desviase la mirada, cosa que Rafael nunca hacía, o no hasta que decía: «Y eso es todo por hoy». Describió el reto de Lord Pellinore al nuevo Rey, y su feliz capitulación final; la entrega de Excalibur desde las profundidades del lago, la fundación de Camelot y la tabla redonda, el matrimonio con Ginebra y la llegada de Lancelot, el valiente y leal caballero que se convertiría en el mejor amigo de Arturo.

El mozo de cocina murió y, aunque Rafael no vio a Cecily para nada durante una semana después del suceso, Nicholas seguía presentándose a diario para oír su relato, asomándose a la puerta que Rafael dejaba entreabierta, esperando a que le invitase a entrar. Incluso cuando Rafael se quitó por fin el diente enfermo y el dolor le retumbaba con fuerza en la mandíbula, tenía que continuar con sus relatos: se sentaba allí, compuesto, en el extremo de la cama cuando ansiaba echarse en ella y enterrar la cabeza bajo la almohada.

Con una oportunidad igual de mala, la delegación española había elegido el día de la extracción del diente para llamarle a palacio para ofrecerle disculpas, explicaciones y garantías de algún superior que se habían sacado de la manga. Habían tenido noticias del contacto de Rafael en España y, sin duda, lo que los funcionarios habían oído les había convencido de su error previo. Mientras Rafael se agarraba la mandíbula, el contrito noble le aseguró que su prolongada presencia era muy apreciada y que el príncipe tenía en gran estima el proyecto del reloj de sol. Afirmó que pronto le entregarían fondos y que el reloj de sol conmemoraría el nacimiento del príncipe. Todo aquello le parecía muy bien, replicó Rafael, pero el vástago real no nacería hasta dentro de tres meses. Estaba dispuesto a volver a su debido tiempo, pero ahora debía regresar a casa. Llevaba fuera más de cuatro meses. Aparte de todo lo demás, su familia dependía de su hermano. Tenía que volver a España para hacer algún encargo remunerado. La situación era absurda.

No hubo respuesta a esto, los funcionarios y el noble parecían ofendidos. Rafael les dijo que si no podían conseguirle un pasaje a casa en quince días, él mismo lo haría. La verdad, sin embargo, era que no tenía ni idea de cómo iba a poder pagarlo.

Para intentar quitarse la situación de la cabeza y pasar el tiempo, había retomado sus paseos por Londres. A excepción de cuando le contaba relatos artúricos a Nicholas, pasear por la ciudad era mejor que quedarse en casa de los Kitson. Ya lo había hecho bastante durante los últimos cuatro o cinco meses, y ahora no estaba Cecily para hacerle compañía. Aunque sus paseos tampoco suponían ninguna alegría. Los árboles sin hojas podían parecer delicados con su tracería de ramas desnudas pero, en realidad, resultaban inhóspitos y grotescos. El acebo, al parecer tan admirado por los ingleses, le recordaba a un reptil. Varias veces, durante sus paseos, pasó junto a grupos de frailes —franciscanos, dominicos—, una novedad: en diciembre no había frailes. Supuso que estaban regresando de donde quisiera que hubiesen estado exiliados en el continente.

En casa de los Kitson empezó a ver a Cecily otra vez, pero parecía exhausta y reservada. Tendría que darle tiempo para recuperarse. Nicholas y él llegaron hasta la llegada a Camelot de Morgana, la bella pero malvada hermanastra de Arturo, que ignoraba su verdadera naturaleza.

—¿Por qué? —le sorprendió la pregunta de Nicholas.

—¿Por qué va a Camelot? Ah, para…

—No. —Nicholas le miró con dureza—. ¿Por qué es mala?

Sí, ¿por qué? Rafael se encontró balbuciendo una explicación sobre cómo había carecido de amor y había padecido la soledad en su niñez. Pero vio que no convencía a Nicholas.

Esa semana, la primera de febrero, mientras paseaba, percibió una oleada de disturbios. En Londres siempre pasaba algo —un tumulto tras cada esquina—, pero aquello era una conmoción: puertas que se cerraban de golpe, gente que se arremolinaba y luego se dispersaba y avanzaba con rapidez en una dirección. Aún con el recuerdo de cuando se había visto atrapado en St. Paul's, Rafael no iba a cometer el mismo error dos veces, y no le gustaban las miradas que veía en las caras de la gente. Pero sentía curiosidad, de modo que comenzó a abrirse paso en una dirección, pero lleno de dudas, quedándose rezagado para poder detenerse, darse media vuelta y encontrar el camino de regreso en cualquier momento. Mantuvo la cabeza baja, sin llamar la atención de nadie, y los oídos atentos, pero no oyó nada significativo. Por la sequedad de aquel silencio, tenía la sensación de que se estaba cociendo algo.

Encontró la causa antes de lo que había previsto, la vio antes de darse cuenta de que la había visto. El gentío se había reunido para ver cómo un hombre era arrestado por un puñado de guardias uniformados y armados. De repente, el prisionero se revolvió, se estiró para introducirse entre la multitud con una habilidad sorprendente para alguien que llevaba grilletes. Un guardia le detuvo con un codazo en la espalda. En las primeras filas de la multitud, un reguero de manos se había alzado en respuesta al movimiento del hombre, y la gente avanzó en una ola que rompió contra dos guardias que se habían introducido en la parte de atrás. Rafael vio a una mujer con niños, una mujer que sostenía a un niño pequeño en brazos y medio agarraba a otro y, en torno a sus piernas, más niños —¿tres?— a los que también trataba de contener pero, por supuesto, no podía, y los niños trataban de aferrarse a ella y al hombre. Uno de ellos gritaba, gritaba de verdad, como un adulto, no era una protesta infantil. Rafael había sentido sus bandazos intentando llegar al hombre como propios, era su sangre la que se agolpaba. El gentío arrojaba palabras contra los guardias, dando voz a su indignación como nadie se atrevería a hacer en España. Rafael vio entonces que en realidad había muchos más guardias que los pocos que llevaban al hombre: había guardias en formación, apuntalados, tambaleándose por la presión de la multitud a sus espaldas.

Entonces fue cuando Rafael vio lo que parecía una pira. Pero en Inglaterra no hacían eso, quemar gente. En España y en los países bajo dominio español sí, pero ese era uno de los principales reproches de los ingleses, que los españoles eran salvajes que quemaban viva a la gente. Los españoles ataban a la gente, prendían fuego a sus pies y la dejaban allí para que se quemase como despojos, pero los ingleses no lo hacían. Tenían métodos diferentes. Sin embargo, aquello era una pira: el montón de leña, el banco y el poste central, el claro en torno a ella. ¿Se trataba, pues, de algún tipo de demostración? ¿Una amenaza, una compleja representación? Pero si lo era, la gente no lo sabía, su indignación no tenía nada de falsa.

Había un maestro de ceremonias, al que Rafael vio perder la batalla, razonando, implorando, reprendiendo y amenazando al mismo tiempo. Estaba completamente perdido, no hacía más que ruido, o lo intentaba, pues hacía mucho menos que la multitud furiosa. Pero seguía adelante, no se había detenido: un hombre encadenado iba a ser quemado delante de aquella gente.

Pero los ingleses no hacían eso. Sus ejecuciones se hacían mediante la horca y la mutilación, acciones súbitas, precisas; el tirón de la cuerda, el corte del cuchillo. No el caos de las llamas. Las ejecuciones inglesas eran metódicas, se hacían en escenarios, como escarmiento. Se actuaba sobre el cuerpo —normalmente muerto—, se degradaba en detalle. No se quemaba. Su salvajismo era de otro tipo, frío.

Rafael se giró. Ya no veía al hombre encadenado y, en cualquier caso, no quería ver —u oír— nada de aquello. Fuese lo que fuese lo que había hecho el hombre —el hombre que era conducido a la hoguera—, tenía una familia que le amaba, eso había quedado claro. Una familia a la que se le negaba el último contacto. Aquel niño vociferante. Y todo aquel gentío: tanta, tanta gente, pero impotente. Y ahora allí estaba él, dándose media vuelta y abandonando a aquel hombre a su horrible destino. ¿Pero qué otra cosa podía hacer? ¿Qué podía hacer que no pudiese hacer la multitud? Y aun así, se despreció por ello.

Apuró el paso para volver por donde había venido, pero era demasiado tarde para no oír lo que llegó a continuación: el grito unánime de incredulidad. Estaban encendiendo el fuego, lo sabía: el contacto de la antorcha con la leña, el nacimiento de la llama y el instante en que se apoderaba de todo. *No puedes hacer nada,* se decía con cada aliento, *no puedes hacer nada, nada,* pero lo que pretendía que le reconfortase sonaba en su interior como una

190

mofa: *no puedes hacer nada*. La multitud todavía podía tirar los maderos a patadas, pisotear las llamas, liberar al hombre. Podían. Podía tener la esperanza. Esperaba que la chusma inglesa hiciese todo lo posible, exhibiese su peor comportamiento.

Recordó el roce de una llama en su mano y el reflejo, el salto atrás para ponerse a salvo. Si no había escapatoria, ¿dejarían las quemaduras de doler con el tiempo? ¿No se quemaría la capacidad de sentir hasta el entumecimiento? Estaba desesperado por creerlo, pero no era eso lo que había oído. Y, en cualquier caso, no eran solo las quemaduras, también estaba el humo, el humo ardiente y su olor, la asfixia producida por el humo que despedía el propio cuerpo al quemarse. Se obligó a pensar en ello porque una persona que no pensase en ello sería capaz de encender una de esas hogueras.

No volvió a casa de los Kitson. Fue al río. Estaba salpicado de desechos, los cisnes tenían los ojos entornados y retorcían los picos. La noticia de la quema no parecía haber llegado allí aún, no había rastro de la confusión que había encontrado más cerca de la catedral. Los mendigos parecían serenos en comparación. Los hombres cargaban y descargaban las barcas, los intercambios verbales se limitaban a lo necesario. Otros barqueros se repantigaban y charlaban mientras esperaban su carga. Rafael envidió su temporal ignorancia de lo que estaba teniendo lugar a apenas unos pasos.

¿Qué había hecho aquel hombre para que le quemasen? Herejía. ¿No podían haber hablado con él los obispos? ¿Por qué quemarle? ¿Le quemaban por tener ideas

equivocadas, ideas perversas, por negar a Dios, por decir
que lo negro era blanco y perseverar en sus afirmaciones,
porque le daba igual lo que dijesen los demás? Aquello
haría que el mundo entero se viniese abajo. Rafael lo sabía:
los herejes eran perversos, buscaban el caos y la oscuridad
y no había lugar en el mundo para ellos; pero no podía
dejar de ver aquellas manos alzadas hacia aquel hombre,
aquellas manitas, y no podía asimilarlo. ¿Deseaba aquel
hombre el caos y la oscuridad para aquellos hijos suyos?

Y aquel hombre era, a su vez, hijo de alguien. Tal vez
hacía treinta años hubiese sido el hijo de alguien y ese alguien se habría levantado por las noches, en medio del
frío áspero, noche tras noche, mes tras mes, para alimen-
tarle. Y luego, más tarde, otras noches, ese alguien se habría aguantado el hambre para que el niño pudiese comer.
Quizá ese alguien hubiese caminado descalzo, tras haber
vendido sus botas, para poder pagar al boticario. Y hubiese pedido a Dios que le llevase a él en lugar de a su hijo.
En tiempos mejores, ese alguien habría soñado despierto
sobre la vida que aguardaba a su hijo. Le habría contado
historias sobre sus ancestros y su pasado, sobre Londres e
Inglaterra y otros lugares lejanos e imaginarios.

Y aquel niño se había convertido en un hombre que,
aún el otro día, habría besado fugazmente a su esposa de-
morándose sólo un instante, y el beso se habría convertido
en una sonrisa. Un hombre que, aún la semana pasada,
habría mirado el hombro de su hijo vuelto de espaldas
mientras dormía y se habría maravillado una vez más ante
su belleza, lo bastante pequeño y suave para caber en la
palma de su mano. Un hombre que, hacía apenas un par

de meses, habría robado una única mora, culpable y alegre, del frutero de la casa.

Y todo para esto.

¿Dónde estaban los hijos de aquel hombre ahora? ¿Por qué los había llevado allí la mujer? Pero tenía que hacerlo. De lo contrario, no habrían podido despedirse.

Rafael recordó una noche en que él y Leonor se despertaron por el llanto de Francisco. El pequeño había mojado la cama, cosa que raras veces hacía. Leonor fue más rápida en levantarse y llegó antes al pie de la cama de Francisco, pero el niño estaba muy disgustado y tuvo que forcejear con él para cambiarlo. Gritaba «No, no, no» y tiraba para soltarse, obstaculizando sus esfuerzos. A pesar de su buena intención, Rafael veía que Leonor estaba perdiendo la paciencia. Entonces Francisco gritó:

—Tengo que… —y algo indescifrable—. Tengo que… tengo que…

Leonor le preguntaba:

—¿Qué? ¿Qué tienes que hacer, Francisco? —y continuaba—: Venga, por favor, cariño, déjame hacer esto y luego podemos volver a la cama, ¿sí? Venga, vamos a cambiarte. Deja que mamá te cambie.

Rafael intervino:

—Vamos, Francisco, deja que mamá te cambie.

De repente, la última palabra de Francisco quedó clara: *Mamá.*

Leonor dijo:

—Sí, mamá.

Y entonces logró decir con claridad —aun a través de los sollozos— lo que había tratado de decirles:

—Tengo que encontrar a mi mamá.

Leonor se estremeció, miró a Rafael y otra vez a su hijo:

—Soy tu mamá, Francisco. —Y a Rafael—: ¡No sabe que soy yo!

—Está dormido —dijo Rafael, cayendo en la cuenta de lo que ocurría—. No está bien despierto.

Leonor respondió:

—Ay, Señor, Rafael, no sabe que soy yo —y añadió, frenética—: Estoy aquí, Francisco. Soy yo, estoy aquí.

Igualmente atónito, Rafael sólo acertó a repetir:

—Está dormido, no está despierto del todo.

Leonor no lo podía creer:

—Pero…

Sí, la vela estaba encendida y llevaban varios minutos hablando con él y él parecía hablarles —bueno, gritarles—, ¿cómo podía no estar despierto?

Leonor seguía:

—Soy yo, cariño, estoy aquí. —Y, de repente, Francisco lo entendió, lo aceptó, dejó de llorar y volvió a dormirse tranquilamente.

Había tenido algo de aterrador: Francisco allí sentado, sobre la cama, con un gran alboroto a su alrededor pero completamente ido. Estaba tan perdido y, durante aquellos pocos minutos, por más que hiciesen o dijesen sus padres, no había forma de encontrarlo. Rafael no lo había olvidado nunca, pero al principio no entendió por qué el recuerdo había vuelto a él el día de la hoguera. Y entonces cayó en la cuenta: algunas noches, aquellos niños llorarían desesperadamente como Francisco, llenos de pena y terror, necesitando encontrar a su papá, pero estarían completamente despiertos y no habría consuelo para ellos. Él habría desaparecido. Y no tendrían siquiera una tumba que visitar.

❧

Aquella noche, la atmósfera en casa de los Kitson estaba radicalmente alterada, claramente apagada, y Rafael supuso que se debía a la noticia de la quema. Cecily se mantenía indiferente, mirando a través de él si miraba siquiera en su dirección, de modo que, aunque estaba desesperado por hablar con ella, no se atrevió. A su hijo no le fue mucho mejor, le miraba mecánicamente mientras llevaba a cabo tareas maternales como cortarle la comida.

Antonio había estado tan hablador como siempre de camino a la cena:

—¿Te has enterado? Han quemado a un cura hoy.

—¿Un cura? ¿Otra ejecución?

—Cerca de St. Paul's. Lo han quemado. Por hereje. Casado y con hijos.

Era el hombre que había visto, entonces. Y Antonio se creía, y repetía, cualquier cosa.

—Si el hombre estaba casado —dijo Rafael mordazmente— no era cura, ¿no crees?

—Un cura casado —insistió Antonio—. Aquí podían casarse. Ya no. Ahora tienen que repudiar a sus esposas e hijos. Negarlos, o algo así, y no volver a verlos. Hacer penitencia. Qué sé yo. —Estaban ocupando sus puestos en la mesa, así que se apresuró a añadir—: Pero fuese lo que fuese que tenía que hacer, no lo hizo, así que lo quemaron. —Ya estaban sentados, así que era demasiado tarde para que Rafael respondiese, cosa que le alegró. Lo que dijese no habría hecho justicia a la barbaridad que suponía aquello.

Aquella noche, en su cuarto, reflexionó sobre ello: un cura casado. Un cura con responsabilidades hacia una esposa y unos hijos ante sus feligreses. En España muchos curas tenían hijos, y todo el mundo lo sabía. Eran conocidos como «sobrinos» y «sobrinas». Se suponía que los curas habían de estar por encima de las distracciones de la vida familiar, libres de las complicaciones, del alboroto. Pero la propia Reina le había dicho que su amor por Dios había crecido gracias a su amor por su esposo.

Dos días después, quemaron a un obispo. Estaba casado, tenía hijos. La ejecución duró casi una hora, le informó Antonio.

Rafael estaba horrorizado:

—¿Estuviste allí?

Antonio puso los ojos en blanco:

—¿Estás de broma? Me habrían subido allá arriba y me habrían arrojado al fuego con él. Nos culpan a nosotros de todo esto, ¿no lo sabías? Eso es lo que creen. El príncipe puede poner a su capellán a predicar contra ello, pero sigue siendo culpa nuestra. Eso es lo que nosotros hacemos, ¿no es así?, quemamos herejes, y ahora la Reina está casada con un español, así que es una de nosotros. Eso es lo que creen. No se quemaba a nadie hasta que se casó. —Hizo una pausa—. No es de extrañar que no quemasen a nadie, con este tiempo. La leña está húmeda y el viento lanza las llamas en una dirección… —Antonio agitó una mano—. El obispo estaba a medio quemar, sin piernas, y entonces las llamas se apagaron…

—Antonio. —No quería oírlo.

Antonio se encogió de hombros.

—Pero lo aceptó todo —terminó, con admiración—, predicando el perdón y exponiendo su opinión sobre todo aquello durante cerca de una hora. Señor… ¿Se callan los ingleses alguna vez?, hasta que se le quemó la garganta.

Lo habían quemado en Smithfield, justo al otro lado de la muralla de la ciudad. Rafael temió haber respirado el humo sin saberlo.

El obispo había sido silenciado, pero Londres no. Más tarde, aquella noche, hubo un motín que llegó incluso hasta St. Bartholomew's Lane. Rafael lo oyó antes de verlo: oyó un rumor e, intrigado, abrió la ventana. Era el ruido del gentío, de los disturbios, cada vez más alto y más cerca. Retrocedió al verlo salpicar el callejón: dos hombres corriendo, luego tres, los dos que corrían y se detenían, dando la vuelta mientras el otro cogía algo del suelo, ¿una piedra?, y lo lanzaba. Gritaban a las puertas cerradas, bramando su indignación. Llegó más gente, como si la hubieran arrojado al callejón pero hubiera caído, por poco, de pie. Tal vez siete, nueve o diez. Mujeres, vio Rafael. Detrás llegaron caballos, que inmediatamente se encontraron en medio de la gente y luego delante, para dar la vuelta y dispersarles mientras sus jinetes los fustigaban. Alguien gritaba. Rafael arrimó la espalda a la pared. En algún lugar cercano se rompió un cristal. ¿En casa de los Kitson? ¿Les habían roto una ventana? ¿Estaban siendo atacados?

El motín se alejó tan súbitamente como había llegado. Cuando estuvo seguro de que no volvería, Rafael bajó a la cocina. Efectivamente, habían roto una de las ventanas de los Kitson, se decía que la del cuarto de uno de los hijos. Supo que varios hombres habían subido a taparla con tablones. Aun así, la cocina estaba abarrotada: estaban todos allí, estremecidos y consolándose. Todos salvo Cecily.

«Zorra estúpida», oyó decir a un hombre, al tiempo que su compañero añadía: «Zorra perversa y estúpida». Cuando el primer hombre dijo: «Con un poco de suerte, morirá en el parto», Rafael cayó en la cuenta de que hablaban de la Reina. Era repulsivo hablar así de cualquier mujer, por no hablar de que estaban culpando a la Reina cuando ella no había tenido nada que ver con la ejecución del obispo. Para el pueblo inglés era fácil culparla, no les gustaba. Oh, les gustaba la idea de ella, la legítima heredera, la desvalida, y presumían de ello, pero no les gustaba ella, profundamente católica y carente de elegancia. La ejecución del obispo tenía que ser obra de los tribunales eclesiásticos, de la Iglesia. Rafael sabía que la Reina no era capaz de mandar quemar a nadie, y mucho menos a un padre.

❧

Los funcionarios habían visto su farol: habían pasado las dos semanas y no habían gestionado su viaje, si bien le hablaron de que había un barco que zarparía en diez días. Aunque se había resistido a hacerlo, Rafael había escrito a

Pedro para explicarle la situación —tarea imposible en sí misma— y para preguntarle si era posible que le prestase algo de dinero. Si no tenía noticias antes, enviaría dos copias de la carta durante las próximas tres o cuatro semanas, por si acaso, para asegurarse.

Cecily seguía manteniendo las distancias. Una vez, al cruzarse en la cocina, le dijo con gesto inexpresivo: «Hola, Rafael», con un tono monocorde, bajo, pero él estaba convencido de haber captado algo en aquel saludo: reto o rechazo, incluso desprecio. No se detuvo, lo que le mantuvo a distancia. Nicholas correteó tras ella y, aun sin ser invitado, ocupó su lugar a su lado que, a pesar de todo, por malhumorada que estuviese su madre, seguía siendo su lugar.

Rafael la añoraba. Añoraba aquellas veladas del principio, cuando se sentaban en amistoso silencio; verla con su aguja y su hilo, alzando las manos hacia la luz, con las mangas resbalando sobre sus muñecas. Añoraba aquellas veladas y a veces sentía que pedía la luna, y a veces, poca cosa.

Los Kitson seguían en Londres porque el invierno estaba siendo duro, y el viaje resultaba desalentador. Se quedarían hasta el alumbramiento real, que tendría lugar en mayo, si todo iba bien, y se unirían a las celebraciones londinenses. Rafael seguía sin tener noticias de casa. Ya había pasado tiempo suficiente para tener noticias de ella. ¿Por qué aquel silencio? Por su parte, no tenía noticias que contar. No mencionó las hogueras.

Durante un par de semanas no hubo más quemas y fue entonces, durante aquella tregua, cuando Cecily llamó a su puerta una noche y dijo: «Venga a dar un paseo, Rafael». Le pilló tan de improviso que se vio incapaz de ofrecer respuesta alguna. Su corazón le golpeó con fuerza, la sangre alzó el vuelo, colocó una mano sobre la jamba de la puerta para mantener el equilibrio. Ella, por el contrario, era el vivo retrato de la calma. Le había hablado con calidez, pero sin sugerencia ni petición en su voz. Aquello era tan inesperado que se preguntó brevemente si le habría hablado en clave. ¿Estaba en un lío? Ella malinterpretó su falta de respuesta como reticencia por el toque de queda —o así decidió tomarlo— porque añadió:

—Todo está tranquilo fuera, no habrá ningún problema. —Luego añadió—: Nicholas está dormido. Alys está con él, por si se despierta.

Rafael no sabía quién era Alys, y no preguntó. Al echarse la capa sobre los hombros, vio que Cecily miraba el forro. Sonrió al verlo —*El forro que hice para ti*— y él sonrió a su vez.

No preguntó dónde iban hasta que estuvieron fuera, bajando por la calleja, y esperaba que su respuesta le revelase la razón de aquella escapada.

—A ningún sitio —fue todo lo que dijo.

A falta de una respuesta más reveladora, le gustó cómo sonaba aquella. Ningún sitio le pareció bien. De repente aquel callejón, que había subido y bajado durante casi ocho largos meses, le era desconocido. Podía no haber estado allí jamás, y no volver jamás. Solo existiría aquella única vez, con Cecily. Dejó que ella le guiase, sin fijarse para nada en dónde estaban. Sus alientos cortaban la maraña de humo y aire del río. Uno al lado del otro, al mismo paso, sus pisadas podrían ser las de una sola persona. A su

200

debido tiempo, ella le diría qué estaban haciendo; no tenía prisa por saberlo. Le gustaba no tener que saberlo.

Caía agua de lluvia de los aleros y, por una vez, los edificios empapados le parecieron dotados de una dignidad impresionante. La lluvia —había llovido con fuerza todo el día— acababa de escampar y todo estaba resbaladizo y brillante, hasta el lodo y la mugre. De algún modo, él también estaba cubierto de aquel resplandor, lo sentía recorrer su cuerpo con cada inspiración y sentía su hormigueo. Era parte de aquel resplandeciente mundo nocturno. Compartía sus secretos.

Rafael sabía que se habían designado más vigilantes desde los disturbios de la semana anterior y, de hecho, había un par de ellos prácticamente en cada esquina, holgazaneando, apenas curiosos al verlos pasar a él y a Cecily. Ella seguía adelante y Rafael la imitaba, y todas las veces lograron salirse con la suya. ¿Y por qué habían de darles el alto? No estaban haciendo nada. No tramaban nada. Tenía el estómago en un puño, contraído como si estuviese al borde de un precipicio y diese un paso adelante, sin saber dónde caería.

Por fin, Cecily habló, soprendiéndole con su pregunta:

—¿Hay muchas ejecuciones en España? —No sabía qué había esperado que le dijera, pero no era aquello. No había aminorado el paso y la pregunta brotó en medio de una corriente de respiraciones pesadas, apuradas. Como si le preguntase qué hora era. Casualmente. Con curiosidad.

—Antes de que yo naciese —dijo, aunque no era del todo cierto—. La mayoría antes de que yo naciese. —Le había preguntado sobre España. Sobre ningún otro lugar, sin mencionar ningún otro lugar, ni el imperio español, ni los Países Bajos. No acababa de creer que no supiese nada sobre la persecución en esos países, pero no sería él quien la mencionase.

—¿Está en activo?

¿La Inquisición? Ella le había tomado la delantera por un paso o dos —él se había retrasado—, y se volvió hacia él, expectante. Vio que hablaba en serio: ¿estaba o no en activo? Así las cosas:

—Sí. —Ella asintió lacónicamente, había confirmado sus sospechas. Una ostentosa obediencia a la Iglesia. Podía haberle dicho: *Casi todos son curas. Como mis hermanos.*

Ella siguió caminando.

—Cecily —la llamó—. Se terminará… —Pronto, quería decir. Pero sintió que decirlo sería quitarle importancia y traicionar a quienes ya habían sufrido.

—Oh, no lo sé —replicó ella.

—Sí —arguyó, apurando el paso tras ella—. Esto es Inglaterra. En Inglaterra… —*no se hace eso, no se quema a la gente.*

—La verdad es que ya no sé si esto sigue siendo Inglaterra, Rafael. Ahora es mitad España. —Se detuvo otra vez, frente a él—. Tenemos un Rey español.

—¡No es Rey! No es el Rey. —Luego, con algo similar a una risa exasperada—: Créame, Cecily, Inglaterra no se parece en nada a España.

Ahora era su turno, quería que le explicase algo.

—Cecily, escuche —habían vuelto a echar a andar y resopló para dar voz a su pregunta—, ¿es cierto que aquí los curas tienen esposas?

—Tenían.

Pero no dijo nada más. Sus alientos rasgaban el aire entre ellos. Estaba pensando en qué preguntar y cómo, cuando:

—¿Rafael? —Aquí estaba: la explicación de aquel paseo—. Sólo le necesitaba a mi lado. —Otra vez con un tono casual—. No allí... —agitó una mano a sus espaldas y él entendió que se refería a la casa de los Kitson—. Le necesitaba a mi lado, solo por un rato. Solo... —Lanzó al aire ambas manos, mirando hacia el cielo negro. *Aquí.*

—Y aquí estoy —dijo, sentido—. Estoy con usted.

—Y se maravilló ante ello: estaba allí, en la oscuridad, en el frío desesperado de aquella ciudad implacable, con la sangre brincándole mientras se apuraba para seguir el paso de aquella inglesa de miembros largos.

Ella le sonrió, divertida por su afirmación de lo obvio: efectivamente, estaba allí. Su sonrisa convirtió las palabras de Rafael en una mera afirmación de la realidad, que él aceptó, sonriendo a su vez. Pero decidió aventurarse a preguntar:

—Está ocupada, ¿no es así?

—No...

—No —se llevó un puño al pecho— aquí. —Pero, por supuesto, aquello podía malinterpretarse—. *Aquí.* —Y se llevó el puño a la frente.

—Preocupada —le corrigió—. No me haga hablar de ello. —No era un ruego, sino una advertencia, y le hizo caso. No le había negado lo que él había osado plantearle, no lo había proyectado en él, y eso le bastaba, al menos por el momento. Sabía algo de ella, estaba preocupada.

Ella le había permitido saberlo. Eso había cambiado. Pero tenía que decir algo, así que dijo:

—Yo soy su amigo. —Pero no sonó bien. Había algo malo en ello, en haberlo dicho.

—Un buen amigo —dijo ella, sin embargo—, bueno —pero lo dijo ausente, por decirlo, le pareció a Rafael—. Vamos —dijo—, vamos a casa. —Y echaron a andar colina arriba y no dijeron nada más.

Cuanto más pensaba en ello, más estúpido le parecía: *Soy su amigo*. No había sonado como debía. No era lo que había querido decir, aunque no sabía lo que había querido decir. No era que no fuese cierto. Si acaso, era demasiado cierto. Obvio. Algo que no valía la pena decir. Por supuesto que era amigo suyo. ¿Por qué había tenido que decirlo? Ella le había dicho *Le necesitaba a mi lado*. Directa y confiada. ¿Por qué no podía haber sido él así, a su vez? Por el contrario, había sido torpe, y no solo por la barrera lingüística. Y sentía que, con su torpeza, la había decepcionado.

Y allí estaban, ya dentro otra vez, tras la puerta cerrada, y ya no quedaba más que decir buenas noches. Tocada por el frío, con los ojos y las mejillas resplandecientes, le dio la espalda con una sonrisa y desapareció. Se sentía más despierto de lo que lo había estado en meses, pero aquella vigilia no era bienvenida, no a aquella hora de la noche. Decidió tomarse una cerveza.

El calor de la cocina tenía la espesura de todo un día y muchos de los criados ya se habían acostado en ella. Otros estaban recostados sobre sacos junto al fuego; entre ellos se encontraba Antonio. Rafael reculó ante la mirada divertida de Antonio y le ofendió que le siguiera con la vista —podía sentirla— hasta los barriles.

Arriba, en su cuarto, en la cama, no lograba conciliar el sueño. Seguía sintiendo los ojos de Antonio puestos en él, no podía quitárselos de encima, le ponía nervioso. Rafael había podido mirarle —debería haberle mirado— así en muchas ocasiones.

❧

Leonor había sido la esposa de Gil y siempre sería su viuda. Siempre sería eso primero, antes de ser la esposa de Rafael. Pero Rafael no se había dado cuenta.

No le pidió matrimonio hasta un año y unos meses después de terminado el luto. Un intervalo más que respetable. Tampoco es que ser respetable le preocupase, sencillamente no sabía qué sentía ella. No daba señales. Guardaba la compostura.

Además, no sabía cómo pedírselo. Le dio vueltas y vueltas durante más de un año: cómo decirle lo que sentía por ella y pedirle que se convirtiese en su esposa. Imaginaba varias formas de abordar la cuestión, desde la aparentemente casual —dejarlo caer de algún modo— hasta la petición formal, por escrito, de una entrevista. También había imaginado las posibles respuestas de Leonor, se esforzaba mucho para imaginar todas las variaciones posibles. Se engañó a sí mismo pensando que estaba preparado.

Un día, Leonor se lamentó de ser viuda, menospreciando su situación. Rafael no se atrevió a plantear la cuestión del matrimonio por miedo a que pareciese que la compadecía, pero supo que era su momento. Simplemente le dijo:

—Leonor, te quiero. —Y él mismo se sorprendió al decirlo de forma tan abrupta. Había pasado más de un año reflexionando, pensando en estrategias y, al final, había sucedido así, sencillamente lo había dicho. Y lo había dicho como una mera afirmación de la realidad. Sin hacer una gran declaración. Si acaso, había sonado cansado. Resignado. Lo que era un justo reflejo de cómo se sentía después de todo aquel tiempo—. Cásate conmigo —se atrevió a decir entonces—, por favor.

Ella se sonrojó, la había pillado desprevenida, que no era lo que él pretendía. La había turbado, y no le había gustado. Y a él no le agradaba ser la causa de su enojo. Pero tenía que hacerlo, ahora estaba convencido de ello. Había hecho bien en hacerlo. Tras recomponerse, ella se mostró desdeñosa: soltó una breve carcajada sin atisbo de diversión —pero sin ser descortés— y dijo su nombre con tono de reproche. Pero él no estaba dispuesto a aceptarlo. Rafael *¿qué?* No había hecho nada malo al decirle lo que sentía. Al ofrecerse a ella. Era él el vulnerable, no ella. Sin duda ella era consciente de ello.

—Lo digo en serio —le dijo, esperando que eso ayudase.

Ella alzó los hombros y le dio la espalda con un gesto un tanto sombrío: aquella rigidez, aquel giro, la mirada distante. No le dio una respuesta, le dijo:

—Dame tiempo. —Sintió tal alivio por que no le hubiese rechazado que le habría dado cualquier cosa que le pidiese. No se arrojaría a sus brazos, pero siempre había sabido que nunca sucedería. Solo cuando abandonaron el jardín, en dirección a la casa, se preguntó: *¿Cuánto tiempo?*

Tras varias semanas, se preguntaba: ¿cuánto tiempo más? Finalmente —tres o cuatro semanas más tarde—, se vio obligado a preguntarle:

—¿Has vuelto a pensar en mi oferta? —*Oferta.* Era más bien un ruego, debería haber dicho *ruego.*

Ella le respondió:

—Echas de menos a tu amigo.

Le llevó un momento, pero luego entendió que quería decir que estaba sufriendo por Gil y quería que ella fuese su consuelo.

—No —insistió—, no —dijo apasionadamente—, yo siempre... —Pero se detuvo ante su evidente alarma. Se dio cuenta de que no era lo que ella quería oír. En absoluto quería oírlo. Abrió las manos (*Ya lo he dicho, lo lamento, pero ya está dicho*) y luego concedió—: Por supuesto que añoro a Gil. —Y lo echaba de menos, terriblemente, y de repente volvió a sentir otra vez aquella desorientación, porque la desaparición de Gil de sus vidas era como una elaborada argucia y, durante un instante, Leonor formó parte de ella, conocedora de algo que Rafael ignoraba.

Ella arqueó las cejas como quien se encoge de hombros, como diciendo: *Pues no va a volver.*

Sí, ¿pero dónde les dejaba aquello?

Y entonces dijo:

—¿Rafael? —apenas un resoplido impaciente— ¿Por qué no? —y allí estaba su barbilla inclinada, la dureza de su boca, los ojos encendidos, retadores. De todas las respuestas posibles, aquella era la única que él no había previsto, pero era absolutamente propia de ella. Le hizo imposible ir a ella, abrazarla como había imaginado que haría. Asintió, con una breve y decidida inclinación de la cabeza, acusando recibo.

Trato hecho.

Y se le encogió el corazón.

Oh, había mejorado con el tiempo. Todo había ido bien. Ella abandonó su frialdad. Se abrió a él. La primera vez que la mano de Leonor buscó la suya, la agarró, Rafael no podía imaginar mayor felicidad. Solo años después cayó en la cuenta de que no había significado gran cosa para ella, nada parecido a lo que había significado para él. Para ella solo era una mano a la que agarrarse.

❧

Dos noches después de su paseo, Rafael se regocijó al encontrar a Cecily en la cocina, junto al fuego, con el niño recostado contra sus rodillas, con los ojos cerrados y el perro, a su vez, acurrucado junto a él con los ojos cerrados. Cecily hacía rodar algo entre los dedos de una mano mientras contemplaba las llamas. Al ver a Rafael, se acordó de sí misma, paró y reveló de qué se trataba: un guijarro.

—Es de Harry. El mozo de cocina.

—Ah. —Harry, otra vez la extrañeza de que se hubiese ido. Rafael no podía acabar de creer que no aparecería otra vez saludando *¡Qué hay!*, ahora que se había terminado el drama de su muerte—. ¿Era suyo?

Ella se encogió de hombros. Nada. Un guijarro.

—Lo tenía en el bolsillo. —Ella se había encargado de su ropa, de sus pertenencias. Poca cosa. Nada en absoluto, en realidad: solo un guijarro. Pero había sido de Harry. Rafael se alegró de que no lo hubiese tirado. Ella volvió a cerrar la mano sobre él. Rafael se sentó a su lado y contemplaron el fuego juntos durante un rato.

Entonces ella le preguntó:

—¿Qué cree que hace la gente en el cielo? —Lo decía con malicia, Rafael lo sabía, pero esperaba una respuesta; en cierto modo, era una pregunta de verdad.

El *cielo*. Sintió la punzada de terror que ya le era familiar: *tal vez haya sucedido ya.*

—¿Qué hacen? —Nunca había pensado en ello. Si llegaba a ir, ¿tendría que hacer algo? El cielo era para volver a ver a los seres queridos, ¿no era así? Volver a estar con los que hemos amado, pero qué se hacía en su compañía, no lo sabía. Tampoco sabía si creía en el cielo. Pero por ella estaba dispuesto a seguir el juego—: ¿Por qué? —entre curioso y divertido—: ¿Qué cree usted que hace la gente?

—Música. —Encogió los hombros, pero lo había dicho con énfasis; era algo en lo que había pensado, algo sobre lo que tenía una idea—. Aprender música —dijo—. Ensayar. —Y seguramente llegar a ser muy buenos. La eternidad daba para ensayar mucho. ¿Cuánto se podía aprender? Le gustó la idea, le hizo gracia.

—¿Toca usted algún instrumento? —le preguntó.

Ella le lanzó aquella mirada pícara:

—Todavía no —dijo. Luego añadió—: Hay quien dice que el Rey aún está vivo. —Lo dijo secamente, procurando no comprometerse, volviendo a fijar la mirada en el hogar. Rafael sintió que lo estaba poniendo a prueba.

Pero él estaba confuso:

—¿El Rey? ¿Vivo? —¿Se refería al príncipe español? Claro que estaba vivo, ¿no? ¿Había sucedido algo? ¿Algo de lo que no se había enterado?

—El muchacho —dijo al ver su confusión—. El hermano de la Reina.

Ah, el Rey muerto. Comprendió. Pero, ¿vivo? ¿Cómo era eso posible? Llevaba muerto más de un año. ¿Por qué había de desaparecer?

Ella se encogió de hombros.

—Es lo que dice alguna gente —*solo digo eso*—, que va a volver.

Deseos, pensó, no es más que eso. Había gente que prefería al Rey muerto en lugar de la Reina, tanto que eran capaces de creer cualquier tontería. Así de malos eran los tiempos a ojos de algunos.

Comprobó:

—¿Y usted…? —*Usted no piensa eso, ¿verdad?*

Ella le miró larga e inexpresivamente. *Está muerto,* decían sus ojos. Rafael vio que se había resignado.

De modo que ella también anhelaba los viejos tiempos, los días anteriores a la coronación de la Reina. La época en que no se quemaba a la gente. Y tal vez incluso, si era como otra gente, los días en que Inglaterra no tenía vínculo alguno con España. Era comprensible, pero deseaba decirle: *Tenéis una buena Reina, es una mujer buena y una buena Reina, solo piensa en lo que es mejor para Inglaterra, es trabajadora y se preocupa por el prójimo, ha nombrado a ese enorme Consejo y escucha a todos sus hombres, y es clemente.* Los ingleses olvidaban lo clemente que había sido. Ni siquiera había ejecutado a la muchacha que había pretendido su trono, no hasta el segundo intento de golpe, tras el que no le había quedado otra opción. Deseaba decirle: *Posee una gran dignidad, que ha sobrevivido intacta a pesar de años de ataques, y ningún aire de grandeza.* Y había soportado grandes cambios en su vida en solo un año por el bien de Inglaterra, pasando de ser una noble solterona que había consagrado su vida a Dios a convertirse en monarca, esposa y futura madre. *Ella velará por vosotros,* estaba seguro de ello. Pero, sí, tenía que poner fin a las ejecuciones. Las hogueras eran un error, por supuesto. Y estaba seguro de que ella les pondría fin.

O eso suponía. Esa semana, al entrar en la cocina, percibió cierto revuelo en el patio de atrás y se aventuró hasta el umbral. Un tipo al que Rafael no reconoció como miembro de la casa, respaldado por otra docena o así de extraños, proclamaba algo. A su alrededor se congregaba un agitado grupo de criados de la casa. Rafael vislumbró una ventana abierta, arriba: el joven Kitson que caminaba con bastón les estaba mirando, escuchando. El hombre que vociferaba mandó adelantarse a alguien, una mujer, que alzó su mano en el aire. Tenía algo en ella, algo pequeño.

Cecily se puso al lado de Rafael.

—¿Cecily? —le preguntó él— ¿Qué es todo esto?

En aquel momento, el mayordomo entró en el patio, abriéndose paso a empujones, obligando a Rafael y a Cecily a separarse, cada uno a un lado de la puerta, y empezó a echarlos a todos del patio: a los extraños, les dirigió un enfático movimiento de brazo, indicándoles el portón; a sus empleados, les gritó, dando palmadas: *¡Volved al trabajo!* Cecily obedeció de inmediato; se habría marchado si Rafael no la hubiera detenido.

—¿Qué era eso?

—Oh… —Parecía preocupada, sacudió la cabeza, *No importa, no pregunte.*

Pero él insistió:

—¿Cecily?

Ella lo pensó mejor y le dijo que habían quemado a cinco personas en Essex el día anterior, pero que habían podido hablar y que sus palabras —su resistencia— habían sido escritas y habían llegado a Londres. Y habían sido bien acogidas, a juzgar por lo que acababa de ver.

—¿Pero qué tenía esa mujer en la mano? —le preguntó.

Ella le miró directamente a los ojos y se lo dijo:

—Un hueso.

—¿Un hueso? —*Un hueso.* Un fragmento, una reliquia. De las cenizas. Habían peinado las cenizas y aquellas cinco personas se habían convertido en mártires.

En una ocasión, Francisco le había preguntado:

—Papá, ¿qué hay dentro de la gente?

—Huesos —le había dicho Rafael.

Francisco se había estremecido, aterrorizado:

—¡Pero los perros comen huesos!

—No tus huesos —se había reído Rafael—, no se comen los huesos de la gente. Comen huesos de animales, de animales muertos. Tus huesos están a salvo, muñequito.

212

Aquella noche, Antonio apareció en la cola de la cena y, tras expresar su leve disgusto por la falta de observación de la Cuaresma de los ingleses, dijo:

—¿Sabes qué? —Rafael no podía siquiera fingir interés—. El nuevo Papa ha decidido que detesta a la Reina de Inglaterra. Nos detesta a nosotros, por supuesto, como españoles ávidos de guerra que somos, pero ahora la detesta también a ella, a causa de su matrimonio. Va a excomulgarnos a todos, ¿lo sabías?, a Inglaterra y a España. Pobre desgraciada, no acierta nunca, ¿verdad? Arrastra por la fuerza a Inglaterra para que vuelva a Roma y Roma le da con la puerta en las narices. Puede quemar a tanta gente como quiera, pero será lo mismo.

—Ella no «quiere» —objetó Rafael—. Ella no está quemando a nadie.

—Es ella quien firma las sentencias —repuso Antonio alegremente—. Ayer quemaron a una muchacha ciega de quince años.

Rafael trató de controlar su repugnancia.

—No deberías creer todo lo que oyes.

Antonio sonrió con suficiencia ante lo que sin duda consideraba una ingenuidad por parte de Rafael.

—¿No te lo crees? ¿Lo de la muchacha ciega de quince años? ¿Qué es lo que no crees, que tenía quince años, que era ciega, que era una muchacha?

Y por terrible que le pareciera, dijo:

—Es cosa de la Iglesia.

—Pero ella firma.

—Probablemente ni siquiera mira lo que está firmando. —Pero incluso cuando lo estaba diciendo, dudó que se le escapase algo. Mentalmente, la vio escrutando la orden y planteando alguna pregunta.

—Ah, bueno, entonces —replicó Antonio tan campante—, eso lo arregla todo, ¿no? No mira, solo firma.

—Probablemente alguien firma por ella. Ha estado indispuesta. —Pero, de nuevo, con considerable inquietud, dudó que fuese capaz de delegar.

Antonio se medio rió, deleitándose en la discusión.

—¿Y firmó ese alguien la carta, la extensa carta, que escribió al *sheriff* para reprenderlo por liberar a un hereje de la hoguera? Un hereje que se había retractado en la hoguera. ¿Ya no era hereje? No importa. «No vuelva a hacerlo», le dijo. «Nunca deje ir a nadie, aunque muestre arrepentimiento. Quémelo de todos modos».

—Todas esas historias… —bramó Rafael—, ya nadie sabe qué es cierto y qué no.

—Ah, no lo sé —caviló Antonio—. A los ingleses se les da bien, de hecho es lo único que se les da bien, ver las cosas tal cual son.

❧

No había tenido noticias de Pedro, pero la delegación española había informado a Rafael de que el tan prometido préstamo del príncipe había llegado y, en cuestión de días, en cuanto hubiesen hecho balance, le harían un pago. No le dijeron la cantidad. Más bien no podían decírsela hasta que supiesen la cantidad concedida y examinasen los cientos de cobros pendientes. Tampoco le dijeron si el pago sería compensatorio o con vistas a que terminase el reloj

de sol. Rafael no preguntó. Estaba decidido a usar el dinero, si era posible, para irse a casa.

Pero entonces, la delegación española se trasladó.
El día de Viernes Santo, el cuatro de abril, la Reina y su
marido, con toda su Corte, se trasladaron río arriba, al
palacio de Hampton Court para prepararse para el alumbramiento del niño, que tendría lugar en poco más de un
mes. Se habían ido todos, incluidos los españoles que se
alojaban en Whitehall. Antonio los había visto marchar, o
a parte de ellos, en barcas. Había estado en Whitehall,
viéndolos embarcar en su viaje de cuatro horas por el río
y ahora allí estaba, en el cuarto de Rafael, con aquella noticia y más.

—No van a Windsor —anunció.

—¿Windsor?

—*No* van a Windsor. —Antonio se había puesto cómodo: estaba sentado al pie de la cama. Rafael se había
desplazado tímidamente hacia la cabecera. Antonio había
conseguido unos dulces: semillas y especias garrapiñadas,
metidas en un cucurucho de papel. Ninguno de los dos
tenía dinero para dulces, ni nadie que Rafael conociese.
Antonio, por supuesto, le había ofrecido y, por supuesto,
Rafael, había declinado—. A Windsor era a donde iba a ir
—se oyó el crujido de una semilla entre los dientes de Antonio—. Pero está demasiado lejos. Estará más protegida
cerca, en Hampton Court.

Rafael frunció el ceño, no entendía.

—Bueno —dijo, zambullendo la mano en el cucurucho—, pueden llevar tropas allí fácilmente, ¿no cree?
Mientras que en Windsor…

215

—¿Pero quién la amenaza?

Antonio hizo una pausa para mostrar que, por su parte, no entendía que Rafael tuviese que preguntar. Luego se encogió de hombros, despectivo: *cualquiera,* decía su gesto, *cualquiera.*

Pero Rafael no aceptó esa respuesta.

—¿Qué crees que van a…? —¿Atacar a la Reina? Había oído hablar de que había quien quería verla muerta, pero no eran más que habladurías. ¿Atacar a su propia Reina embarazada o tras dar a luz?

Antonio se regodeó en la contención de una carcajada. Otra vez la ingenuidad de Rafael.

—Te digo —dijo— que ya están de camino. Hay mucho más tráfico del habitual en el río, todo río arriba.

—Pero se dirigen allí para esperar la noticia del nacimiento.

Más diversión.

—¿Con armas de fuego?

—Esto es Londres —dijo Rafael—, todo el mundo tiene armas de fuego.

Antonio volvió a encogerse de hombros: *Si tú lo dices.*

Rafael insistió:

—Además, ¿no son esas armas para nosotros, los españoles? ¿No se van allí por nosotros? —No para amenazarla a ella, sino a todos los españoles que la rodeaban.

—Ahora es lo mismo. En lo que a ellos respecta, ella es una de nosotros.

Rafael estaba a punto de cuestionarlo, ¿era eso realmente lo que los ingleses pensaban?, pero Antonio suspiró y dijo:

—¿Si muere, cómo saldremos de aquí a tiempo? —*Si muere,* lo había dicho como si tal cosa. Pero ella no significaba nada para Antonio. Nada sino la razón por la que estaba atrapado allí—. Probablemente se olviden de nosotros. Nos dejarán atrás.

Nuestra propia gente, huiría olvidando a sus compatriotas en la ciudad. A Rafael no se le había ocurrido, y el pánico le perforó el estómago.

Antonio se quejaba:

—¿Qué cree que harán, durante ese mes?

Rafael no le seguía.

—Las mujeres, todo el mes encerradas. —Solo estaba dando fe de su escepticismo, no necesitaba respuesta.

Tratarían de relajarse, supuso Rafael. Coserían, y coserían y coserían, harían todo lo que pudiesen necesitar, y lo harían bonito. Sábanas y fundas de almohadas y camisones, cortinas de cuna y pañales. Y la Reina en particular tendría asuntos oficiales que preparar: cartas, declaraciones, con un espacio en blanco para poner *príncipe* o *princesa* y la fecha. Tendría que seleccionar e informar a los emisarios, planificar, despejar y proteger sus rutas.

—De todos modos —Antonio se levantó, se estiró, estrujó el cucurucho de papel—, esto nos supone un problema. —Fuese el que fuese, no parecía molestarle—. Ya no podremos almorzar en Whitehall —dijo como recitando de memoria. Alzó las cejas con una falsa expresión de triunfo porque, a pesar de que los funcionarios suponían que aquello sería un problema para ellos, él y Rafael ya estaban almorzando en casa de los Kitson—. Pero, por supuesto, han dispuesto que podemos almorzar en Hampton Court… —A cinco horas de viaje.

A Cecily se le había ocurrido por fin que no era práctico que fuesen a Whitehall todos los días para almorzar y les había sugerido que se quedasen en casa de los Kitson. Simplemente vayan al salón, había dicho, la casa está llena y nadie lo notará.

—De modo que —continuó Antonio—, me dijeron que me arreglase por mi cuenta con mi anfitrión y que pronto me reembolsarían el dinero. Así que, por supuesto, les dije ¿Ah, sí? ¿Cuándo?, y me dijeron que la semana que viene, así que yo les dije que ya había oído eso antes y me dijeron, no, de verdad, y yo dije, seguro, y me dijeron, mire, ha llegado de España el préstamo del príncipe, está aquí, lo estamos resolviendo todo ahora. —Antonio alzó las cejas, con gesto teatral—. Así que vamos a tener dinero.

Rafael había evitado hasta el momento hablarle del pago prometido y ahora no hizo ningún comentario, sino que le preguntó:

—¿Pero cómo mantendremos el contacto con la delegación española?

Antonio se encogió de hombros.

—No lo sé. No pregunté. —Al salir de la habitación, añadió—: Lo siento —en un tono que en modo alguno demostraba que así era.

El Domingo de Pascua, toda la casa de los Kitson fue a misa y, como no podía fingir que iba a ir a la iglesia en palacio en compañía de sus compatriotas, que ahora estaban a muchas millas río arriba, Rafael se unió a ellos. Era algo que hacer. Un motivo para salir de la casa.

Habían vuelto hacía unos minutos, Rafael estaba en medio de las escaleras, cuando se oyó un grito: «¿Mrs. Tanner? ¡Mrs. Tanner!». Era el secretario de la casa, llamando con una urgencia considerable. Rafael volvió a bajar para ver qué pasaba, y allí estaba el secretario, en medio de los ajetreados criados, recibiendo a un hombre elegantemente vestido pero cubierto de sangre. Tenía toda la chaqueta llena de sangre y los ojos muy abiertos. Cecily estaba allí, con un grito sofocado, la mano sobre la boca, pero el secretario se apresuró a decirle algo que la hizo dejar caer la mano y ponerse en movimiento, sin alterarse, con diligencia. Por el movimiento descendente de la mano del secretario frente al hombre, Rafael entendió que el problema era la sangre de sus ropas: el hombre no sangraba, la sangre se había originado en otra parte.

Cecily instó al hombre a que la siguiera hasta la cocina. Conocía su nombre o, cuando menos, alguien de la casa lo conocía y ella lo había oído, porque lo estaba utilizando, Mister Algo. Algo indescifrable para Rafael. Al entrar en la cocina, se giró, consciente de que su hijo la seguía. «Rafael...», le miró a través de la multitud y señaló a Nicholas, ¿podía llevárselo? Rafael dio un paso adelante para hacerlo. Cecily ya se había puesto en movimiento y le estaba pidiendo agua a alguien.

Rafael alejó al niño con el más suave de los contactos físicos pero, de repente, se dio la vuelta, se agachó y echó a correr por donde había venido. Rafael salió tras él, tropezándose con los criados que se habían congregado para ver al infortunado visitante. Hizo todo lo que pudo, mortificado por la perspectiva de que Cecily presenciase semejante ineptitud. Nicholas ya estaba en la puerta de la cocina, ya la había abierto pero, tras avanzar unos pasos, se detuvo. Rafael vio cómo Cecily los miraba a los dos —Nicholas libre, Rafael siguiéndole—, pero su cara no dejaba entrever nada. Ni sorpresa, ni decepción. Parecía considerar inevitable la fuga de Nicholas, su agresividad; confiaba en que Rafael enmendase la situación. Su prioridad era lavar las manos del hombre. Parecía incapaz de hacerlo por sí mismo, le había entregado sus manos a Cecily para que las lavase y ella las había metido en una jofaina y les sacaba la sangre remojándolas. Rafael oyó algo de lo que decía el hombre: «Le cogí la cabeza… le cogí la cabeza… en el suelo. Le cogí la cabeza». Cecily le contestó en un susurro y Rafael no pudo entender sus palabras, pero sabía por su tono de voz que le estaba tranquilizando: *Tranquilo. Vamos a limpiarle.* Rafael entró en la cocina —había alguien más allí, otro hombre, detrás de él, junto a la puerta, para que Cecily y el visitante no se quedasen a solas— y dijo en voz baja a Nicholas: «Vamos», y añadió para convencerle: «Voy a contarte otra historia sobre Arturo». Y el niño, seguramente tras haber visto todo lo que necesitaba, obedeció.

Cuando Cecily fue a recoger a su hijo, le dijo a Rafael «Más tarde», lo que quería decir que cuando no estuviesen en presencia de sus pequeños oídos, le contaría lo ocurrido. Y esa noche, en un rincón de la cocina, lo hizo:

—Dispararon a un cura —susurró—. Lo mataron, lo mataron de un tiro, durante la misa.

Rafael no entendía. ¿Durante la misa? ¿De un tiro? ¿Quién podía hacer algo así? Por un momento se quedó tan desconcertado que creyó que quería decir que el cura estaba casado y que la Iglesia lo había mandado matar.

—Un hombre —dijo ella—, un hombre, un hombre cualquiera.

Un hombre al que no le gustaban los católicos. Rafael captó la gravedad del hecho. Si un hombre podía entrar en una iglesia y abrir fuego contra un cura en pleno oficio, no había lugar sagrado y nadie podía considerarse libre de ser atacado.

Ella dijo:

—El hombre que vino aquí es uno de los compañeros de Mr. Kitson, de… —Rafael no entendió, de un lugar distinto a Londres—. Está en la ciudad por una semana, por motivos de trabajo. Había ido a misa… —Se encogió de hombros. *Ya sabe el resto.* Lo había presenciado.

Le cogí la cabeza.

—Quédese en la casa, Rafael —dijo— a partir de ahora. Hasta que nazca el niño. Hasta que se vaya a su país. Quédese en la casa.

Y así lo hizo. Durante dos largas semanas y media. Dos semanas y media sin presionar a la delegación española para obtener noticias o dinero, y esperando un llamamiento que no llegaba. Dos semanas y media sin enviar cartas a casa y sin poder comprobar si había llegado alguna. Dos semanas y media sin afeitarse. Antonio seguía arriesgándose, infinitamente más hábil que Rafael haciéndose pasar por inglés, y lo lograba siempre y cuando mantuviese la boca cerrada, cosa que, de algún modo, conseguía, porque iba y venía ileso. Rafael no sabía dónde iba pero, teniendo en cuenta que pasaba varios días fuera, era probable que fuese a Hampton Court, donde probablemente dormía en el suelo de alguien. O en su cama.

Una vez, un par de años antes, Rafael había ido a buscar a Antonio por la tarde porque su yegua estaba pariendo y tenía problemas y, como no había contestado cuando Rafael había llamado a la puerta ni cuando había gritado su nombre, había entrado para despertarle. La puerta del dormitorio estaba entreabierta y, antes de darse cuenta, miró y vio a Antonio desnudo sobre la cama, boca abajo y, junto a él, también desnuda, una mujer, las piernas desnudas de una mujer junto a las de Antonio. Ambos cuerpos estaban tan quietos que Rafael habría creído que estaban dormidos —si bien en una postura extraña— de no haber sido por las rítmicas flexiones de la cadera de Antonio. Rafael había retrocedido, muerto de vergüenza, paralizado, incapaz de creer que había sido tan estúpido como para entrar en la casa e ir hasta la puerta del cuarto sin anunciarse, e incapaz de creer que Antonio no le hubiese oído. Sin embargo, no se produjo ningún cambio en la calidad del silencio, nadie se levantó para mirar a su alrededor o recoger la ropa de cama. Rafael consideró revelar su presencia, toser, pero el instante ya había pasado y, con él, la oportunidad de confesar su presencia. Había retrocedido hasta la puerta principal, poniendo mucho cuidado en que no le oyesen. Fuera, trató de recomponerse. Detestaba haber visto la desnudez de Antonio. No podía soportar pensar en Antonio como poseedor de la capacidad de estar desnudo. No podía soportar siquiera la idea de que existiese la desnudez en lo que a Antonio concernía. Mucho menos el resto, la actividad en sí, que ahora trataba de convencerse de que no había visto. Se había dirigido a los establos, temblando, para enfrentarse a la yegua él solo lo mejor que pudiese. Al pasar por su casa, vio a Leonor en el patio con Francisco y se llenó de alivio por que no fuese ella la que estaba en el cuarto de Antonio.

Durante dos largas semanas y media atado a los Kitson, el único aire fresco que disfrutó Rafael fue en los diversos patios, donde había mucho, a ráfagas, que se lanzaban contra los muros, tan atrapado como él mismo. Deambulaba junto a los establos, intercambiando atribuladas sonrisas con los mozos más accesibles. Hablaba con Flynn y los demás perros, más amigables. A veces estaba tan cansado de los patios que se quedaba de pie junto al portón, siempre pegado al portón, y solo a primera hora de la mañana o al atardecer, cuando podía estar bastante seguro de que no habría nadie cerca. El tiempo no era gran cosa, pero siempre desagradable. Ni un indicio de la primavera. Siempre húmedo, aun cuando no estuviese lloviendo, una filtración constante del cielo. Y frío. A veces caía algo que era casi nieve y Cecily le enseñó una palabra nueva para ello: *flurry.*

Le contaba relatos artúricos a Nicholas. La maldad de Morgana se descubrió —Gawain no era tonto— y ella huyó, tras darse cuenta de que Arturo contaba con la protección de la magia de Merlín, jurando: *Si no puedo hacerte daño a ti, se lo haré a tus seres queridos.*

—Se lo haré a tus seres queridos —repitió Nicholas, en un susurro, imaginando, con los ojos bien abiertos.

Entonces, a primera hora de la tarde del último día de abril, mientras dormitaba en su cuarto, oyó un revuelo abajo. Sonaba como si levantasen algo en peso. Alegrándose de tener una excusa para hacer algo, bajó a toda prisa para echar un vistazo. Dos hombres estaban llevando el tablero de una mesa del salón a la puerta principal. Eso era todo. Justo cuando estaba a punto de retirarse, los hombres hicieron una pausa para recolocar la mesa y uno de ellos, al verle allí, en la escalera, sonrió y le gritó: «¡Un príncipe!».

Los hombres de la casa raras veces se dirigían a Rafael, y mucho menos le sonreían, por lo que no descifró inmediatamente la palabra en sí o su tono. Solo cuando empezaba a esbozar una sonrisa en respuesta cayó en la cuenta: *príncipe,* y el alivio con que había sido dicha, la sorpresa, el deleite.

—¿Ahora? —logro decir. ¿Ya? ¿Más de una semana antes de la fecha? Y de repente, temeroso—: ¿Y la Reina? —El hombre no había dicho nada de la Reina.

Pero hizo el mismo gesto —cejas, hombros— y dijo:
—Bien.

¿De verdad? ¿Podía haber sido realmente tan fácil, al final? Llenos de incredulidad, Rafael y aquel hombre rieron juntos. Y entonces se fue, desapareció tras la mesa al cruzar la puerta.

Celebraciones, pensó Rafael mientras veía a los hombres llevando la mesa: habría comida en las calles. En algún lugar río arriba, lejos de toda aquella algarabía, estaba la Reina con su hijo recién nacido. Aquella mujer menuda, tensa y alicaída. *¿Ve?,* le dijo entre dientes, enviando mentalmente sus palabras a través de la distancia. *¿Ve? Lo ha hecho. Lo ha hecho estupendamente.* Estaba hecho, y antes de tiempo, pero solo por una semana. No demasiado pronto. En el momento perfecto.

Se preguntó cómo se habría tomado Cecily la noticia. Ella prefería los viejos tiempos, como la mayoría de los ingleses, ¿pero no era distinto ahora? Ahora había futuro, y aunque no fuese el que ella desease, estaba aquí para ser vivido. Se había acabado la espera, la incertidumbre, la preocupación. Aquí estaba este futuro, contra todo pronóstico, ¿no merecía eso, en cierto sentido, un respeto? Rafael estiró el cuello para ver a los hombres con la mesa: seguían transportándola con decisión y entusiasmo. Probablemente no les había gustado la idea de un heredero medio español, pero ahora el nacimiento era una especie de milagro para ellos. Y Cecily era una mujer que se adaptaba a las circunstancias. Si el príncipe sobrevivía, el reinado estaría asegurado, y un regente seguro puede relajarse. Y una mujer con un hijo no va a quemar gente.

De repente, también había futuro para Rafael. El príncipe se iría, llevando consigo a todos menos al personal diplomático. Aun en el improbable caso de que aún hubiese que construir el reloj de sol, tarde o temprano —más temprano que tarde— Rafael estaría de camino a casa.

El personal de cocina de los Kitson aceptó el reto de llevar comida a las mesas sin demora; se deleitó incluso en aquella oportunidad para demostrar de lo que era capaz. Los mozos que se encargaban de servir las mesas corrían para reponer existencias y su invisibilidad era una especie de exhibición en sí misma, acentuada en lugar de disminuida por el intervalo ocasional, una carrera momentánea, el lanzamiento fingido de una hogaza de pan. Salían bandejas de carne, tartas y quesos, algunos tan frescos que aún estaban resbaladizos y pálidos como la leche, y habían de ser cortados en dados en lugar de en lonchas. Familia y criados tanto de la casa de los Kitson como de las vecinas se colocaban ceremoniosamente ante las mesas para hacer sus selecciones, y sus gestos al recoger las migas en sus manos ahuecadas parecían actos de ternura. Los Kitson se habían vestido para la ocasión y parecían cohibidos, las muchachas desacostumbradamente recatadas en sus galas. El hijo estrábico de los Kitson estaba inquieto y se retiró casi de inmediato al interior de la casa, acompañado por su hermana mayor.

Rafael y Antonio se mantuvieron alejados de la comida, ansiosos por participar pero preocupados por parecer entrometidos. Rafael escuchó a hurtadillas especulaciones sobre las festividades que se avecinaban: desfiles, procesiones y fuentes de vino. Vio a los dos muchachos a los que una vez había oído hablar tan mal de la Reina —*zorra, bruja*— y le costó creerlo ahora. Allí estaban, contenidos y agradecidos mientras se servían comida, con gesto benévolo, incluso cómico: la larga nariz enrojecida de uno de ellos parecía un dibujo infantil.

Así que se ha terminado, se atrevió a pensar Rafael: las sospechas del pueblo sobre la Reina, su aversión hacia ella. No había júbilo, nada tan extravagante, pero la gente se comportaba sin cautela ni temor, cuando antes habían sido cobardes y beligerantes. ¿Y qué habían decidido hacer con su recién encontrada libertad? Andar por ahí charlando y probando quesos. Alivio, pensó Rafael, eso era, no era más que eso. Pero lo era todo. Era lo único que deseaban, lo único que necesitaban. La felicidad era pequeña y dulce, y hoy todos tenían la fortuna de poseer un puñadito de ella. Hasta él y Antonio charlaban casualmente, ocultando una profunda gratitud. Porque por fin había llegado: aquel día de charlas y quesos era realmente el principio de su marcha de Inglaterra, de su regreso a casa.

Un trío de violas que había llegado desde una de las casas vecinas, con aire como de estar cumpliendo graciosamente una obligación, no había terminado de colocar los arcos sobre las cuerdas cuando el tañido de las campanas resquebrajó el cielo y, durante un rato, todo fue cielo en lugar de calle: la vida de la calle envuelta en cada inmenso balanceo y representada en cada melodioso repique. Rafael y Antonio pudieron cesar en sus intentos de conversar y dirigir su atención a las grandes campanas vociferantes y las más agudas, pero más rápidas e igual de insistentes. Las campanas eran ineludibles y, donde quisiera que estuviera Cecily, se habría detenido como todos los demás y estaría mirando al cielo a pesar de que no había nada que ver.

Los niños, sin embargo, jugaban indiferentes, seguidos por perros que esperaban que les dejasen caer algo de comida. Las muchachas Kitson y otras, vestidas de terciopelo, departían con quienes no lucían más que áspera lana, formando sus propias alianzas. Formándolas y rompiéndolas, así como pactos y retos, escaramuzas y treguas, todo en un abrir y cerrar de ojos. Niños ocupados en ser niños. Hasta Nicholas.

¿Nicholas?

Sí, allí estaba —era él, sin duda—, al otro lado de la calle, con un niño de su misma edad, los ojos fijos en los del niño pero no con el habitual gesto retador: *Déjame en paz,* sino más bien al contrario, estaba claro que sostenía la mirada del niño retándolo para que se alejase mientras le hablaba. *Le hablaba,* Nicholas hablando. Sí, sin duda. Estaba claro como el agua, incluso desde donde estaba Rafael. Y el otro niño le escuchaba, eso también estaba claro. Con los ojos abiertos, escépticos, pero le escuchaba.

Haré daño a tus seres queridos, Rafael recordó cómo Nicholas lo había repetido, con la imaginación obviamente arrebatada.

¿Dónde estaba Cecily? Demasiado tarde: su hijo rodeó a su acompañante y se fue, dando pequeños saltos para representar que iba a caballo. Rafael no se había atrevido a tomar aliento, pero ahora instó mentalmente al otro niño a seguirlo, a unirse a él. Pero no sucedió nada. Todavía trotando, Nicholas se perdió de vista tras un grupo de gente, pero el otro niño se quedó donde estaba y parecía haber perdido interés, mirando a su alrededor, pero no en la dirección en que Nicholas se había marchado. Perdido para Nicholas y para el juego que le hubiese propuesto. Pero entonces, de repente, sucedió: el niño iba en su busca, y desapareció galopando a su vez.

Francisco siempre estaba desesperado en busca de amigos. Desde sus primeras semanas, parecía reconocer a los niños como iguales, estirando el cuello hacia ellos, atraído y fascinado. La primera vez que se rio espontáneamente fue cuando una niñita saltó a su lado en la plaza del pueblo. Se había echado a reír. Rafael ansiaba poder encontrarle amigos, hacer que conociese la amistad. Lo que más le importaba era la felicidad de Francisco, y su intensidad superaba todo lo que había vivido o imaginado. La felicidad de Leonor era importante para él, al igual que la de su madre —en la medida en que su madre podía ser feliz—, pero la de Francisco era imperativa, tal vez porque significaba tanto para el propio Francisco, más que nada salvo el amor y la protección de sus padres. Por el momento, el pequeño no sabía nada de la moderación, el compromiso, el aplazamiento. La felicidad era algo nuevo para él, y le entusiasmaba, pero normalmente había muy poco o nada que él pudiese hacer para procurársela.

Cuando lo había acostado y se habían dado las buenas noches, Francisco añadía con su recién adquirido y todavía forzado lenguaje: «Echaré de menos a mi amigo». Aturdido, Rafael preguntaba: «¿Quién es tu amigo?» y Francisco le confesaba tímidamente, pero con evidente placer y orgullo: «Papá es mi amigo».

El tañido de las campanas se apagó tras una hora o así para volverse más melancólico que festivo, un tintineo distante en lugar del clamor sobre sus cabezas. Rafael y Antonio se habían atrevido a acercarse a las mesas cuando todavía quedaba algo de comida; ahora estaban llenas de migajas, arrasadas. Seguía sin haber rastro de Cecily. Rafael supuso que estaba ayudando en la cocina y, en cualquier caso, ¿por qué había de querer quedarse de pie en medio de aquella brisa fría? Él lo hacía únicamente porque había pasado mucho tiempo confinado en la casa, y porque aquella sería una de sus últimas noches en Londres. Lo observaba todo, consciente de estar creando un recuerdo.

Recordaré esto.

Aquí y allá, en medio de un revoltijo de nubes de un negro azulado festoneado de oro, asomaban trocitos de cielo color turquesa.

Esto es lo que llevaré conmigo.

Un largo y frío atardecer lleno de campanas. El sabor rancio de la cerveza y el escozor del humo.

Desde las casas más grandes habían sacado leña a la calle y Rafael y Antonio se acercaron a la hoguera sin atisbo de la reticencia que había sido necesaria con la comida. A Rafael el frío le había calado hasta los huesos y ansiaba acercarse demasiado al fuego, prácticamente hasta no poder soportar el calor. Cuando llegaron hasta el montón de leña recién encendido, las llamas ya se abrían paso entre los troncos, desatadas, apresurándose para no dejar nada de ellos. Al instante, el espectáculo —su grandeza— le dejó estupefacto. La inmaterialidad del fuego, su ferocidad insuperable. Miró fijamente las llamas para tratar de encontrarle sentido, seguir su labor salvaje, pero no había sentido que encontrar, el fuego arrastraba el mismo aire e inmediatamente lo convertía en nada. *Y meten gente ahí.*

Más tarde, de vuelta en su cuarto, volvió a preguntarse dónde había estado Cecily toda la noche. Durante las últimas horas le habían preocupado los recuerdos, pero ahora el futuro se giraba y le contemplaba desde arriba. Cecily envejecería aquí y él nunca lo vería. Y sin duda debía alegrarse de ello, pero la alegría era justo lo contrario de lo que sentía. Y aun sin comprenderla, se permitió sentir aquella tristeza y su completa desolación por tener que dejarla. No lo entendía, él amaba a Leonor, ¿no era cierto? Sí, la amaba. La amaba de verdad, a menudo, en cierto modo, a su pesar. Entonces, ¿qué era aquello? Bueno, no importaba qué era, se iba a casa, así que no importaba lo que sentía. Ya pertenecía al pasado. *Me ha pasado esto,* enterró aquella tristeza en su pecho para llevarla consigo a España. No tenía importancia. Tendría que vivir con ella.

❦

Aquella noche, despierto en la cama, intentó recordar si le había sorprendido que Leonor no se quedase embarazada después de casarse. ¿O no esperaba nada? Curiosamente, no era capaz de recordarlo realmente. Supuso que no había sentido gran cosa al respecto. *Así sea.* Y tal vez, en cierto sentido, hubiese sido un alivio. No era capaz de imaginarse como padre, eso sí lo recordaba. Había jugado con la idea —*Sería maravilloso recibir tal bendición*—, pero la verdad era que tenía una buena vida o, cuando menos, lo bastante buena. Mejor de lo que había imaginado que podía ser. No, eso no era cierto, la había imaginado así de buena, por supuesto que sí. Sencillamente nunca había creído que sucedería. Pero había sucedido. Había conseguido lo que quería, se había casado con Leonor.

Solo que no había conseguido lo que quería. Quería que Leonor se enamorase de él, y eso no había sucedido. Lo sabía.

Y en cuanto al sexo: tenían relaciones, pero no a menudo, luego cada vez con menos frecuencia, y luego en raras ocasiones. No habían tenido problemas durante los primeros años de matrimonio, ella no se mostraba tímida y encontraba placer en el acto, le gustaba ponerse encima de él. No, no era el placer de Leonor el que suponía un problema, sino el suyo. No había ningún problema físico, pero él nunca había logrado desprenderse de la idea de que su presencia —su presencia en concreto, su persona— era irrelevante para ella. Sentía que sería igual de no estar él allí. Que podía ser cualquier hombre. Sin duda nunca había sentido que ella le hacía el amor, y eso era lo que quería. Leonor alcanzaba el clímax con un sonido apagado, como si le llegase de improviso y hubiese tenido que rendirse a él. Aquel sonido suyo poseía el tenor del resentimiento, aun cuando hubiese ansiado el clímax.

Y entonces, una mañana, después de tres años de casados, de pie mientras miraba por la ventana de su cuarto, con los brazos cruzados, le había dicho: «Voy a tener un hijo». Lo había dicho desapasionadamente, como si tal cosa, como si dijese que se iba al mercado.

—¿Un hijo?

Ella no respondió, lo había entendido.

Pero ella no podía tener hijos, era una realidad. Dos maridos, doce años de matrimonio, treinta y seis años de edad y seguía sin hijos.

Ella le miró mientras él luchaba por mantenerse a flote, con aquella mirada levemente crítica que siempre le había dirigido. También en aquello estaba fracasando: le había dado una gran noticia y él no era capaz de asumirla.

—¿Estás segura? —fue su patética pregunta.

—Todo lo segura que se puede estar.

Se quedaron mirándose el uno al otro.

—¿Cuándo?

—En octubre. —Se encogió de hombros, no era fácil de saber.

—Felicidades —dijo él, ¿no era eso lo que se decía en aquellas circunstancias? Sintió un leve hormigueo en el estómago: todo iba a cambiar y no tenía la menor idea de cómo.

❧

Al llegar abajo para desayunar, Rafael entró en una atmósfera que no era exactamente la que hubiera esperado la mañana siguiente a una celebración. Los rostros de la gente carecían de expresión y su comportamiento era descuidado: platos y vasos se arrojaban y arrastraban sobre las mesas. De no haber sido por el ruido, habría atribuido la inexpresividad a la resaca.

Antonio le dijo:

—¿Te has enterado? —y de repente Rafael cayó en la cuenta de que era la única persona que no se había enterado. Antonio le iluminó—: No hay príncipe.

A Rafael se le encogió el corazón antes de que Antonio prosiguiese:

—No quiero decir que no vaya a haberlo. Todavía no ha llegado. Falsa alarma. Todavía no ha nacido.

Pero aquello era ridículo. ¿Cómo podía pasar?

—Palacio nunca confirmó la noticia.

De modo que un rumor se había extendido por Londres a toda velocidad para luego desaparecer al galope.

Antonio sonrió con suficiencia:

—Tendrán que hacerlo todo otra vez. —Pero Rafael sabía que eso sería imposible. La inocencia habría desaparecido y no volvería a reunirse el entusiasmo.

Después del desayuno se retiró a su cuarto, sin buscar siquiera a Cecily. Había decidido que iba a evitarla —iba a tener que evitarla— en la medida de lo posible hasta su marcha.

Durante los dos días siguientes logró evitarla por completo, pero ella se metió en sus sueños. La primera noche, soñó que estaban en el mercado. Ella estaba con Nicholas en un puesto, haciendo sus cosas, la viva imagen de la competencia, mientras él sujetaba la correa de uno de los perros de la casa. El cuello del perro era puro músculo y se levantaba sobre las patas traseras, desesperado por soltarse. Rafael forcejeaba con el perro, conminándole a que se comportase, mientras los transeúntes le dirigían miradas despectivas porque aquel no era lugar para un perro. Entonces, el perro se soltó, desapareció, con la correa rebotando tras él. Abriéndose paso a empujones entre el gentío, ignorando los obstáculos, arrojando cajas contra los adoquines, haciendo rodar las naranjas por el barro. Rafael estaba frenético, no por el perro —volvería—, sino por cómo disculparse con Cecily por haberla avergonzado. Se despertó y se quedó acostado, aturdido, inquieto.

En el segundo sueño —lo que recordaba de él—, viajaba a algún lugar para verla. *Espérame, llegaré a ti, llegaré,* pero la distancia era abrumadora y el tiempo se echaba, implacable, sobre él. Iba a caballo, pero el terreno era

234

arenoso y tuvo que desmontar y tirar del caballo. Cada paso —para ambos— se prolongaba. Entonces, de repente, el terreno se volvía rocoso, y cada paso que daba lanzaba una sacudida desde su espalda hasta la nuca, y algunas rocas se deshacían o rodaban bajo sus pies, haciendo que él o el caballo se tambaleasen. Tenía la espalda empapada en sudor y temblaba de pies a cabeza. Entonces empezó a llover, a llover a mares. Hasta el aire era agua y ellos, Rafael y su caballo, seguían avanzando lenta y pesadamente, pero se sentía más lejos que nunca y, lo que era peor, no podía volver porque dar la vuelta ahora sería tan difícil como seguir adelante. Y entonces se despertó, perplejo y horrorizado.

¿Cómo había sucedido aquello? No se había sentido así en años y había supuesto que nunca volvería a sentirlo. Y sentirlo por una descolorida mujer inglesa, de rostro franco, casi inquietante, de la que no sabía prácticamente nada. El amor era agua pasada, eso era lo que sentía antes de conocer a Cecily. Había sido un viaje, el viaje de su juventud, largo y agotador, que había llegado a su destino en Leonor. Lo que estaba pasando no tenía sentido. Amaba a Leonor. ¿No era así? La había amado prácticamente siempre, había pasado toda su vida adulta deseándola. Se estremeció al pensar en cómo le miraría si supiese en qué se había metido con Cecily: divertida, un tanto desdeñosa, escéptica. Que era como le miraba siempre. Él la deseaba, pero ella siempre se alejaba. No había lugar para él en el corazón de Leonor. Se había casado con ella y había sido un estúpido al creer que eso era todo. En su vida de casados, era como un perro dando vueltas y más vueltas, dispuesto a hacer lo que se le pidiese, siempre esperanzado y confiado, pero siempre dando vueltas y vueltas.

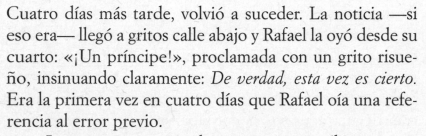

Cuatro días más tarde, volvió a suceder. La noticia —si eso era— llegó a gritos calle abajo y Rafael la oyó desde su cuarto: «¡Un príncipe!», proclamada con un grito risueño, insinuando claramente: *De verdad, esta vez es cierto*. Era la primera vez en cuatro días que Rafael oía una referencia al error previo.

La gente se asomó a las puertas como el rayo, pero tímidamente, mirando calle arriba y abajo. Rafael corrió al piso de abajo. El mayordomo ya estaba en la puerta en una postura realmente extraña, con la espalda contra la puerta abierta mientras trataba de sosegar al inquieto gentío de los Kitson. Disculpándose, levantó una mano para contenerlos. «Esta noche, ¿de acuerdo? Esta noche», les pidió que esperasen el momento oportuno esta vez. Si se confirmaba la noticia, quería decir, habría celebraciones por la noche. Para entonces, era de esperar, ya habría confirmación o desmentido.

Habían enviado a alguien para confirmar la noticia, cosa que acabó por llevar todo el día. Rafael se mantuvo alejado de todo en su cuarto hasta poco antes de la cena, cuando detectó el regreso del mensajero. Abajo, en la cocina, los criados de la casa se habían reunido junto a la puerta, todavía evidentemente, llenos de curiosidad pero también evidentemente con menos entusiasmo tras haber

236

esperado todo el día. Cecily estaba allí, más adelante que Rafael, y no le vio. El portador de la noticia estaba empapado, apenas reconocible como uno de los ayudantes del secretario de Mr. Kitson. Haciéndose el importante, pero exhausto, les lanzó la noticia: «No», mientras seguía su camino hasta la persona a la que debiese informar. Todos se dispersaron sin una palabra.

De vuelta arriba, Rafael pensó que seguía siendo antes de la fecha indicada, y los primeros hijos tienden a llegar tarde y, en cualquier caso, es fácil equivocarse con las fechas. Imposible acertar. Y, en cualquier caso, cuanto más tiempo tardase el niño en nacer, mejor. Sería más grande, más fuerte. *Cuídese. Descanse.* La Reina seguiría cosiendo. Todas aquellas damas a su alrededor, cosiendo, recorriendo los días, dando los pasos más pequeños —millas de pasos— sobre extensiones de lino.

Antes, Rafael había estado pensando en el cierre de la capa de Cecily, en cómo un día, mucho antes de su llegada, ella habría escogido aquel botón y aquel bodoque. Había pensado en su placer al verlos en el puesto del mercado —*Oh, estos*— y su anticipación al traerlos a casa. También había pensado con ternura en sus botas, en el mero hecho de su existencia, siempre ocultas, desapercibidas. El milagro de su existencia, así lo sentía, aunque no entendía por qué. Y en el pequeño lunar de su sien: era muy pálida, pero tenía aquella diminuta y pícara oscuridad, la menor de las resistencias frente a su palidez. La presencia del lunar, la ausencia de pestañas. Aquellas habían sido parte de sus preocupaciones personales —como sueños— durante aquel día largo y vacío.

También había pensado en el paseo que habían compartido, reviviéndolo: ella caminando delante de él, liberada no
por dejar la casa de los Kitson, sino por caminar en la oscuridad. Cómo la había admirado por ello. Cómo había envi-
diado su valentía.

⇦

Cada día, Rafael esperaba noticias pero cuando el vástago
real llevaba dos semanas de retraso, la única noticia fue la
de una mujer que afirmaba que le habían pedido que en-
tregase a su hijo recién nacido. La historia llegó a todas
partes de inmediato. La hija soltera de veinte años de un
boticario decía que dos hombres y una dama habían ido a
verla. Habían ido tres veces, decía. No sabía cómo ni por
qué habían dado con ella, habían salido de la nada. Habían sido amables, tranquilizadores; la dama había dicho
las cosas más bonitas sobre el niño: *Oh, es listo como un
ajo, ¿verdad? ¡Mire!, mire cómo la mira a los ojos, está deseando saber qué pasa, ¿verdad?* Hablaba con el pequeñue-
lo: *Estás deseando saber qué pasa, ¿verdad?*

Podría amamantarlo, le habían dicho a la joven. Debería amamantarlo. Sin duda, debería hacerlo. Mantenerlo fuerte y sano. Le habían quitado los pañales: *¡Mire esas
piernecitas! Eres un niño fuerte, ¿verdad?* Lo cuidarían
bien, le habían dicho. Tendría una vida mejor de la que
podía imaginar. Una vida de un esplendor inimaginable.
No podría desear más para él, ¿no cree? ¿Cómo podría
rechazar tal oferta?

Pero lo hizo.

238

Estaba alterada, había dicho la madre de la muchacha. Demasiado cansada. Confusa. No había sucedido, dijo la madre. Nadie la había visitado.

Se había metido en un lío por haberlo afirmado. Se la habían llevado para interrogarla.

Toda la cocina de los Kitson escuchaba la historia por enésima vez. Rafael sólo estaba allí porque había llegado al límite de su resistencia al frío de su cuarto.

—Arturo fue cambiado, ¿verdad? —dijo Cecily, dirigiéndose a él por encima de numerosas cabezas. Durante dos semanas no habían intercambiado más que fugaces saludos. Sobresaltado, no entendió lo que le acababa de decir—. Su Arturo. Usted y Nicholas, su Rey Arturo.

Él seguía sin entender.

—Cambiado —insistió ella—. Lo cambiaron por otro niño.

—¿Ah, sí? —logró decir Rafael. No lo recordaba. Pero la historia era tan compleja y él sabía tan poco…

—Sí. ¿No se acuerda? Merlín se lo llevó y lo escondió. Se lo quitó al antiguo Rey y lo dejó con otra familia por seguridad. El hombre que tenía por padre no era su padre.

Él se encogió de hombros, ignorándola, pero su corazón latía con fuerza, aturdido y enfermo.

Aquella noche volvió a reflexionar sobre las circunstancias de su viudez, algo en lo que cavilaba con frecuencia. La imaginó en su primera noche sola, con su hijo sin padre, metiéndolo en la cama y retirándose para volver a quedarse completamente sola.

Consideró también las circunstancias de su empleo en casa de los Kitson. ¿Había sido antes o después de enviudar? ¿Había pedido empleo o se lo habían ofrecido? Recordó el cambio de responsabilidades al marcharse los Kitson, el desenfado con que llevaba atadas a la cintura todas las llaves de la casa. Cómo era requerida por personal más antiguo, las diversas e importantes responsabilidades que le habían confiado. El respeto que le profesaban en reconocimiento a sus capacidades. Su trato fácil con todos los de la casa.

Se preguntó qué era lo último que le decía a su hijo por la noche, y con qué clase de contacto. Tal vez tocase su nariz con la punta del dedo. O le colocaba la palma de la mano sobre el corazón.

Pensó en cómo pronunciaba «Rafael», con cómica dificultad. Un mero intento de soslayo. Y cómo, a su vez, sus ojos se iluminaban, divertidos, cada vez que él intentaba decir su nombre, aunque no sería capaz ni por su vida de oír en qué se equivocaba.

Aquella mirada suya a menudo le había golpeado de forma tan directa y secreta como un codazo en las costillas.

❦

Unos días más tarde, alguien llegó a Londres con una historia aún más improbable que la de la hija del boticario. Un muchacho de dieciocho años afirmaba ser el antiguo Rey y la respuesta a las oraciones de mucha gente. Rafael no sabía qué más decía, si decía algo, como cuál era su explicación de su supuesta muerte anterior. ¿Estaba loco, manipulado o no era más que una broma que se le había ido a alguien de las manos? Para cuando Rafael la oyó, ya

240

había pasado: el muchacho ya había sido capturado y castigado. Le habían azotado, le habían cortado las orejas y lo habían exhibido por toda la ciudad con una placa en la que se proclamaba su crimen. Antonio rio:

—Bueno, no volverá a hacerlo pronto, ¿no crees? *Pero eso depende, ¿verdad?*

—¿Era un loco, un débil mental o qué? —preguntó Rafael.

—Qué sé yo. —Respondió Antonio, como si le ofendiese la insinuación de que había detalles a los que debía haber prestado atención.

Rafael se preguntó si la Reina lo habría oído. ¿Se lo contarían o, dada su condición, la protegerían? ¿O habría exigido ella previamente, al dirigirse hacia su retiro, que le contasen todo lo que sucedía en el mundo exterior? Sospechaba que sus funcionarios la informaban mal o dejaban de informarla bajo su propia responsabilidad.

¿Cómo se habría sentido él si se hubiese tratado de su hermano, de alguien que afirmaba ser su hermano muerto? Era distinto, por supuesto, incomparable, puesto que no había nada en juego, mucho menos gobernar un país, pero aún así pensó en ello. Su hermano tendría ahora treinta y siete años. Aun de no haberse producido el accidente treinta y cinco años atrás, quizá no hubiese alcanzado la edad de treinta y siete años. Podría haber sucedido cualquier cosa en cualquier momento. Cualquier calamidad.

Rafael, que tenía cuatro años en aquel entonces, no tenía recuerdo alguno de su hermano pequeño, pero su ausencia le había acompañado toda la vida. ¿Cómo se sentiría si un hombre intentase meterse en esa ausencia?

Imaginó varias posibilidades: un hombre que llegaba a la ciudad contando grandes historias, sus hermanos discutiendo qué hacer y yendo a investigar. Pero eso no podría pasar nunca, porque muchos miembros de su familia habían estado allí, habían visto morir a Mateo, lo habían visto muerto. Podía pasarle a la familia de alguien que hubiese desaparecido o del que se hubiese dicho que había muerto lejos, pero no a la familia Prado, no en el caso de Mateo.

A Rafael habían tenido que contarle que Mateo había muerto. Él estaba fuera, explorando y, al volver adentro, habían tenido que contárselo. Tenía un claro recuerdo de cuando se lo habían contado, allí, de pie, en el recibidor, con su tía inclinándose hacia él y hablándole amablemente, con los ojos enrojecidos. A él le mortificaba que ella llorase. Nunca había visto llorar a un adulto. Probablemente ni siquiera sabía que los adultos podían llorar. No recordaba si había escuchado lo que ella le decía. *Algo le ha pasado a Mateo.*

Lo que no sabía era qué le había pasado. No sabía si no se lo habían dicho —*Algo le ha pasado a Mateo y se ha ido con el niño Jesús*— o no lo había escuchado. Y no se había atrevido a preguntar. Ante el rostro lloroso de su tía, no se había atrevido a hacer preguntas. Solo más tarde se le ocurrió: ¿Qué había pasado? ¿Cómo?

Su madre estaba echada sobre unos cojines en el salón y parecía ir a quedarse allí. A la hora de acostarse, se acurrucó a su lado, sin una palabra suya ni ninguna otra muestra de reconocimiento por su parte. No era algo tan sofisticado como una decisión. Simplemente lo hizo, pro-

242

bablemente porque no sabía qué otra cosa podía hacer. Alguien le echó una manta por encima y durmió allí. Y durmió allí, junto a ella, cada noche, durante años. Solo volvió a ocupar su cuarto cuando una vez se puso enfermo con fiebre y lo trasladaron allí.

Lo único que había oído decir a su madre sobre la muerte de Mateo era: *Ha sido voluntad de Dios* y *Ahora está con Dios*. Rafael tenía la sensación de que no lo creía, que lo decía porque era lo que debía decir. ¿Pero qué creía? Cuando era pequeño, Rafael imaginaba que creía que Mateo se había perdido de algún modo. Permanecía vigilante en medio de la casa por si volvía. Y allí seguía, incluso ahora. Nunca había vuelto a su cuarto.

En cuanto a Rafael, ¿cómo se hace esa pregunta? *¿Cómo murió mi hermano?* Una pregunta tan directa era cruel por sí misma. Y hacerla revelaría que no la había hecho antes. Lo había intentado, cuando tenía nueve o diez años. Decidió preguntar a su tía, puesto que ella era la única persona que le había hablado de ello.

—¿Sufrió mi hermano al morir? —le preguntó. Pero no funcionó.

—No, querido —dijo, con una sonrisa agradecida por su consideración por el dolor de su hermano—. Gracias a Dios, fue instantáneo.

Al final, lo hizo cuando tenía diecinueve años, el día después de morir su padre. Le comentó a Pedro:

—¿Sabes? Nadie me dijo nunca cómo murió Mateo. —Pedro le miró con sorpresa:

—¿No te lo contaron? Un caballo le dio una patada. En la cabeza. Una sola coz.

Y Rafael asintió a modo de agradecimiento.

Una fracción de segundo. Una mínima modificación del tiempo hubiera bastado para evitar que sucediera. Eso sintió. Sintió que tenía que ser posible.

Él daría cualquier cosa por la vida de Francisco. El problema era que no había nada que dar. Si había de pasar, pasaría. ¿Y entonces cómo podría él seguir viviendo? Ese era su terror: *¿Cómo podría vivir con lo que se me podría exigir?*

❧

Antonio había ido al cuarto de Rafael. Para no decir gran cosa. Se quejó de la lluvia y le contó un accidente sin importancia que había tenido lugar en la cocina. Luego:

—¿Por qué no ha dado a luz la Reina todavía?

—No lo sé —dijo Rafael. ¿Era posible que el niño estuviese muerto en su interior? Pero los doctores y las comadronas lo sabrían, ¿no? Francisco había dado grandes patadas durante sus últimas semanas de gestación, había estado vivo para que todos lo sintiesen. Bueno, todo aquel a quien Leonor invitase a tocarlo. Rafael lo había tocado y había dado un respingo, alarmado.

Tenía jaqueca. ¿Cuándo iba Antonio a dejarle en paz? Antes de que Antonio entrase, Rafael había estado pensando en Cecily cuando era niña. La imaginaba desgarbada y rápida a la hora de aprender, ansiosa por agradar. Se preguntaba cuáles habrían sido sus esperanzas y aspiraciones. ¿Las recordaba ahora? Se preguntaba qué desaires e injusticias habría soportado en su juventud. Si

244

hubiera podido llegar allí primero, antes que ella, habría cogido su futuro y lo habría sacudido al viento para quitarle las arrugas, así lo imaginaba, eso es lo que le hubiera gustado hacer por ella.

Se preguntó si su marido había sido su primer amante. ¿Quién había cogido su mano por primera vez? ¿Lo recordaba ella?

Había recordado el modo en que una vez se agachó, con aire ausente, para tocar un gato que pasaba y la espalda del gato se había arqueado para encontrarse con su mano y prolongar el contacto.

Había pensado en cómo era cuando se movía por la ciudad, las pocas veces que había tenido la suerte de poder verla en las calles. Su confianza natural. No era oriunda de Londres, había tenido que adquirir esa confianza. Sus pequeñas valentías estaban ya perdidas para ella, pero él deseaba recuperarlas y honrarlas. Eran importantes para él.

¿Había amado a Leonor así alguna vez? No, pero sería imposible amar así a Leonor. Ella no estaba abierta a ese amor, no lo habría recibido bien. Lo habría considerado una intrusión. De algún modo, siempre lograba hacerle sentir que la adulaba. Por su parte, él nunca se había sentido amado por ella. Con Leonor, había tenido que amar en la distancia.

❧

Una semana después, la Reina tuvo contracciones. Había pasado una semana entera pero ahora, por fin, tenía contracciones, la palabra estaba por todas partes y aunque Rafael no la hubiera entendido, la habría adivinado por cómo sonaba, por la dureza que acarreaba. No parecía haber entusiasmo, pero tampoco escepticismo porque sin duda había llegado el momento. Tenía que ser. Si no hoy, mañana. Sin duda, antes de terminar la semana. El ritmo de la casa se aceleró, todos estaban más alerta, los cocineros se reunieron. Se hizo lo mínimo en la cocina para garantizar que, ya fuese en un día, en tres o en cinco, estarían listos. Pero no pasó nada: no llegaron más noticias en cinco, seis, siete días. Nada.

Rafael se quedaba en su cuarto, esperando la noticia de su marcha. Cuando veía a Cecily, se limitaba a saludarla, a pesar de que, cada vez que lo hacía, lamentaba profundamente la distancia que había entre ellos. Pero tenía que hacerlo. Se retiraba a su cuarto, compungido. Mantenía la puerta cerrada, sin contestar siquiera a los golpes de Nicholas si podía. Habían llegado a la parte del hechizo de Ginebra y Lancelot y, por la expresión de Nicholas, vio que no había sido capaz de explicarle su enamoramiento y por qué era una traición a Arturo. *Querían estar juntos, solos los dos,* intentó, *y el pobre Arturo se sentía muy, muy abandonado.*

El tiempo empeoró. El cielo no eran sino losas de nubes casi negras que se deslizaban en una larga sucesión, sin resquicios de azul. Las más de las veces llovía todo el día. Había habido alguna tarde sin lluvia, pero el aire era como un trapo mojado. Estuvo una semana así, luego dos, ya casi tres. El agua del suelo ya no se iba, ya no tenía donde ir. La calleja estaba cubierta por varias pulgadas de agua. Dentro, todo olía a humedad: la piedra, la madera, los tejidos.

Antonio le había contado a Rafael que había llegado un embajador de Polonia para felicitar a la Reina porque, al parecer, el primer rumor había corrido hasta Polonia pero el posterior desmentido se había perdido por el camino. Pero, por supuesto, habían tenido que recibirlo. Había viajado durante semanas esperando encontrar un Londres exultante. Se decía que el príncipe y sus hombres hasta se habían reído, si bien desesperanzados, desesperados: *No queda más remedio que reírse...* El embajador tuvo que quedarse. De modo que él también esperaba.

Rafael pasaba aquellos últimos días desesperados intentando no pensar en Cecily. Le hubiera encantado jugar con los lóbulos de sus orejas entre los labios, y posarlos luego tras aquella bella oreja, y acariciar con ellos el canal de debajo de su mandíbula, por el costado de su cuello hasta la hondonada que se volvía más profunda con cada inspiración. No podía evitar pensar en lo serena que era y en cómo él podría desbaratar toda aquella serenidad con su lengua.

Antonio volvió hasta su puerta, la abrió sin ser invitado y preguntó:

—¿Crees que la Reina está embarazada?

Rafael suspiró. ¿Cómo podía no estarlo?, a estas alturas, con el embarazo tan avanzado. Podía entender que hubiese un error antes, pero no ahora, y no con tantos médicos y parteras a su alrededor.

Recordó cuando el embarazo de Leonor se había prolongado hasta noviembre. Estaba enorme; él no podía creer que pudiese engordar tanto, pero ella dijo:

—El médico dice que todavía falta. —Él debió de parecer irritado o algo, porque ella le advirtió—: Se está tomando su tiempo, Rafael —eso le dijo.

—¿Pero está bien? ¿Se mueve?

—Sí. —Sonó exasperada.

—¿Cuánto tiempo más cree el doctor que tardará? Ella se encogió de hombros:

—¿Semanas? —Y luego—: No importa, siempre que venga sano. —Una vez más, le había puesto en su lugar debidamente. *Por supuesto, por supuesto,* se apresuró a decir.

Su madre no se preocupaba: «Se ha confundido con las fechas, eso es todo».

Sí, eso era todo. Y por eso había estado tan brusca con él, con sus preguntas, no quería tener que reconocer que había cometido un error.

❧

Se anunció otra fecha para el alumbramiento: el cuatro o cinco de junio, que sería luna llena. Pero el cuatro y el cinco pasaron y no sucedió nada. Ni hubo cambio alguno en el tiempo. El cielo abarrotado de nubes permanecía inmutable, obscenamente inmutable, pensaba Rafael. Una afrenta para cualquiera que mirase al cielo. No había habido cambios en el tiempo ni en la política. Había habido ocho ejecuciones durante las dos primeras semanas de junio, a pesar de los disturbios, uno de los cuales mantuvo el Puente de Londres cerrado un día entero.

En el aire fresco entraba el humo de los cuerpos que ardían, y no se iba, atrapado bajo la tapadera de nubes.

Rafael mantenía la ventana cerrada, odiaba la idea de olerlo, respirarlo, saborearlo. Ya no quemaban solo a curas u obispos; un día habían quemado a dos mujeres que «habían dicho cosas». Eso era lo que Antonio le había contado: «Decían cosas», pero ¿a quién? Porque alguien tenía que haberlas delatado.

Una de las mujeres había dicho que Jesús no se encontraba en el sacramento. *¿Está en él o no?*, le habían preguntado en su juicio. *Es una simple pregunta.* Ella sabía muy bien que era una simple pregunta, una pregunta para la que tenía una sencilla respuesta: «No», había dicho, con una media sonrisa de incredulidad, de consternación. Estaba bastante claro. ¿Qué le pasaba a todo el mundo? «No está ahí», y se encogió de hombros, apelando a todos los presentes.

Los ingleses decían lo que pensaban, eso le parecía a Rafael. Tampoco era que la mujer hubiese dicho gran cosa, en realidad. Sin duda no había creído decir gran cosa, eso había quedado claro por su gesto. Los ingleses eran gente práctica, a la que no le gustaban la magia ni el misterio. Su única leyenda era sobre un Rey bueno que hacía buenas obras, solo un muchacho, un hombre con un pasado familiar y la menor de las ayudas de un mago al inicio de su historia y al final. Una espada mágica, una herramienta, su entrega al principio y su devolución al final eran mágicas, pero por lo demás no era más que una espada. En Inglaterra no había espacios abiertos, miradas a la lejanía, ensueños. Por el contrario, se fijaban en los detalles, en sus jardines, su oro, su platería, sus bordados. Aquella mujer no podía ver a Jesús dentro del sacramento y había creído que era preciso decirlo.

Pero aquella mujer de veintisiete años, madre de tres hijos, fue sentenciada a morir en la hoguera por decirlo. Discutieron y fijaron la fecha. Convocaron a los guardas, tras decidir el número apropiado. Designaron y pagaron a hombres para que comprasen la leña y construyesen la hoguera. Mandaron buscar y colocar un poste, construir un taburete y comprar cuerdas. Metieron pólvora en una bolsita para atarla a su cintura con la esperanza de precipitar el final de su sufrimiento si las llamas menguaban.

♣

A media tarde del diez de junio, un mensajero llegó a casa de los Kitson para llevar a Rafael consigo al palacio de Hampton Court. Rafael estaba echando la siesta cuando uno de los criados de los Kitson llamó a su puerta para darle el mensaje, y se levantó sobresaltado. Sin duda era su hora de volver a casa. Todo aquel tiempo esperando, casi un año, y ahora que había llegado el momento, no se sentía en absoluto preparado. Bajó estrepitosamente las escaleras sólo para descubrir al mensajero deleitándose en un sustancioso tentempié. Como todavía no había tenido que soportar el viaje río arriba de la ciudad al palacio, Rafael no se dio cuenta hasta más tarde de lo bienvenido y necesario que ese descanso había sido. Molesto por el incesante charloteo entre el mensajero y el mayordomo, les interrumpió para preguntar si se habían hecho, o estaban por hacer, las gestiones pertinentes para el transporte de su baúl. El mensajero dijo no saber nada de ningún baúl, pero aconsejó a Rafael que llevase consigo lo que necesitase para pasar la noche porque no podría volver antes del anochecer. Rafael insistió: ¿no habían dicho nada sobre su baúl?

—Nada de baúles. Solo usted.

El viaje duró más de cuatro horas. Al menos la barca tenía un baldaquino para proteger a Rafael y al mensajero de los chaparrones y la brisa que lo azotaban y zarandeaban. No había protección alguna para los cuatro remeros, cuyo único respiro consistía en frecuentes descansos para roer trozos de pan y beber cerveza de unas frascas. Rafael no había llevado provisiones, pero el mensajero tuvo la amabilidad de ofrecerle parte de las suyas y a veces Rafael las aceptaba, avergonzándose de su impaciencia de antes. El ambiente entre ellos era agradable, pero apenas hablaban, limitándose por el contrario a mirar a través de la abertura del baldaquino, evitando cortésmente las esforzadas caras de los remeros, como si hubiese algo de mayor interés que la simple, inagotable vida del río. Rafael miraba los árboles y el revoltijo de nubes que era el cielo. Pájaros. Y el palacio: buscaba el palacio aun cuando sabía que estaban a varias millas de él. De vez en cuando, cerraba los ojos y escuchaba los golpes de los remos. Lo que no hacía era pensar. Simplemente se sentía suspendido en medio del río, entre Londres y el palacio. Y eso, al menos, era algo que le hacía bien, estar lejos de Londres.

Por fin, pasaron junto a unos muros altos, cosa que hicieron durante mucho tiempo, pues el río bordeaba el lugar donde se encontraba el palacio, antes de llegar a una garita en la orilla que era en sí misma un pequeño palacio de ladrillos rosados, con una torrecilla y ventanas de jade en el crepúsculo iluminado por el río. A pesar de su impaciencia, agradeció la caminata a través de los jardines bordeados de tejos sobre los que se proyectaban extravagantes sombras como una esperada oportunidad para estirar las piernas. Le impresionó lo que podía ver del palacio: tan elegante que parecía como bordado sobre el ladrillo.

Entraron por una gran puerta de doble hoja, vigilada por guardias, y siguieron hasta una escalera que llevaba a una galería ricamente decorada desde la que accedieron, bajo las miradas escrutadoras de otra media docena de guardias, a una habitación, una antesala con dos puertas, la puerta por la que habían entrado y una segunda. Se disponía a ver a alguien importante, pues. La estancia era un joyero iluminado por las velas, sin ventanas ni chimeneas, nada más que paneles que iban del suelo al techo, intricados y dorados. Y un banco igualmente ornamentado que el mensajero le indicó amablemente. Después de haber pasado cuatro horas sentado en una barquita, Rafael declinó la invitación y se dedicó a pasear ostensiblemente de un lado a otro, apoyándose sobre los dedos de los pies para estirar los músculos de los muslos. Le hizo un gesto *¿Y usted?* El mensajero respondió con una sonrisa cómplice: no podía sentarse si Rafael no lo hacía. Pero que Rafael se sentase no resolvería el problema, el banco era demasiado pequeño para los dos. De modo que se quedaron de pie, contemplando los gloriosos paneles. Rafael se volvió hacia la pared y pasó un dedo alrededor de una diminuta rosa Tudor.

La puerta misteriosa se abrió, lanzándole el corazón hasta la garganta, y una dama requirió su presencia. Contaba con un hombre, un español, pero era una dama inglesa. El mensajero se despidió alegremente con una leve inclinación de cabeza y se marchó, su trabajo había terminado. Rafael siguió a la dama hasta la estancia de donde había venido.

Estaba débilmente iluminada, las cortinas prematuramente echadas, y el calor era una entidad en sí mismo. Se le hinchó la piel al instante, pegándosele a la camisa. Los racimos de mechas encendidas parecían no solo iluminar, sino cuestionar; estaba deslumbrado. La estancia también estaba perfumada con las destilaciones florales que lucían las damas. Allí estaban, aquellas damas: entre las sombras, vio los guiños de las joyas colocadas sobre sus cabellos mientras se giraban para mirarle. Un año en Londres le había enseñado a desconfiar de las sombras e incluso allí fue presa de esa inquietud. Incluso en una habitación llena de damas sentadas. Tal vez porque estaban sentadas: sus formas se quebraban, volviéndose poco discernibles.

Siguió a la dama por una alfombra tan espesa y blanda que tuvo la sensación de estar pisando lodo caliente. Se acercaban a una muchacha de unos doce o trece años que se sentaba separada, sola en el suelo, con la espalda contra los paneles de la pared, las rodillas recogidas y los brazos en torno a ellas. A su alrededor había un charco de un espléndido tejido de color ciruela veteado de oro. Era una intermediaria, tal vez, a la que enviarían correteando delante a algún lugar en la siguiente fase de aquella extraña misión.

Entonces se dio cuenta de que estaba mirando a la Reina. Era ella, allí abajo, devolviéndole la mirada. Vio al instante que no estaba embarazada y su corazón se detuvo de golpe para precipitarse luego hacia ella al encontrarla así, soportando lo que le estaba pasando. Se arrodilló ante ella, no por ser Reina —de hecho, había olvidado los necesarios preliminares, no le ofreció ninguna de las requeridas florituras verbales, no dijo nada— y no como uno debía arrodillarse ante una Reina, sino más bajo, apoyándose sobre los talones, como quien atiende a un niño. Ella tenía la mirada clavada en la suya, descarnada. «¿Cuánto tiempo más?», dijo en una especie de gruñido.

No podría sentarse así, con las rodillas en alto, si estuviese en la última fase de su embarazo. O tal vez podía, tal vez solo era pequeña. No se atrevió a mirar otra vez. Algunas mujeres estaban más delgadas que otras durante el embarazo. Ella le había preguntado *¿Cuánto tiempo más?,* una pregunta para la que, al parecer, nadie tenía una respuesta. Pero sí había algo que él podía decirle: «Mi hijo se retrasó mucho, mucho». Se sorprendió al oírse decirlo, pero también se emocionó.

Vio el menor de los destellos de interés en ella, acompañado de una comprensible desconfianza:

—¿Cuánto se retrasó? —preguntó.

—Dos meses. —Por primera vez, se alegraba de ello; lo creía o creía en su capacidad de persuasión y le encantó, lo agradeció. Vio que ella quería creerle, y la comprendía. Al fin y al cabo, él mismo lo había creído una vez.

Con todo, ella insistió, su tono debidamente incrédulo:

—¿Dos meses?

—Dos meses. —El embarazo de Leonor había durado once meses, esa era la historia. Eso era lo que le habían dicho. Estaba repitiendo lo que le había dicho a todo el mundo y todo el mundo había parecido creer. Repetirlo aquí tenía un propósito: ayudarla a soportar lo que tenía que soportar.

Ella lo aceptó, con tono esperanzado:

—¿Y nació bien? —, aunque sabía que así era.

Rafael le confirmó lo que ya sabía:

—Mi hijo nació bien. —Sus entrañas se estremecieron al decirlo. *Bien,* la gloriosa insuficiencia de la palabra. Eso era lo importante, al final: que Francisco había nacido bien. Fin de la historia. Final feliz.

Los ojos de la Reina se deslizaron hacia un lado, sin ver, solo para abandonarle y seguir con sus propios pensamientos. Luego volvió a él:

—¿Estaba usted preocupado?

Esperó que ella no le viese vacilar. La pregunta era sincera, como siempre lo eran las suyas. No le exigía que dijese que sí, que se uniese a ella en su ansiedad. No le interesaba la solidaridad. Lo que le importaba era la verdad, y él podía contestar sinceramente.

—No. —Lo que no le dijo es que no se había preocupado porque confiaba en Leonor, y que había sido tonto al hacerlo. Leonor no parecía preocupada y él la había seguido. Había confiado en ella. Tenía que hacerlo. Y, en cualquier caso, era la historia que le había contado: el niño se retrasaba, se retrasaba, luego un poco más y más aún. Y así se había hecho a la idea, el niño se retrasaba, y él no lo había cuestionado nunca. No preguntaba si se retrasaba, sino cuánto. Intentó recordar cómo se lo había explicado a sí mismo, cómo había vivido con ello, y le dijo—: Los caminos del Señor… —*son inescrutables.* Y encogiéndose de hombros—: Las mujeres… —son bien inescrutables—. Y las fechas… —son difíciles de calcular. En el caso de Leonor, sin embargo, había habido una inequívoca manifestación física del embarazo. Ese no era el caso aquí.

Pero ella aceptó su historia, con un levísimo asentimiento agradecido. Había hecho algo bueno, se dijo Rafael. Lo había hecho para ayudarla. Era lo único que se podía hacer. Y Leonor debía de haberse sentido así, imaginó. *Leonor,* gritó su corazón a través de más de mil millas y cuatro años. Cuatro años antes, debía haberse arrodillado ante ella, mirándola a los ojos. *Leonor,* podía haberle dicho. Debería haber tomado las riendas desde donde estaba, fuera de la calamidad en la que ella estaba encerrada. Debería haberlo hecho entonces, cuando era una mentira tendida sobre sus vidas que todavía no se había incrustado en ellas.

Porque ningún embarazo dura once meses.

Algo iba mal, lo sabía. Lo que no sabía era el qué o cuán mal. Y había tanta gente mucho mejor situada para saberlo… damas de compañía, comadronas, médicos. La gente que la desvestía, la gente que la examinaba. La gente que podía saberlo. Era cosa de esa gente decírselo, cuando lo supiesen. Y cuando llegase el momento, fuese lo que fuese lo que tuviesen que decirle, ella estaría preparada, estaba seguro. Les escucharía. Aquella era una Reina que amaba la verdad, para quien nada importaba sino la verdad, que había vivido su vida en pos de la verdad y siempre había mostrado misericordia hacia quienes la reconocían. No podían estar negándole la verdad cuando la necesitaba con tal desesperación. No conseguirían nada con ello.

Su mirada cedió, como llamándole, sintió Rafael: *Qué extrañamente similares son nuestras vidas,* decía aquella mirada. Él también lo pensó y, a pesar de las circunstancias, se alegró de ello.

—Mi esposo —susurró sin reticencia, de hecho, el siseo de susurro le aportaba ferocidad— se desespera.

Rafael no lo dudaba. Su marido y todo el mundo.

—Ha sido muy paciente. —Necesitaba dejar eso claro, y Rafael asintió. Sin embargo, también se sobreentendía un *pero* implícito. No había movido un músculo. ¿Era posible que hubiese un niño completamente desarrollado, vivo, en su interior? ¿Podría sentarse así, allí, de haberlo? Seguramente el bebé estaba poniendo a prueba sus fuerzas, regodeándose en ello, arrastrándola de un lado a otro tras él—. Está preparado para irse —susurró—. Mi esposo. Pase lo que pase, se irá —dijo con la misma inexpresividad. Lo decía para afrontarlo, le pareció a Rafael, para oírlo dicho en voz alta. La estudiada falta de énfasis le incomodaba, debía suponerle un gran esfuerzo. Y no le daba indicio alguno de si debía o no responder, o cómo. Él también estaba preparado para irse. Bien podía haber sido él el objeto de sus palabras: *traidor, desertor.* Se sentó inmóvil como ella, con las nalgas sobre los talones, las manos en los muslos.

—Diez semanas —dijo ella—, hace diez semanas que no lo veo. —Y sus ojos se movieron, solo un poco, como si no le viesen. No veía nada en realidad, pensó Rafael.

Diez meses, hace diez meses que no veo a Francisco y a Leonor.

—Lo añoro. —Una vez más, sin queja, solo la realidad—. Le escribo cada día. Escribo una carta a lo largo de todo el día. —Como un fuego, pensó—. Sé lo que piensa la gente —frunció el ceño—, que no tengo nada que decir, atrapada aquí. Pero siempre hay algo que decir, ¿no es cierto?

No dudaba de que ella siempre tuviese algo que decir. Tuvo la sensación de que sabía lo que iba a decir a continuación. Se dio cuenta de que se estaba mordiendo el labio inferior; se obligó a liberarlo.

Por fin había bajado la mirada y habló mirándose las rodillas:

—Él no me escribe. —Con cuidado de no dejar traslucir recriminación alguna—. A menos que haya algún asunto que tratar. Pero los hombres no escriben, ¿verdad? No encuentran cosas que decir. —Se corrigió—: La mayoría de los hombres.

Luego, volviendo a levantar la vista:

—Sí me pregunta si me encuentro bien. Siempre que me escribe, me pregunta si estoy bien. Y lo estoy —dijo como si acabase de ocurrírsele y le sorprendiese pero, de algún modo, no acabase de complacerla especialmente—. Estoy bien.

Y lo parecía, o no parecía encontrarse mal. Rafael se descubrió tomando aliento como si estuviese a punto de hablar; parecía el momento de hablar, aunque no tenía ni idea de qué decir. Pero ella ya estaba diciendo:

—Me alegro de no haber huido a España. Los hombres de mi hermano planeaban matarme, pero yo podía haber huido a España. Estaba todo planeado. Me vestí de doncella y fui al barco con Mrs. Dormer, una noche. Pero di media vuelta. Tenía una tarea divina que hacer aquí. —Dio un enorme suspiro y cerró los ojos—. Y la sigo teniendo. Todavía está todo por hacer. —Más, mucho más, de lo que ella había previsto, veía Rafael. De repente, sus ojos se abrieron, resplandecientes—. Y lo haré —dijo como una promesa.

Pero no sabía lo que se estaba haciendo en su nombre mientras ella estaba allí encerrada. Rafael lo sabía, y sabía que debía decírselo. El pueblo de Inglaterra era ajeno a la misericordia de su Reina. La Iglesia se estaba aprovechando de su indisposición, y echando a perder el respeto y la confianza que su pueblo le tenían. *Habla,* se dijo.

Pero era ella la que estaba hablando, preguntándose con los ojos llenos de asombro:

—¿Me ha abandonado Dios?

La pregunta estaba llena de terror y pavor, pero también de puro asombro ante la idea de una existencia sin Dios. Había lidiado con todos los rechazos de su vida, había sobrevivido a ellos, los había soportado, pero aquello… La pregunta parecía haber surgido sin ser buscada. Pero eso era lo que había en su interior, su miedo, pensó Rafael. Era con eso con lo que vivía. Era su vida.

No tenía respuesta para ella. No había nada que pudiese decirle, nada que nadie pudiese decir, y ella lo sabía. Así, se quedaron mirándose el uno al otro, sin que ninguno de los dos se atreviese a respirar.

Entonces dijo de nuevo:

—Yo hago su labor.

Y él habló, se atrevió:

—Qué difícil debe ser para usted saber qué hacer.

Pero ella simplemente respondió:

—Hago lo correcto, Mr. Prado —y sonó tranquila, con los ojos, antes muy abiertos, sosegados. No parecía haber percibido la duda en su voz. Él estaba confuso:

—¿Las hogueras? —dijo suavemente, sin añadir nada más. ¿Tenía siquiera constancia de las hogueras? Por no hablar de las mujeres que tenían hijos en casa.

—Mr. Prado —dijo su nombre con sentimiento, como si se compadeciese de él, de su ignorancia—. Mis súbditos tienen vidas duras. Trabajan duro, muy duro, ¿y para qué? —Su voz era tan suave que apenas podía oírla, pero las palabras eran pronunciadas con claridad—. Nunca hay suficiente comida. Y pasan frío, en verano como en invierno. Están enfermos todo el tiempo. Sufren. Y sus hijos, Mr. Prado, sus hijos se mueren. Tienen que ver morir a sus hijos. —Él parpadeó, pero ella le sostuvo la mirada. *Entiéndalo*—. Y yo no puedo hacer nada al respecto. Soy su Reina, y no puedo hacer nada. Puedo regalar unas monedas, y lo hago, Mr. Prado, por supuesto que lo hago, para que compren comida y leña, pero no puedo alimentar a toda Inglaterra, no puedo mantener caliente a todo el mundo, no puedo curar las enfermedades de todo el mundo. Todas las monedas de mi reino no podrían evitar la muerte de un niño si el niño ha de morir.

Esperó a que él volviese a mirarla:

—Lo que sí tiene mi pueblo, Mr. Prado, si son afortunados, y espero con todo mi corazón que lo sean, es amor. El amor de sus padres, de sus esposos, de sus amigos y, si es voluntad de Dios, de sus hijos. Pero mueren, esos padres, esposos, amigos, hijos, mueren. Se van —le recordó gentilmente—. Pero en toda vida hay alguien más, por sobre todo esto, que nunca se va, y ese es Dios. El amor de Dios, Mr. Prado —dijo con insistencia, en su áspero susurro—. Su amor infinito. Y cuando una vida termina, eso es lo que queda, el amor de Dios. Mi pueblo se confía a él. Pueden ir con Dios. Dios es la luz en medio de toda esta oscuridad y al final se reunirán con sus seres queridos en Su presencia para toda la eternidad. —Hizo una pausa, luego como si, lamentablemente, tuviese que darle una mala noticia—: Eso es lo que los herejes le arrebatan a la gente, Mr. Prado: a Dios. Se aprovechan de la inocencia de la gente. La mayor parte de mis súbditos no han disfrutado del lujo de la educación, y los herejes se aprovechan de ello. Les dicen que pueden hacer preguntas y conocer las respuestas, y eso atrae a la gente ignorante. Juegan cínicamente con su única debilidad. La fe no se puede cuestionar, Mr. Prado —dijo en un tono de súplica apenas audible—. La fe no es eso. Si se la cuestiona, la fe se rompe. Se rompe antes de poder darse cuenta y nunca, nunca, puede recomponerse. Si se rompe la fe de alguien, se rompe a la persona, se la convierte en nada. Los herejes convierten en nada a la gente, Mr. Prado, sus vidas, sus amores, sus esperanzas, lo poco que han tenido o podían esperar en la vida, y lo hacen simplemente porque pueden.

Se sintió enfermo: febril, mareado, incapaz de esconderse por mucho más tiempo.

—Es cruel, Mr. Prado —murmuró horrorizada—. Insensible... —frunció el ceño, buscando una palabra— ...Desconsiderado —dijo como si fuese lo peor que se podía decir y, al oírla decirlo así, él lo supo también: no podía haber nada peor que la absoluta desconsideración de una persona hacia otro ser humano.

—Tienen que... *desaparecer*. Hasta el último de ellos.

Se movió, tragó saliva y se recobró un poco. Y pensó: ¿pero qué tenía de malo cuestionar la presencia de Cristo en el sacramento? ¿Cómo hacía eso que la gente le diese la espalda al amor? Intentó decir:

—Pero algunas de esas personas solo...

—No —dijo categóricamente—. No. No es «solo». Nunca es «solo». —Como si él fuese un ingenuo.

Sin embargo, era ella la que no entendía. Estaba tan alejada de su pueblo ahora... Tenía que intentarlo otra vez:

—Pero...

—No hay ningún «pero». —Habló con solemnidad, como recordándoselo—. Estamos todos en peligro. Si se explica la fe, la fe desaparece y entonces estaremos todos perdidos. Tenemos que mantener a Dios a nuestro lado, mantenernos cerca de Dios. La fe no se puede cuestionar —repitió, y él supo que esas eran sus últimas palabras al respecto—. Si se cuestiona la fe, se rompe, y entonces llega la oscuridad.

Había pasado la noche en un cuarto de una garita que era lo bastante cómodo y tranquilo, pero había dormido mal.

Su inquietud tenía menos que ver con lo desconocido del entorno que con su miedo por la Reina. Había visto que era presa de su confinamiento y, hasta que el poder que este tenía sobre ella se rompiese, nada cambiaría. Tenía que acabar pronto.

Por la mañana encontró la delegación española y le entregaron un pago insuficiente para construir su reloj de sol. Era evidente que los funcionarios habían perdido todo el interés por él. Se iba a casa, eso fue todo lo que consiguió que le dijeran, eso y que mandarían a buscarlo. El despacho estaba abarrotado. No había ninguna carta para él, pero le dijeron que hacía dos semanas se había perdido un barco procedente de España en el golfo de Vizcaya. De camino al río, descubrió un enorme reloj astronómico de pared que había sido construido por el relojero del antiguo Rey. Azul y dorado, lleno de números romanos y signos zodiacales, mostraba la hora, el día, el mes, el número de días transcurridos desde el inicio del año y las fases de la luna. Consultó la hora: eran entre las nueve y las diez del once de junio, y la luna estaba en cuarto menguante.

Estuvo de vuelta en casa de los Kitson a primera hora de la tarde. Sólo llevaba unos minutos en su cuarto cuando, desde la ventana, atisbó a un grupo de criados de los Kitson corriendo calle abajo, Cecily y su hijo entre ellos. Intrigado, se quedó mirando durante casi un cuarto de hora esperando su regreso, luego, al verlos volver, corrió escaleras abajo. Entraron en fila, con mala cara —había un resfriado rodando por la casa— y solo Cecily le concedió una mirada de soslayo. Respondió con una breve sonrisa, pero un hola era más de lo que podía decir sin peligro. Un hola hablaría alto y claro de una semana en la que no habían hablado en absoluto. Una semana durante la que la había evitado por completo. Si le pedía perdón, estaba casi seguro de que le respondería *¿Por qué?* No se lo pondría fácil, ¿y por qué habría de hacerlo? Le faltó valor y, sin embargo, no se sentía capaz de irse.

Ella estaba ocupada con la capa de Nicholas, pero entonces oyó un mordaz:

—Mira, Nicholas, es Rafael. —Nicholas obedeció, si bien con renuencia. Hasta un niño de cuatro años podía captar la atmósfera. Ella le dijo a su hijo que siguiese adelante, ella iría enseguida. A Rafael le dijo—: Traían noticias, los hombres que acabamos de ver. —Hablaba como si, de algún modo, él la obligase a hacerlo. Dijo—: Quería oírlo por mí misma. Sacar mis propias conclusiones.

Sobre su veracidad, interpretó Rafael. Lo había dicho como si fuese él el que mentía.

—Estoy harta de rumores. —Otra vez como si los rumores fuesen culpa suya—. Y eran hombres buenos —insistió, como respondiendo a alguna objeción por su parte—. Hombres serios, considerados. —Como si esas cualidades fuesen escasas, y tal vez lo fuesen, pero ¿por qué decirlo como si él se lo estuviese discutiendo?

Tuvo que preguntar:

—¿Quiénes?

—Esos dos hombres —dijo—. Tenían un trabajo que hacer.

¿No como yo?

—Han venido a Londres con las cenizas de un hombre al que quemaron. William Pigot, así se llamaba. Le

264

quemaron por decir que deberíamos poder leer la Biblia en inglés. Esos hombres creen que debemos saberlo. ¿Y sabe qué? Yo también creo que debemos saberlo. —Cruzó los brazos con fuerza, mirándole fijamente—. Todos.

¿Hasta un niño de cuatro años? Nicholas había estado allí, donde quiera que hubiese ido a escuchar a aquellos hombres. ¿Cuánto había entendido?

—Esos hombres saben leer y dicen que la Reina escribió una carta a los obispos la semana pasada, diciéndoles que quemasen a más protestantes. —Bajó la voz, pero no se suavizó, si acaso, sonaba aún más furiosa en forma de susurro—, que arrestasen, encarcelasen y quemasen a más. —Había un destello de desafío en sus ojos—. Cree que soy una protestante por hablar así, ¿verdad, Rafael?

Sabía que debía negarlo.

Ella lanzó una mano en dirección a la cocina.

—Que todos nosotros somos protestantes, eso es lo que cree, ¿verdad? Pero aquí nadie es protestante —le advirtió—, nadie es católico. En Inglaterra, Rafael —dijo remarcando cada sílaba—, a nadie le importa. Dios es Dios y, más allá de eso, a nadie le importa. —Y, como si le amenazase, añadió—: Personas, eso es lo que somos. Seres humanos.

Y antes de que él supiese qué decir, añadió:

—La Reina cree que su hijo no nacerá hasta que haya quemado a todos los «herejes» —entrecomilló la palabra, escéptica, despectiva.

Le estaba echando encima aquello como si todo fuese culpa suya. Desde luego no se había portado bien con ella, pero él no era responsable de nada de aquello. Estaba furiosa con él por todo. Qué fácil para ella. Hablaba como si él la estuviese contradiciendo, cuando no tenía deseo alguno de hacerlo, pero ahora, acorralado, estaba cerca. Podía cuestionar la veracidad de la supuesta carta a los obispos, pero eso sería una nimiedad. Por el contrario, se limitó a decir:

—¿Cree que me gusta esto porque soy español?

La tomó por sorpresa. Puesto así, resultaba claramente ridículo.

—Los españoles son católicos —gritó.

No podía creerlo de ella, especialmente después de lo que acababa de decir.

—¡Católicos! —rechazó él, con tanta furia como ella—. Es lo mismo en España —insistió. Si él era católico era únicamente porque en España no se podía ser otra cosa. Pero ella no podía entenderlo. Ella no sabía nada de cómo había tenido que vivir: con la cabeza gacha, vigilando sus pasos. Ahora era su turno para dejar algo claro—: Vengo de un país donde la Iglesia es católica. —Y añadió—: No me importa qué es Inglaterra. ¿Por qué habría de importarme?

Y ese fue su error: comprendió de inmediato que había cometido un gran error.

—Sí —replicó ella—, ¿por qué habría de importarle? Se habrá ido en una semana y no volverá jamás. Esto no significa nada para usted, ¿verdad? —Y se fue, dejándole allí de pie, viéndola marchar. Contemplando los lazos de su espalda, su gorro atado por detrás.

Volvió a su cuarto. Se había ido sintiendo cada vez más cansado desde su llegada. Nunca había imaginado que se pudiese estar tan cansado. Se echó en la cama. En algún lugar, debajo de él, sonaban las pisadas salpicadas detrás de alguien en un tramo de escalera, voces aquí y allá, como dedos que se entretuviesen en un teclado.

La oscuridad debió coincidir con su breve inconsciencia, porque se despertó de madrugada, en la prematura madrugada inglesa, y se quedó acostado, mirando la luz que aún no era del todo luz y escuchando el silencio que, en su espesura, parecía escucharle a su vez. En su interior, el dolor seguía emitiendo su única nota atronadora. Porque Cecily le había dado la espalda y se había alejado.

Cecily —le dijo mentalmente—. *No me odies.*

Pero lo hacía. Le odiaba. Lo sabía.

Por favor, Cecily. Yo no puedo hacer nada. Sabes que yo no puedo hacer nada. Si pudiese hacer algo…

Pero la sentía allí, en el otro extremo de la casa, encerrada muy lejos de él, incluso mientras dormía.

Y así fue como, un poco más tarde, se encontró de pie junto a su puerta. No para despertarla, sino simplemente para estar cerca de ella. Eso era todo lo que sabía. *Cecily, si pudiese hacer algo.* Podía estar allí, aunque ella no lo supiese nunca. Porque ella nunca lo sabría, nunca sabría de su silencioso viaje por la casa, oculto en aquellas primerísimas horas del día.

Fue fácil. La casa había sido abandonada, entregada a la noche y, sin público, carecía de su habitual boato y no le intimidaba. No se había preocupado de interponerse en su camino, había fingido no verle y le había dejado salirse con la suya, las tablas del suelo habían guardado silencio.

Y allí estaba, en la escalera, junto al cuarto de Cecily. No tenía ni idea de qué estaba haciendo, solo sabía que no podía quedarse en su cuarto. Allí estaba, velando ante una puerta a la que jamás llamaría.

Mientras miraba aquella implacable puerta de roble inglés, recordó algo que su padre le había enseñado en su niñez: cómo tocar una puerta si hay fuego del otro lado. No como se tocaría cualquier otra cosa, con las yemas de los dedos o la palma de la mano, no con la mano abierta, sino con el dorso de la mano, con el menor de los contactos de los nudillos contra la madera. Y entonces, si la mano se quema, el instinto la devuelve. Con la mano abierta, el instinto lleva a tocarla, estirar la mano, aguantar aunque sea solo durante un fugacísimo momento, pero entonces el daño ya estaría hecho. Suspiró. *Mírate, mírate, Rafael,* incapaz siquiera de tocar su puerta. *Tócala.* Colocó los dedos sobre la puerta fría. Luego la palma de la mano, luego la frente. Y así se quedó, durante un rato. Y luego se giró y se apoyó en ella y un poco después se dejó resbalar por ella, se agachó a sus pies y se abrazó las rodillas. Allí, en la oscuridad, donde no tenía que dar explicaciones, era suyo.

Al menos puedo tener esto, por poco que sea, puedo tener esto. Había acudido a su puerta con la esperanza de mitigar su dolor, de acallar su clamor, pero lo que sentía era que algo se habría paso por debajo de su piel, algo espeluznante y que, de algún modo, tenía que soportarlo. Estaba apostado allí, en aquel diminuto rellano, y ella estaba detrás de la puerta, en su cuarto, en su vida, con su hijo, en la habitación que era su hogar. Él había tenido una vida antes de todo aquello, una vida que había sido suya y, sí, había tenido sus problemas e imperfecciones, pero la había vivido, había continuado, día tras día, año tras año, una vida suya, con vida propia. Pero ahora, durante los últimos nueve meses, no la había tenido; se había detenido, y no tenía ni idea de si le estaría esperando aún.

Imaginó a Francisco dormido, recordó cómo durante su primer año de vida solía dormir boca arriba, con los brazos echados por encima de la cabeza, como protestando. Cuando tenía más o menos un año, era capaz de darse la vuelta y solía doblar las rodillas por debajo del cuerpo. Dormía de rodillas, postrado y, aunque encartado, aquella nueva postura suya tenía algo en común con la anterior: una feroz determinación. Más tarde, empezó a dormir como todo el mundo: sobre un lado, preparado para el despertar.

—¿Cuándo estás muerto —le había preguntado a Rafael— puedes mover los brazos? —Sencillamente, no podía concebir la idea de la falta de vida.

—Cuando nos muramos —le había dicho—, ¿pueden enterrarnos juntos? Así podremos abrazarnos.

Rafael sabía que no tendría que moverse durante un buen rato, faltaba al menos una hora para los primeros movimientos de la casa. Se entregó al silencio que se alzaba en torno a él y susurraba en sus oídos. Solo un poco después, sin embargo, oyó el gorjeo de unas suelas de cuero sobre las losas debajo de él y luego su roce sobre la madera, en una escalera. Dio unos pasos, dobló la esquina y se detuvo. Alguien subía por las escaleras. Era Cecily: era el ritmo y la cadencia de sus pasos. Su propia respiración le parecía más ruidosa que las pisadas de ella; su corazón, aterrorizado, le lanzaba puñetazos y sangre hasta las orejas. Temblaba tanto que le resultaba difícil mantenerse en pie, pero agacharse supondría arriesgarse a que le crujiesen las rodillas. Medio de pie, medio arrodillado, su ruidosa respiración se amplificaba, atronándole.

Su puerta se abrió, luego se cerró y el silencio lo bañó todo como si nunca su hubiese alterado. Él también permaneció exactamente donde estaba, no se atrevía a mover un músculo, no se atrevía a ponerse derecho. Y allí se quedó, esperando a que ella se acostase, a que se durmiese. Y empezando a descifrar lo que había oído.

Había pasado bastante tiempo junto a su cuarto, y ella llevaba las botas puestas. El frío nocturno subía por la escalera como humo. Había estado fuera. Había vuelto de algún lugar de madrugada, a primera hora. Una cita. Eso tenía que ser. *Te he pillado:* toda una victoria. Debía intentar saborearla. *Pensabas que nunca lo sabría, ¿verdad?,* pero había desvelado su secreto. Tal vez no fuese tan tonto.

Otro.

Pero, por supuesto, lo sabía. ¿No era cierto? Por supuesto que lo sabía. Lo había sabido todo el tiempo, pero no había querido afrontarlo. Y ahora allí estaba, mirándole, observándole. Atrás quedaba el año que había pasado en compañía de Cecily, ahora ensombrecido. Sabía que si miraba atrás, lo recorrería, conversación a conversación, sonrisa a sonrisa, para seguir el rastro de aquella sombra cambiante.

Seguía costándole respirar, el aire no llevaba nada a su interior, como si lo estropease por el mero hecho de respirar. Por fin, cedió y se sentó, respiró más fácilmente, completamente perdido. *¿Y ahora qué?* A la cama, pensó. No había nada más que hacer.

De vuelta en la cama, discutió consigo mismo. Así que Cecily tenía a alguien, ¿y qué? Él no tenía derecho alguno sobre ella. Nunca podría haber pasado nada entre ellos. No era asunto suyo dónde pasaba ella las noches. ¿No podía comportarse como un adulto? Ella era una mujer libre, libre para hacer lo que quisiera. Y él debía alegrarse por ella.

Había imaginado un malentendido entre ellos, pero en realidad ella no esperaba nada de él. Podía alejarse de ella e irse a casa.

Se preguntó quién sería el hombre cuya cama, en algún lugar de la ciudad, contenía el calor y el perfume de Cecily. Se preguntó si ella le amaba y cuánto tiempo llevaban juntos.

El amanecer creció hasta hacerse día. Se levantó y se lo echó a la espalda. Durante las comidas no se atrevía ni a mirarla siquiera, aunque su presencia era persistente como la impresión de un dedo. La noche se demoró, pero por fin comenzó a derramar su aliento por la casa sobre las nueve y él aceptó su desganada oferta y se fue a la cama. Estaba desesperado por dormir, pero el sueño jugó con él y con la primera luz se dio cuenta de que yacía allí, escuchando, tratando de oír el furtivo regreso de Cecily. Si estaba en lo cierto en cuanto a lo que sucedía, volvería a hacerlo. Su vuelta al cuarto le había parecido bien ensayada.

Se quedó allí, sin oír nada. Tendría que acercarse más a su cuarto. Se levantó y se vistió, no quería arriesgarse a ser descubierto en camisón de madrugada. Prefería estar preparado para el descubrimiento, completamente vestido. Escuchó con atención para oírla delante o detrás de él, colocándose en una escalera que había frente a la de ella.

Una vez allí, sin embargo, cayó en la cuenta de lo fútil y vergonzoso que era lo que estaba haciendo. ¿Qué demonios esperaba averiguar? No podía soportar imaginar su expresión de horror y repulsión si se topaba con ella. Pero había ido hasta allí y ahora estaba atrapado, por miedo a encontrársela al volver. De modo que se quedó en la escalera, frío, entumecido y asustado, hasta que creyó que se acercaban las cinco, más allá de la hora a la que ella sería capaz de arriesgarse a volver, pero antes de que nadie de la casa se levantase. De vuelta en su cuarto, se echó a dormir para no levantarse hasta después de mediodía.

Al día siguiente, durmió toda la noche, aliviado al descubrir que el sueño le había llevado hasta una mañana desplegada por completo. La noche después, fue incapaz de impedirse retomar su vigilancia y se sintió engañado al no descubrir nada. La noche siguiente, el sueño le mantuvo bajo su garra hasta la mañana para liberarlo solo a regañadientes, persiguiéndolo como un perro todo el día. Las dos de después, se despertó antes de las cuatro y continuó con su funesta labor de vigilancia, y fue en la segunda de ellas cuando presenció su regreso de nuevo.

Ese día, Nicholas probó suerte en su puerta. Fue exactamente igual que antes, hacía casi un año, el niño se asomó a su cuarto. Pero el tono de la reprimenda de Cecily —*¡Nicholas!*— desde el pie de la escalera fue muy diferente esta vez. Parecía apenada. Su hijo la estaba poniendo en una situación difícil. Nicholas se retiró de la puerta y Rafael podía haberlo dejado estar, pero no lo hizo; se asomó a la escalera y allí estaban: Cecily apartándolo, tal como había hecho la primera vez. Pero esta vez no hubo sonrisa alguna por su parte, y su ausencia se precipitó sobre él. Se mantuvo firme, ambos se miraron fijamente, sin saber no solo qué decir, sino también cómo mirarse. Luego ella suspiró —un suspiro cuya tristeza y exasperación le parecieron sinceras— y le ofreció una explicación por la intromisión de su hijo: «Usted es su amigo», poniendo cuidado en resultar inexpresiva, salvo por el leve énfasis en «amigo», una cita, un recordatorio: *Yo soy su amigo.*

Tenía razón, por supuesto. Nicholas y él habían construido una curiosa relación entre ellos, pero últimamente Rafael no había estado cerca de él. *Haré daño a tus seres queridos.* E, independientemente de lo que Nicholas sintiese al respecto, su madre estaba furiosa. Rafael lo estaría sin dudar, si estuviese en su lugar. Pero por el momento ella estaba conteniendo su furia, conteniéndolo todo, de hecho, simplemente le miraba.

Tenía razón, pero esa tampoco era toda la verdad. Ninguno de los dos decía lo que había que decir y, una vez más, ella iba a marcharse. Alguien tenía que decir algo y no parecía que fuese a ser ella. Así que, fue él quien tomó la iniciativa: abrió la boca y empezó a hablar aunque no sabía cómo decirlo. Lo que salió fue:

—Hay alguien a quien ama —y le sonó extraño incluso a él.

Como era de esperar, ella no le entendió; frunció el ceño, perpleja.

—Por la noche. —Tenía que insistir, intentar hacerse entender—. Va a ver a alguien por la noche.

El niño la miró y Rafael sintió una punzada de culpabilidad.

La comprensión se posó como un foco en los ojos de Cecily. No lo negó, pero susurró, asombrada:

—Es usted un espía.

Hubo de traducirlo antes de caer en la cuenta. *¿Cómo podía pensar eso de él?*

—No...

—¡Es un espía!

—¡No! —Tuvo que gritar para callarla, a pesar del riesgo de asustar al niño—. Estaba despierto —insistió— y usted volvió... —Se detuvo, lo repitió aunque sabía que era una frase extraña—. Hay alguien a quien ama.

—No. —Así que, aquí estaba la reticente negativa—. No, no es eso.

Pero podía ver la verdad en su rostro.

—Sí lo es. —¿Por qué negarlo?— Cecily —suplicó—, no me mienta.

Ella abrió la boca para negarlo otra vez —podía ver cómo se formaba la negación en sus labios—, así que lo dijo de nuevo, mucho más alto:

—¡No me mienta!

Y en ese preciso momento, para auténtico horror de Rafael, Antonio pasó tranquilamente junto a Cecily. *¿Qué demonios estaba haciendo allí?* Había pasado deliberadamente. Aun con la timidez, la incomodidad que estaba sintiendo, le pareció indignante verlo allí, acompañado de una enorme sonrisa de suficiencia. Rafael sospechó que se disponía a ir a fastidiarle con algo y se había tropezado con la situación, *¿pero no podía haberse retirado? ¿Por qué pasar por allí como si nada?*

Tanto Rafael como Cecily contuvieron sus palabras mientras lo veían pasar; él se tomó su tiempo y colocó firmemente ambos pies al subir cada escalón. Cuando consideró que estaba lo bastante alejado como para no poder oírla, Cecily volvió a mirar desde el fondo de las escaleras y Rafael vio que tenía algo que decirle. Lo veía venir, pero jamás habría imaginado de qué se trataba. Ella lo soltó como si fuese un recordatorio:

—Hay alguien a quien usted ama, Rafael: su esposa.

Y con esto, y antes de que él pudiese responder, se fue.

Tal vez solo cinco minutos después, Rafael oyó los pasos de Antonio en la escalera. No podía creer que tuviese semejante audacia, y no respondió a sus golpes en la puerta. No habría contestado a nadie, no estaba en condiciones, su corazón se ahogaba. Sin embargo, Antonio entró sin más y dijo:

—Menuda pelea estabas teniendo con Cecily.

Rafael se levantó y atravesó el cuarto para mostrarle la puerta.

—Tú no sabes nada de lo que estaba pasando entre Mrs. Tanner y yo.

Antonio se rio, discutiéndoselo con la mirada y dijo:

—Oh, creo que sí lo sé.

Y antes de que ninguno de los dos pudiese reaccionar, Rafael le había pegado y Antonio se estaba retorciendo, doblegado, agarrándose la cara. *Ay, Señor. ¿Qué había*

hecho? *Ay, Señor, ¿le* había hecho daño? Antonio se enderezó y Rafael se llenó de pavor e incredulidad por haberse
puesto en semejante posición, porque ahora habría una
pelea y él no tenía ni idea de pelear. Sin saber qué hacer, se
quedó allí para recibir lo que viniese pero, para su sorpresa, nada llegó. Antonio no le dirigió más que una mirada de
absoluto desprecio, eso fue todo lo que hizo y Rafael entendió que era todo lo que iba a hacer. *Pégame,* se descubrió
suplicando en silencio. *No me mires así.* Pero lo hizo, y siguió mirándole así hasta que se dio la vuelta y se fue.

❧

Francisco nació por fin once días antes del cumpleaños de
Rafael, y fue esa cercanía del cumpleaños de su hijo lo que
acabó por revelarle la verdad. Pero no hasta que llegó su
cumpleaños. Durante once días, los primeros once días de
vida de Francisco, Rafael fue completamente inconsciente. Cuando llegó su cumpleaños, se acusó recibo del hecho —*¡Feliz cumpleaños!*— pero, por lo demás, no dejó
impresión alguna en una casa patas arriba por un nacimiento. Y con razón, creía Rafael. Le alegró verlo pasar. A
partir de entonces, en su casa los cumpleaños serían para
otra persona. Pero aquella tarde, en el cuarto de su hijo,
reflexionó brevemente en lo diferente que era su vida un
año antes y fue entonces cuando cayó en la cuenta: su último cumpleaños había sido la última vez que él y Leonor
habían mantenido relaciones sexuales. Sabía que había
pasado mucho tiempo, por supuesto, pero solo entonces,
sentado junto a su hijo dormido, fue consciente de cuánto

tiempo exactamente. Hasta ese momento, había sido tanto tiempo que había perdido la cuenta, había dado por sentado que había pasado el tiempo de un embarazo. Pero, en realidad, había pasado un año. Más de once meses y medio antes del nacimiento de Francisco.

El ama de cría de Francisco estaba en el otro extremo del cuarto y Rafael temió que hubiese visto su reacción al caer en la cuenta. Había sido tan física para él que le parecía completamente posible que ella pudiese oír cómo tomaba conciencia de la situación. Quizá lo supiese ya. Quizá todos lo supiesen. ¿Lo sabía todo el mundo? No podía creer que no se hubiese dado cuenta.

Se sentía tan expuesto que hubiera sido capaz de gritar. Gritar para que alguien lo hiciese desaparecer. Su madre, incluso. Así de desesperado e impotente se sentía.

No entendía nada; también sentía eso. ¿Cómo había pasado? ¿Cuándo? ¿Cómo? ¿Con quién? ¿Le había estado esperando Leonor para idearlo todo? ¿Había sido demasiado lento? ¿Se hubiera dado cuenta de no haber sido por su cumpleaños? Un largo embarazo, eso era todo lo que habría sido. Y aun sabiendo la verdad de la situación, tal vez la propia Leonor no recordase la fecha exacta. Al fin y al cabo, había sido su cumpleaños. Tal vez no había contado con que él se diese cuenta.

Pero aunque fuese posible que nunca se hablase de ello, ¿se lo echaría ella en cara algún día? Algún día, lo haría. Y entonces ya no podría deshacerse lo dicho y su mundo sería distinto y, con solo un puñado de palabras, dejaría de ser el padre de Francisco. Francisco dejaría de ser su hijo.

La mentira de Leonor ya había durado mucho tiempo. Se componía de un sinfín de momentos en los que ella la había mantenido activamente; todos aquellos momentos, cada uno de ellos, eran una traición, y todavía quedaban muchos por venir. Estaba sobrecogido por la profundidad y la extensión de su traición, no podía ni empezar a concebirla. También estaba sorprendido, nunca la había considerado falsa, ni lo bastante interesada en el sexo para asumir ese riesgo. Pero él no sabía nada. Eso estaba claro.

Sabía que había mentido y que seguía mintiendo pero, en realidad, eso era todo lo que sabía, y no era nada. Porque no sabía quién.

Pero sí lo sabía. Porque últimamente había habido otro aniversario, el de la llegada de Antonio a la casa en calidad de cantero. Contratar a Antonio le había parecido buena idea en su momento. Llegaba con excelentes recomendaciones por su trabajo y enseguida quedó claro que dichas recomendaciones estaban más que justificadas. Pero no fue solo su trabajo el que causó buena impresión. Había causado sensación entre las mujeres de la casa: un hombre fuerte y apuesto de veintipocos años, lo bastante joven para convertirse en el favorito de la casa, pero también todo un hombre. Rafael se había afligido al verlo: un hombre que adoraba que le adorasen; y vaya si lo adoraron las mujeres de la casa al principio.

Todas salvo Leonor, por supuesto, de quien uno podía estar seguro de que jamás se dejaría engatusar por un hombre tan pagado de sí mismo. Antonio mantuvo las distancias con ella durante aquellos primeros días. Ella le incomodaba, Rafael lo sabía. Antonio no era hombre para tratar con mujeres difíciles. Rafael sospechaba que nunca había tenido que ganarse a una mujer y no había aprendido a hacerlo.

Lo que era extraño, sin embargo, es que habían pasado a entablar una especie de amistad en pocas semanas. Una alianza, quizá. Rafael había sido consciente de ello, si bien no le había concedido ninguna importancia. En ocasiones se los encontraba juntos y cuando ella apartaba la mirada de Antonio, sus ojos se posaban en Rafael, pero sin mirarle; una mirada muy distinta a su habitual mirada valorativa. Estaba absorta. En otra parte. Ella y Antonio eran extraños en la casa; Rafael sabía que ella seguía viéndose como tal. Antonio también parecía distinto cuando estaba con ella. Sin su habitual exaltación. Pero no era más que una impresión, sospechaba Rafael. Pero, aún así, era distinto, lo que significaba que hacía una distinción con ella. Y Rafael sabía que ella habría respondido a ello. A sus ojos, Antonio solo era sincero con ella, y le gustaba. Por supuesto. A cualquiera le habría gustado.

Rafael había hecho memoria, pero no había habido nadie más en la casa por esa época. Desde aquellos primeros instantes en el cuarto del niño, jamás había vacilado en sus sospechas hacia Antonio.

Y a partir de entonces, los observaba atentamente en las escasas ocasiones en que estaban el uno en compañía del otro, pero no detectó nada. Para entonces, estaba seguro, Leonor ya estaba tratando a Antonio con el leve desprecio con que trataba a su esposo. Fuese lo que fuese, había terminado.

Se preguntaba incluso si había sido del todo consentido. No le gustaba planteárselo, pero lo cierto era que podía imaginarlo de Antonio: un poco de presión, un poco más de presión, llevarlo demasiado lejos. Al pensarlo, sentía una profunda compasión hacia Leonor.

Tal vez el propio Antonio no lo supiese. Tal vez no supiese que Leonor no estaba acostándose también con su marido; solo lo habría sabido si ella se lo hubiese contado. Y aunque lo hubiese hecho, bien podía haberlo retirado más tarde, mentirle: *Bueno, sí, en realidad, hubo un par de veces.* Sembrando la duda suficiente como para liberarlos a los dos.

Pero si Antonio lo sabía, debía de pensar que Rafael era un idiota o un pusilánime. Rafael no sabía qué era peor. ¿Lo sabía Antonio? Al enterarse del nacimiento de Francisco, había cumplido, había ofrecido sus felicitaciones, pero no había sido más efusivo que nadie. Por aquel entonces, se mantenía a distancia de la casa. En todo el tiempo que llevaban en Inglaterra, no había preguntado por Leonor y Francisco ni una sola vez.

En cuanto a Leonor: se le daba bien. Realmente parecía creer que no pasaba nada y que Rafael era el padre de su hijo. ¿Lo creía? ¿Se había acabado convenciendo de ello? A veces él mismo dudaba: tal vez hubiese habido una ocasión, solo una, que había pasado por alto, o estando medio dormido. Pero no había habido ninguna, lo sabía. Estaba seguro.

Aquel día, en el cuarto de su hijo, al enfrentarse a la verdad, miraba a Francisco sin verlo realmente, estaba demasiado concentrado. Pero entonces, el niño había girado la cabeza un poco, buscándole con ojos resueltos a pesar de que apenas era capaz de ver y la boquita arrugada por el esfuerzo. Era una empresa seria. Aquella carita extrañamente severa. La fe ciega de aquel niño diminuto buscando al hombre que estaba aprendiendo a tener por padre, esperando encontrarlo, esperando que, si lograba girar la cabeza, su padre estaría allí para que lo viese. Era impensable no honrar aquella fe. ¿Por qué había de sufrir Francisco por aquello? Esa fue la decisión de Rafael, allí, en aquel instante: Francisco no debía sufrir por ello.

En público, Rafael se descubría dejando patente su adoración por el pequeño: un reto para Leonor y para cualquiera que lo supiese. *Echa esto a perder, si te atreves.* A solas con Francisco, no necesitaba hacer un espectáculo de ella; era sincera y, si acaso, más intensa.

Cómo pueden atreverse a amenazar nuestra felicidad.

Los dos juntos eran invencibles. Incluso en el undécimo día de vida de Francisco, la paternidad había cobrado vida propia, y esa era la única vida que existía.

❧

Aquella noche, Rafael se saltó la cena, se retiró temprano a su cuarto, a plena luz del día. Se despertó más tarde, en la oscuridad, porque alguien estaba entrando en su cuarto. El corazón le aleteó contra las costillas y abrió un poco la cortina de la cama. Había un resplandor de lino en la negrura de la puerta abierta.

—Sssss… —dijo. *Cecily.* Su figura, larga y esbelta, y la elegancia con que se giraba para cerrar la puerta. Sin duda, era Cecily. El corazón le latía tan fuerte que ella tenía que haber podido oírlo—. Está…

…*bien,* nadie la había visto.

Pero no se acercó más, se había detenido junto a la puerta, con la espalda apoyada en ella.

—Pegó a Antonio —dijo. No detectó ningún reproche, pero el corazón de Rafael se encogió sobre sí mismo porque él no era hombre de pegar a nadie y quería que ella lo supiese.

—Normalmente no lo hago —respondió en un susurro; su inglés le fallaba. Hubiera jurado oír una sonrisa, un cambio en el silencio, aunque sin sonido propio, un debilitamiento de su garra.

—Tal vez debería hacerlo normalmente —dijo ella.

Ahora era su turno para sonreír, si se atreviese a mover un músculo.

—¿Cómo lo sabe? ¿Se lo ha contado él? —Le costaba creerlo.

—Por su labio hinchado —dijo ella—, supongo.

Se acercó a él —él no se atrevía a respirar siquiera— y descorrió la cortina de la cama hasta el final, luego se sentó sobre la cama, al fondo del todo, en el mismo borde. Lo único que podía ver de ella era la granulosa iluminación que prestaba su camisón. Se quedó quieto, no quería sobresaltarla, aunque nada en su comportamiento indicaba que pudiese asustarse fácilmente.

—¿Rafael?

Esperó. Tenía la sensación de que estaba a punto de contarle algo que debía saber aunque quizá no quisiese saberlo. Tenía la sensación de que debía protegerse, pero no sabía cómo.

—Ese hombre… por las noches… Es mi marido.

¿Marido? *Eres viuda,* quiso objetar. Desde luego, lo parecía.

Pero ella nunca había dicho serlo y se despreció a sí mismo por haber sido un idiota. Porque, ¿qué sabía el de ella, en realidad? *Nada.* El hecho de haber sido tan tonto lo dejó sin aliento.

Con todo, seguía resonando en su interior, como un latido: *No hay tal marido.* Porque, ¿qué clase de marido iba a visitar en lo más negro de la noche? Desde luego, había dicho «marido», no «amante». ¿Era un engaño? ¿Alguna especie de broma inglesa? Pero sabía que no lo era, por el modo en que se sentaba allí, compuesta y grave, confiando plenamente en que él la creyese y, a pesar de su seriedad, no le daba importancia a aquella cuestión de su marido. Estaba acostumbrada. *Mi marido.* No había sonado extraño para ella cuando lo había dicho.

Intentó decir:

—Yo creía…

—Sé lo que usted creía. —*Porque querías, porque te dejé creerlo.*

La complicidad se derramó sobre ellos con igual peso. Pero Rafael no entendía nada. Y no sabía por dónde empezar.

—¿Por qué por la noche? —Tal vez una explicación bastase para borrar a aquel marido.

—Es cura —dijo ella.

¿Cura? Por un instante olvidó que Inglaterra había permitido casarse a los curas y, por tanto, lo que decía era

ridículo: los curas no son maridos, los maridos no son curas… pero entonces recordó que sí lo habían sido. Algunos curas se habían casado. De modo que Cecily se había
casado con un cura. *La esposa de un cura,* tenía toda una
vida de la que Rafael no sabía nada. No le había dicho
nada y le había dejado creer una mentira. Y él había sido
lo bastante idiota para creerla. Un español idiota, así era
como se sentía. Un español idiota, muy idiota.

—Voy a *verle,* Rafael —dijo—, quiero decir, que
solo… me reúno con él. —Lo dijo categóricamente: aquello
también era algo que consideraba que él debía saber, y comprendió que quería decir que no se acostaba con él. La intimidad de la confesión le impresionó; no tenía por qué ha-
bérselo contado, ¿no era cierto?—. Voy a verle a veces.
—Como para justificarse, aunque, por supuesto, él no se lo
había pedido, añadió—: Es el padre de Nicholas —dijo—.
Hablamos. Tenemos mucho de qué hablar. —De eso, sin
embargo, no parecía tan segura, poco convencida, incluso.

—Lo siento —se oyó decir en un susurro, y lo sentía,
mucho. Ahora comprendía esa desconfianza, esa falta de
fe. La separación. Lo comprendía. Comprendía el recelo,
la desesperanza, la desilusión.

Se obligó a preguntarlo:

—Pero es su marido. —No lo dijo como una pregunta, con tono entrometido, sino afirmándolo: eso era lo
que era. Tenía que saberlo. Tenía que entenderlo bien.

—Eligió a la Iglesia —le respondió—. Dice que nos
ha elegido a las dos: a su familia y a la Iglesia. Pero no
hubo tal elección, Rafael. Éramos nosotros o la Iglesia, esa
fue la elección que le dieron. Y sigue perteneciendo a la

Iglesia. —Una pausa—. Para poder quedarse en la Iglesia tenía que abandonarnos públicamente. Y públicamente lo hizo —Rafael se estremeció—, pero en privado, no. Esa es su opinión. Su abandono fue una farsa, eso es lo que dice. Ya nos había pedido que le siguiésemos a Londres y viviésemos cerca de él. Y lo he hecho —pero recalcó—, por Nicholas, y solo por Nicholas.

—Pero su marido aún les considera casados —tanteó Rafael.

Ella reflexionó antes de responder:

—Dice que está esperando el momento. Ya hizo eso una vez, Rafael. Seis años, porque estaba seguro de que llegaría el momento en que los curas pudiesen casarse. Era solo cuestión de tiempo, decía. Y tenía razón, en aquella ocasión. Y ahora cree que llegará otra vez, pronto, muy pronto.

Solo podía referirse a la muerte inminente de la Reina, sin heredero, y al acceso al trono de su hermana protestante.

—¿Y qué piensa usted? —se atrevió apenas a preguntar. No se refería a la Reina, y ella lo sabía. Le estaba preguntando si estaría esperando a su marido cuando llegase el día, si llegaba, en que los curas pudiesen casarse de nuevo.

Una vez más, ella se tomó su tiempo:

—Él prefirió la Iglesia a nosotros. —No acababa de ser una respuesta, pero no dejaba de serlo. Añadió—: Sí creo que se vio obligado —y Rafael oyó en su voz que lo comprendía, independientemente de cómo se sintiese al respecto, en cierto modo también entendía que él había hecho lo que tenía que hacer. Luego dijo—: Pero me gustaría que Nicholas tuviese una familia en la que crecer.

—¿Todavía le ama? —Rafael se sorprendió al oírse preguntarlo, pero se sintió bien consigo mismo por haberse atrevido. Eso era lo importante.

—No lo sé. —Y no era una simple evasiva: realmente parecía querer decir que no lo sabía, y que deseaba saberlo. Y eso también lo comprendió.

—Le amaba —murmuró, y oyó el asombro en sus palabras—. Oh, Dios, le amaba, Rafael —ronca de incredulidad, no por el amor pasado, sino por su intensidad, y Rafael sintió que se le encogía el corazón.

—Sigue siendo el padre de Rafael. Pueden convertirlo en mi ex marido, convertirme a mí en su ex mujer, pueden decir que nunca estuvimos debidamente casados, pero jamás podrán decir que Nicholas no es nuestro hijo.

El corazón de Rafael se replegó sobre sí mismo.

—¿Lo ve Nicholas?

—Sí, a veces. Siempre que es posible. Esa es la idea. Esa es la razón por la que voy a verle —dijo—, para hacer planes, seguir adelante. —Suspiró—: No ha sido capaz de darle la espalda a su pequeño, nunca será capaz de hacerlo, lo sé. Pero tampoco ha sido capaz de darle la espalda a la Iglesia, a la fe, a la lucha —se encogió de hombros—, al pueblo de Inglaterra. No se rendirá ante lo que está mal, y yo puedo comprenderlo, por supuesto que sí, y es muy admirable, pero ¿cómo se le explico a un angustiado niño de cuatro años? Echa de menos a su padre —dijo.

—Sí —dijo Rafael.

—Lo echa mucho, mucho de menos, Rafael. Odia esta situación, y yo no puedo explicársela.

—No —por supuesto que no. No tenía sentido para un adulto, cómo iba a tenerlo para un niño de cuatro años.

—«Papá va a estar fuera un par de semanas, pero no puede verte. Nadie puede verle nunca contigo. Tiene que fingir que no te ve nunca. Tenemos que fingir que nunca nos ve». —Dio un suspiró, un suspiro áspero, quebrado—. Intenté convertirlo en un juego, durante un tiempo, pero no funcionó.

Haré daño a tus seres queridos.

Rafael dijo:

—¿No pueden fingir que Nicholas es su sobrino o algo así?

—Demasiado arriesgado. Saben que tenía una esposa y un hijo.

—¿Saben que están en Londres?

—Yo no estoy en Londres. —Y había una sonrisa pícara en sus palabras. Le explicó—: No estoy aquí bajo mi verdadero nombre.

Aquello le sorprendió casi tanto como todo lo demás. *¿No eres Cecily?*

¿Quién, entonces?

—Aquí nadie lo sabe —le advirtió—. Nadie, Rafael. Para ellos soy viuda. —Y añadió—: Fue lo primero que hizo, ¿sabe?

No la seguía.

—La primera ley que derogó, la que permitía casarse a los curas.

La Reina.

La Reina, que había estado a su lado predicando sobre la familia y el amor conyugal. Aquellos «herejes» suyos eran personas, solo personas. Si pudiese oír lo que él estaba oyendo, vería lo que realmente estaba haciendo. Tal vez tuviese razones —Rafael no tenía idea, no era ningún teólogo— para decidir que los curas no debían poder casarse. Tal vez hubiese que prohibírselo en el futuro, pero los que ya lo habían hecho, bueno, ya estaba hecho, ¿no? Había niños. Era una locura pretender que no había sucedido y que los lazos no existían.

Cecily tembló.

—Tiene frío. —Rafael había abierto la ropa de cama antes de darse cuenta siquiera, y allí estaba ella, metiéndose dentro con él. Reconoció su aroma al instante aunque no creía haberse fijado en él antes. Y allí estaba, como un código o una señal secreta, una palabra susurrada al oído. La fragancia en sí era como la de las manzanas que han pasado el invierno en la alacena, junto a la cocina. Agradeció la oscuridad, la privacidad que les brindaba. Interpretó el hecho de que se hubiese metido en la cama tal como era: vacilante y parcial. Aquello no era una capitulación ni una seducción. No se hacía ilusión alguna, y se mantuvo en guardia frente a ella. Era la aceptación de una oferta silenciosa de calor y consuelo, de intimidad, pero no sexual. Eso era todo. Y como tal, no tenía nada de malo: le pareció correcto ofrecer refugio a alguien a quien amaba.

Ella le dijo:

—No quiero hablar más de ello. No ahora. ¡Estoy tan cansada, Rafael!

—Duerme —dijo él.

Se acostaron uno al lado del otro, procurando evitar el contacto. Estar en la cama con ella era más de lo que jamás hubiera esperado, más de lo que había soñado posible, era un privilegio. Por supuesto que le hubiera encantado acercarse más, pero por encima de todo quería que se quedase y no haría nada para poner eso en peligro. Todo contacto era accidental. Con el tiempo, sin embargo, bajo la protección del sueño, se acercó un poco más, y ella también, y luego allí estaban: ella dándole la espalda y él contra la suya, envolviéndola con un brazo. Estaba decidido a honrar su reticencia.

Estaba excitado. No tenía sentido tratar de ocultarlo. Podía pasar el tiempo atormentándose por ello o aceptarlo e intentar ignorarlo, confiando en que ella entendiese que él lo estaba ignorando y que quizá lo apreciase. Y esperaba que comprendiese que su excitación era lo que era: una reacción física que no podía controlar.

No podía más que dormitar por miedo a lo que —en aquel estado— pudiese hacer. En cualquier caso, dormir hubiera sido imposible: darse la vuelta para alejarse de ella o para acercarse cuando estaba completamente abierto a su presencia, a la forma de sus huesos, a la cadencia de su respiración, a la abundancia de su cabello. Tal vez también se mantenía despierto porque estaba pendiente de cualquier indicio por su parte, aunque permanecía vigilante frente a cualquier aspiración.

A su debido tiempo, un poco después, ella se giró hacia él y él sintió su determinación. Luego vino una pausa, y una pregunta en ella. Se movió intencionadamente, solo para hacerle saber que él también estaba despierto y receptivo. No sabría decir quién hizo el primer acercamiento, pero se besaron. Solo una vez: despacio, con mesura, con tiento. Y levemente, también: apenas la presión de los labios contra los labios, eso fue todo. Pero ahí estaba: un beso. Después de todo aquel tiempo... Una declaración tardía y muda. Estaba hecho. No había vuelta atrás. Como reconociéndolo, y tal vez para dejarse claro el uno al otro que no había sido un error, un desliz, lo hicieron otra vez: solo una vez, exactamente igual, un simple beso; ni más ni menos. Y entonces, de verdad, ya no había marcha atrás. Así que lo hicieron otra vez, pero esta vez diferente, ligeramente exploratorio, un recorrido de los labios sobre los labios y alrededor de los labios. Sintió su aliento caliente en la boca —le sorprendió su calor— y saboreó la cocina inglesa: salada y húmeda. Su excitación era ahora dolorosa, se sentía impotente, y avergonzado por tener que arriesgarse a ofenderla.

Ella sacó la lengua y luego la deslizó por la suya, y luego se besaron y volvieron a besarse como si besarse lo fuese todo y pudiesen pasar la noche besándose. Se habían acercado más mientras se daban todos aquellos besos: él tenía un muslo entre los suyos, uno de los muslos de ella estaba entre los de él. Rafael era demasiado consciente de sus pechos y de la acidez femenina que surgía del interior de su camisón. No se atrevía a mover las manos, pero ella acabó por mover las suyas, recorriendo como por casualidad una de sus nalgas y dejando descansar allí la mano y entonces él no era más que la piel bajo esa mano, como si ella lo estuviese hechizando. Tuvo que obligarse a seguir besándola porque, si paraba, su atención se quedaba fija en aquella mano de ella. Renovó sus esfuerzos para limitarse a besarla.

Pero entonces ella se incorporó. Iba a marcharse, por supuesto. Por supuesto. Pero no: se levantó el camisón y se lo quitó por encima de la cabeza. Sus ojos se habían adaptado a la oscuridad y pudo ver parte de ella —formas, sombras— y lo que veía ahora eran sus pezones, grandes y oscuros, como frutas, imprevisibles en una mujer tan pálida. La imitó y se quitó su camisón —difícilmente podía dejar de hacerlo, ahora— y se alegró de liberarse de él. Su piel, suave como un pétalo, estaba hecha para ser tocada y la recorrió una y otra vez con la mano, bajando por toda la espalda, sobre la prominencia de sus nalgas, para volver a subir hasta la sedosa textura de un pecho. Ella recorrió su nariz con un dedo, luego sus pómulos, las cejas, los labios, y luego volvió a recorrerlos con levísimos besos, de un modo en cierta manera más íntimo por su levedad. Él, a su vez, recorrió el nacimiento de su cabello con los labios, la mandíbula y la diminuta cavidad de su oreja. Los movió adelante y atrás sobre sus cejas, saboreando su aspereza. Su cabello, el olor de su cabello, y su libertad, deseaba sentirlo caliente sobre su cara, deseaba ahogarse en él.

—¿Cecily? —sonaba extraño en la oscuridad. Desde tan cerca, todo habría sonado extraño.

—¿Sí?

—¿Sabes que te quiero? —No era una declaración, quería decir exactamente lo que había dicho: *¿Lo sabía?* Tenía que hacer que lo supiese, no podía permitir que pensase que aquello se debía a la pura frustración, a llevar tanto tiempo lejos de casa.

Ella respondió con una medio risa que no logró tranquilizarle.

Él insistió:

—¿Lo sabes? —No quería asustarla, pero tenía que hacer que lo supiera.

—Sí, lo sé —y parecía divertida aun estando triste. Oyó la tristeza en sus palabras y, por supuesto, la comprendió. No era bueno amar a alguien que estaba casado con otra persona y pronto estaría a más de mil millas.

Estaban pegados el uno al otro; emitían un sonido indecoroso al moverse para volver a acomodarse, que provocó una sonrisa en los labios de Cecily —sobre los suyos— que, a su vez, provocó una sonrisa en los de Rafael. Estaba encima de ella y se zambulló para besarle el cuello y bajar recorriendo uno de sus hombros. Apoyado sobre un codo, se echó hacia atrás para contemplar sus pechos, posó los labios sobre uno de sus pezones y luego sobre el otro.

Ella se movió con cierta dificultad para liberar un brazo, una mano, desplazó el peso de ambos cuerpos y estiró la mano hacia abajo, le agarró. Ella les hacía avanzar, Rafael no acababa de creerlo. Se sentía embriagado, sintió una liberación de tensión que solo podía haber soñado y al mismo tiempo su predecible y casi insoportable intensificación. Ella movió las caderas debajo de él, le estaba colocando. Él se dispuso a asegurarse —*¿Estás segura?*— pero su inglés le había abandonado y simplemente le preguntó:

292

—¿Sí?

—Sí —respondió ella, risueña.

En respuesta —en reconocimiento y agradecimiento—, la besó. Pero estaba pensando: ¿Y el riesgo de quedarse embarazada? ¿No estaba preocupada? No parecía estarlo.

Se apretó contra él.

Si se quedaba allí, ella le dejaría entrar; se derretiría en ella.

—No te preocupes —susurró—, no te haré daño. —Lo había dicho en su lengua, pero sintió que ella le había entendido y que se producía una levísima cesión. Con ella guiándole, comenzó a abrirse paso hacia su interior, con su mano todavía allí como para mantenerle erecto, como si hubiese la menor posibilidad de que no lo estuviese. Y entonces estaba dentro de ella y ambos se movían. Era como un despertar para él, todavía no había llegado del todo. Aunque la sensación era exquisita, seguía estando un poco más allá, sentía que iba en su busca, sin ser capaz de atraparlo, de hacerse con ello. Pero entonces despertó y se entregó por completo al momento: no había nada más.

Tomó una de sus manos y la apretó, con la palma hacia arriba y abierta, contra la suya, entrelazando los dedos con los de ella. *Podría morirme ahora, esto me basta; no pido nada más.*

Ella dijo algo, pero más para sí misma que para él, y él no lo escuchó. Y aunque lo hubiera escuchado, no lo habría entendido. O tal vez sí, en cierto modo. Al oírlo, sonrió un beso y ella le respondió haciendo lo mismo y, en cierto modo, le hizo gracia —dos sonrisas unidas—, así que su sonrisa se hizo más grande y lo mismo hizo la de Cecily, lo que les hizo más gracia todavía. Ella tampoco le entendería: podía decir lo que quisiese y ella lo interpretaría como le pareciese, pero no se equivocaría demasiado. Ansiaba llegar más hondo, más alto, más plenamente dentro de ella. Más precisión, extrañamente esa fue la palabra que le vino a la cabeza. Pero era imposible, no había espacio para moverse, estaban apretujados el uno contra el otro. Ella era pura insistencia, se apretaba contra él en busca de más, y su respiración estaba cambiando. Tenía que hacer que le besase cuando llegase, cuando él llegase. *No te vayas, no respires, no te alejes en busca de aire; mantente unida a mí.*

Después se quedaron allí acostados, todavía unidos, durante un rato; era el momento de deleitarse en ello, de disolverse en la sensación de la piel sobre la piel del otro. Se dijo que debía estar preparado para su arrepentimiento y sus reproches, que debía prepararse para ellos, aunque no tenía idea de cómo.

No debería haberlo hecho, Rafael. No deberíamos haberlo hecho.

El arrepentimiento también estaba allí, en su busca, acechante, y más tarde tendría que hacerle frente, tendría que llegar a algún acuerdo con él, pero ahora no, no en aquel momento. Por ahora, tendría que dejarle en paz.

Pero no: se separó un poco de ella, para que supiese que la estaba mirando, haciéndole una pregunta, *¿Estás bien?* Era un riesgo: le estaba ofreciendo la distancia que necesitaba para alejarse de él y explicarlo, disculparse por ello —*Ha sido un error, ¿verdad?*— e irse. Sin embargo, lo que ella hizo fue suspirar, una clara indicación de que ella tampoco quería enfrentarse a nada de aquello, y le acarició y la espalda y los hombros para tranquilizarle, para hacerle ver que estaban juntos en aquello, que estaba con él en aquello. Eso era todo lo que deseaba y, evitando el espacio húmedo, se acomodaron para dormir.

Pero no del todo. Porque había algo que le inquietaba. ¿Debía atreverse a preguntárselo?

—¿Cecily?

Ella se puso tensa. Estaba preparada, así que podía preguntar. Y dijo en la oscuridad:

—¿Cuál es tu verdadero nombre?

Ella permaneció igual de tensa y no respondió. Él lamentó haberse pasado de la raya, lo lamentó profundamente. Había llegado hasta allí y entonces, solo para satisfacer su curiosidad, le había pedido demasiado. Pero qué tranquilizador resultó, apenas un minuto después, el tacto de su dedo en la espalda, y él se dejó consolar. Una larga y sinuosa pincelada de su dedo, y otra vez, más breve en esta ocasión, más definido, y luego un simple toque, y entonces lo entendió: no era un gesto tranquilizador, era un mensaje. Estaba escribiendo su nombre.

S-i-c

Se quedó allí, escuchando el dedo mudo sobre su piel y entonces, cuando ella terminó, lo pronunció: «Sicilia».

Ella se marchó poco antes del amanecer; él estaba demasiado soñoliento para mostrar más que la mínima conciencia de su marcha. Por la mañana despertó solo, pero el recuerdo de Cecily, su calor y su aroma, seguían allí para que él se deleitase en ellos. *Había sucedido,* había sucedido. Y ella había extraído todo el placer posible de su encuentro. Sintiese lo que sintiese ahora, su entusiasmo había sido inequívoco, innegable. ¿Cómo, por qué, se había conformado con tan poco en su vida? ¿No había sido consciente de que podía alcanzarse tal placer? No algo meramente físico. No, no había sido consciente. Pero ahora sí, y nunca podría dejar de serlo. Estaba enganchado. Cuando se había frotado contra él, le había parecido que ella le conocía tal como era y que, hasta entonces, él mismo no se había conocido. Sentía que había encontrado a su pareja, aunque antes no supiese que le faltaba.

Tampoco era que a Leonor fuese a importarle, si lo supiese. No, realmente. ¿Por qué habría de importarle? Probablemente le agradaría. Le aliviaría verse liberada de él. Lamentaba haber sido una carga para ella, debía de haber sido difícil para ella, ahora se daba cuenta. Él y Leonor no estaban destinados a estar juntos, por más que él lo hubiese deseado. Ella siempre lo había sabido, pero él se había negado a verlo. También lamentaba que ella no tuviese en su vida lo que él acababa de vivir. Probablemente lo había vivido con Gil. En cuanto al marido de Cecily: bueno, él la había abandonado, ¿no? No lo había hecho voluntariamente, pero, en efecto, era lo que había hecho.

Rafael estaba a su merced. Haría todo lo posible por ella, pero si ella decidía alejarse de él, tendría que aceptarlo. Tal vez incluso ahora, en el otro extremo de la casa, se estuviese arrepintiendo, culpándole por haber ido tan lejos cuando él —que no estaba apenado, como ella— debería haber sido quien le pusiese fin. Pero peor, mucho peor que cualquier cosa que ella pudiese decirle o hacerle, era el hecho de que, justo cuando aquello había sucedido, iba a tener que marcharse. Podía ser a finales de esa misma semana. Habría más de mil millas entre ellos. *¿Podía estar sucediendo?* No podía estar sucediendo. No podía suceder. No tenía ni idea, ni la menor idea, de cómo iba a poder soportarlo.

Pero él no podría vivir en Londres. No querría. Bueno, sí podría. La gente lo hacía. La gente sobrevivía, se casaba, tenía hijos, llevaba sus negocios. Podía pedir permiso a la Reina para quedarse. Pero no podía quedarse, por Francisco.

Lo que quería era que se le permitiese, de algún modo, amar a Cecily. Ellos dos en una habitación, nada más. Visto así, no parecía demasiado pedir.

Estaba de pie junto a la ventana, contemplando los tejados de Londres. Allá abajo, en algún lugar, estaba el hombre que había sido el marido de Cecily y todavía se consideraba como tal. Aquel hombre no sabía nada de lo sucedido en el cuarto de Rafael. Para él probablemente aquella mañana fuese como cualquier otra, es decir, solitaria. Quizá estuviese pensando en Cecily. En su ausencia. Rafael creyó saber parte de lo que podía estar pensando o sintiendo; pero para aquel hombre, Rafael ni siquiera existía. *Se ha alejado de ti,* por más que le compadeciese, Rafael sentía que el hombre debía saberlo. Le envió el mensaje mentalmente a través de los tejados. *Hace mucho que se ha alejado de ti.* Por más que lo lamentase, debía afrontarlo. Rafael no le envidiaba aquellos difíciles encuentros de madrugada con Cecily; pensar en ellos casi le hacía agradecer lo poco que normalmente decía Leonor.

Oyó un golpe en su puerta, la puerta se abrió y en el umbral apareció Antonio. Antonio y su labio: aquel labio que requería su atención y a la vez le exigía que desviase la mirada. El corte todavía estaba abierto, con la sangre apenas coagulada, y por un solo instante Rafael sintió su blandura como propia. Si en algo consolaba a Antonio, Rafael se había puesto lívido. Pero él no dio muestra alguna de haber reparado en ello.

—Escucha, Rafael, ha habido una... —parpadeó, frunció el ceño fugazmente— ...batalla. A las puertas de palacio. Mi amigo Alonso ha resultado herido y probablemente no sobreviva.

Rafael se estremeció: ¿una batalla? ¿Alguien no sobreviviría?

—Acaba de llegar un mensajero. Seis muertos, montones de heridos, van a mantenerlo en secreto, por lo de... —No se molestó en terminar. *Por todo.*

—Sí —dijo Rafael; se había quedado sin palabras, la sangre se arremolinaba en su interior. No era de extrañar que a Antonio no le molestase el labio.

—Es un buen amigo —dijo Antonio—. Ha sido un buen amigo para mí, y he de —se encogió de hombros— quedarme con él.

—Sí —dijo Rafael, sintiendo la sangre palpitando en la cabeza—. Sí, pero... —¿*Cómo llegarás allí?* Las calles, el río, las escaleras y pasajes de palacio, todo albergaba un peligro potencial.

—Bueno, no intentaré regresar. No lo creo. —Un viaje solo de ida—. Quiero decir, no hasta…

…hasta que el niño nazca vivo o muerto, hasta que la situación se resuelva en un sentido u otro y nos liberen, nos dejen ir.

—No.

—Me quedaré allí.

—Iré contigo —se ofreció Rafael, repentinamente convencido. Aquello requería solidaridad—. Será más seguro.

La respuesta de Antonio fue una mirada mordaz, divertida, que Rafael tardó un momento en descifrar: últimamente su compañía no le había hecho ningún bien a Antonio precisamente, ¿no era cierto? Se estremeció.

—Lo lamento —dijo sin darse cuenta, y se alegró de haberlo dicho.

Antonio pareció ir a decir algo, pero luego se conformó con decir otra cosa:

—Me las arreglaré solo —dijo—, pero gracias, Rafael. —Y luego se dio media vuelta y se marchó.

❧

Rafael no había visto a Cecily aquella mañana al ir a buscar el agua para su aseo. Pero sí la había visto a la hora del almuerzo: le sonrió al verla entrar en el salón y se le alegró el corazón. Y con aquella sonrisa, comenzaron sus visitas a su cuarto, casi todas las noches, a veces de día, en ocasiones una sola vez, pero en ocasiones solo para saludarle y volver a bajar las escaleras nada más llegar, pero no importaba porque lo único que importaba era que había venido.

Él vivía para que ella viniese a su puerta, se suspendiese entre aquellos golpecitos en su puerta. Eso era lo que hacía, lo único que hacía, ahora: escuchar en busca de sus pasos. Sí, hacía bocetos y diseños, pero entonces aparecía ella y aquellos bocetos y diseños no eran nada, solo trazos y garabatos, y todo el tiempo que había pasado solo se disolvía en la nada. Y empezaban a besarse antes de que ella hubiese terminado de entrar por la puerta y se reían ante su propio fervor y sus subterfugios, ante su puro deleite y lo ridículo que resultaba en dos personas adultas.

Las noches que no venía, él avanzaba a la deriva por las aguas poco profundas del sueño y no renunciaba a ella, no hasta que comenzaba a oír el comienzo del día en la casa. Aquellas noches nunca sabía si había ido a ver al cura, a su ex marido. Y más tarde, cuando podía preguntárselo, no lo hacía. Intentaba no pensar siquiera en ello. Intentaba aceptar que ella tenía sus razones para no acudir. Sabía que no podía ir cada noche, dejar a Nicholas y aventurarse a cruzar toda la casa. Por su parte, ella nunca explicaba sus ausencias, ni siquiera las mencionaba jamás. Lo dejaba estar y, por tanto, lo mismo hacía él.

No era que no hablasen. Para dos personas con tantas cosas de las que no podían hablar, hablaban mucho. Reflexionaban sobre sus respectivas educaciones, tan distintas, y sobre el breve pasado que compartían.

Y cuando dijiste…

Y aquella vez que tú…

Y juntos hacían de él una historia: su historia, la historia de los dos. Pero no hablaban nunca de su situación, nunca. ¿Qué podían decir de nuevo o de revelador al respecto?

¿Hablaban otros de ellos? ¿Sabía la gente lo que había entre ellos? A Rafael no le importaba, ¿qué iban a hacer al respecto? Y si la gente lo sabía, ¿les importaba? Tenían una preocupación mucho más seria pero sobre la que tampoco había nada nuevo que decir: la situación de la Reina, la situación del país. Existía la posibilidad de que cualquiera que la mencionase se metiese en problemas, ¿y quién necesitaba más problemas? Ya tenían más que suficientes, y nadie podía arriesgarse a llevarlos a casa.

La espera de un anuncio de palacio siguió y siguió: días desde la primera vez que Cecily había ido a su cuarto, luego una semana, y otra. Probablemente ya no tenía sentido esperar, a estas alturas las probabilidades de que llegasen buenas noticias eran escasas.

Rafael se preguntaba a menudo qué habría sido del amigo de Antonio. ¿Se habría repuesto? ¿Estaría enterrado en suelo inglés?

Le decía a Cecily que la amaba, se lo decía a menudo.

—Y yo te quiero a ti —respondía ella con igual insistencia, pero con una actitud distinta, calmada, como si le corrigiese.

Una vez, sinceramente confuso, le preguntó:

—¿Por qué me amas?

Ella tuvo que pensar.

—Por cómo me miras. —Se corrigió—: Porque me miras.

Estaba avergonzado, contrito.

—No… —intentó explicarse mejor—. Es confiada —dijo—, esa mirada tuya. Eres confiado.

Que era exactamente como ella le miraba a él. Aquella primera mirada, su primera sonrisa de hacía casi un año, en la escalera, había sido exactamente así.

Y una vez le dijo que era bello. Le cogió la cara entre sus manos ahuecadas y lo dijo con voz grave, tal vez incluso desconcertada: «Nunca he visto a nadie como tú». De tez oscura, quería decir. Posiblemente también de rasgos distintos, sabía que su cara era bastante distinta de la mayoría de las caras inglesas, que eran alargadas y planas. Algunos ingleses tenían la cara enjuta, con la piel tersa y traslúcida sobre el puente de la nariz, en tanto que en otros, la abundancia de grasa presentaba el aspecto de carne cocida. La mayoría de los ingleses eran gordos o flacos pero, a Rafael no le cabía la menor duda, por la misma causa: su pésima comida que, bien pasaba por sus cuerpos como el agua, bien se quedaba pegada a ellos. No era buena para el cuerpo. Pero eso era cuando había comida, y se avecinaba un invierno de hambre.

Desde su ventana, Rafael veía que había más gente en la calle a pesar de los aguaceros, a pesar de la cancelación oficial de las celebraciones de los días de San Pedro y Santiago y a pesar de los guardias armados, los hombres uniformados de los duques que patrullaban a caballo en grupos de a cuatro y a seis. Las patrullas habían empezado tras la quema de una embarazada de veintiséis años, Perotine Massey, que se había puesto de parto en la hoguera. El recién nacido había sido rescatado por la multitud y devuelto a las llamas por el *sheriff*. Durante la noche siguiente Rafael oyó como si se rompiesen todas las ventanas de todas las iglesias de la ciudad y había deseado que los alborotadores siguiesen adelante. Que continuasen toda la noche. Y aunque sabía que era imposible, había deseado que el clamor llegase al palacio de Hampton Court para que la Reina se enterase del monstruoso acto que se había cometido en su nombre. Tenía que despertar a lo que estaba pasando, el pueblo de Inglaterra la necesitaba desesperadamente.

A pesar de la agitada atmósfera, cada vez llegaba más gente a Londres. La causa era el fracaso de la cosecha por segundo año consecutivo, lo que suponía un año más de lo que la gente podía soportar. Rafael había oído hablar en la casa de grandes inundaciones en el campo, de animales muertos en los prados y cosechas podridas. Por su aspecto, muchas de las personas que bajaban por la calle bajo su ventana venían del campo en busca de trabajo y comida. Familias enteras cargadas con fardos, llevando a niños consigo. No se detenían para abrigarse de la lluvia bajo los aleros, como hacían los londinenses, seguían adelante, pero sin rumbo, pues la misma gente volvía a pasar tras una hora o dos. Caminaban en círculos. Debían de estar exhaustos, pero seguían adelante, expectantes. Llamaban la atención y lo sabían, estaban avergonzados, desconfiados, serviciales, apartándose del camino de los demás.

Eso era cuando eran nuevos en la ciudad. Al final acababan buscando abrigo, pero no como los londinenses, pensando en continuar cuando escampase. No seguían su camino hasta que se veían obligados a hacerlo, porque no tenían adónde ir. Se agazapaban: obstinados, desesperanzados, confundidos, sin saber dónde ponerse. Había visto —aunque deseaba no haberlo visto— a aquellas gentes aliviándose en la calle. Al principio lo hacían a escondidas, avergonzados, luego, sin el menor cuidado. Un día vio cómo un transeúnte pateaba a un niño que estaba tirado en la calle. Oyó el grito herido del niño, su indignación, y vio la suciedad en sus piernas. Compadeció al muchacho, pero se compadeció igualmente de quien tuviese que cuidarlo al encontrarse con aquella suciedad sin tener una muda ni agua salvo la procedente del conducto de refrigeración.

Temía por Cecily. Se importaría comida, pero sería costosa, un coste que los Kitson probablemente podrían asumir, pero, como ama de llaves, Cecily tendría que levantarse de madrugada, con el frío cortante, y recorrer casi corriendo varias millas hasta los muelles, con sus cestas, tras los rumores de los desembarcos. Y las frenéticas multitudes en los muelles, los riesgos que correría para atravesarlas y luego, si lo lograba, para alejarse con su mercancía y llegar a casa sana y salva; no quería pensar en todo aquello. Y luego, de lo que lograse traer, ¿cuánto sería para ella y su hijo? ¿Cuánta generosidad mostrarían los Kitson ante las necesidades de sus propios hijos? Y aunque ella y su hijo tuviesen comida, viviría entre gente llena de hambre, vecinos y amigos con los que se cruzaría en la calle, desviando la mirada de sus ojos lentos e hinchados.

En unos pocos meses, parte de aquella gente estaría vendiendo sus botas y mantas a cambio de comida, envolviéndose los pies en harapos para caminar por el lodo y la nieve. E incluso entonces, parte de ellos tendría que decir a sus hijos, al final del día, que, una vez más, no había nada que comer. Absolutamente nada. ¿Cómo se tomaría eso

Francisco? Lleno de rabia, al principio, imaginaba Rafael. Durante un tiempo, se llenaría de rabia, desesperado y se negaría a aceptarlo, culpando a su padre.

¿Por qué no hay nada que comer? ¡Quiero comer algo! ¿Por qué no me puedes conseguir algo de comer?

¿Y luego? El cansancio se apoderaría de él y se chuparía el pulgar. Y luego, más adelante, para intentar tapar el agujero de su estómago, flexionaría la mano y se chuparía la base del pulgar, más carnosa, encajándosela en la boca. ¿Qué pasa si un niño hace eso continuamente?, la piel se levanta, se irrita, se vuelve más fina. *¿Dónde está Dios?* Eso era lo que pensaba Rafael al ver a aquella gente allá abajo, en la calleja. ¿Realmente era voluntad de Dios que la gente muriese de hambre? ¿Los niños, los bebés? Caminos inescrutables, pecados originales, ya sabía todo eso. Sencillamente no era capaz de creerlo, y si eso era una flaqueza suya, que así fuese.

El patio delantero de la casa de los Kitson estaba inundado; el agua les llegaba hasta los tobillos. Según había oído, en Hampton Court los cortesanos tenían que salir en procesión a diario, hiciese el tiempo que hiciese, por un patio situado bajo las dependencias de la Reina, y ella se asomaba a la ventana para saludarles. Se suponía que tal exhibición de los cortesanos era para desearle suerte, alegrarla, pero su acercamiento a la ventana para saludarles era en realidad una oportunidad para demostrar que todavía estaba viva. Pero no funcionaba porque, según había oído Rafael en la casa, se decía que la figura que les saludaba era una efigie o alguien disfrazado. ¿Sería Mrs. Dormer, la sonriente acompañante de la Reina?, se preguntó Rafael. Pero él sí creía que era la Reina quien se asomaba a la ventana; no creía que estuviese muerta. No parecía tener nada grave cuando la había visto. En cuanto a si había estado realmente embarazada, ¿quién podía saberlo? Le costaba creer que estuviese perpetrando un engaño consciente, sospechaba que sencillamente no sabía cómo o cuándo parar. Si uno espera algo, a alguien, ¿cómo sabe cuándo ha de abandonar la espera?

En la casa, a menudo veía a alguien mirando desde una puerta o una ventana el cielo abandonado por el sol. Nadie mencionaba que el sol se había rendido y se había ido, era tan terriblemente obvio que no era necesario decirlo. Como mucho, estaba el levantamiento de una ceja, un silencio revelador. Cuando Cecily estaba con él en su cuarto, le gustaba el rumor inquieto de la lluvia en el tejado. Como si estuviesen a la deriva en medio de un mar. Tras las cortinas de su cama, se esforzaba por darle lo mejor, por conjurar el placer para ella y enterrarlo bien hondo. A veces, sin embargo, no podía más que entrar en ella y tenerla firmemente contra sí, con igual intensidad, y maravillarse una y otra vez ante su fortaleza, su determinación.

Una noche, cuando todos ocupaban sus puestos para la cena, el mayordomo subió al estrado para hacer un anuncio: la Reina había abandonado su confinamiento e iba a pasar el fin de semana fuera con su esposo antes de retomar sus quehaceres. Dicho esto, pasó directamente a bendecir la mesa y a continuación comenzó la cena con el acostumbrado silencio. En cada uno de los rostros que Rafael podía ver —no podía ver a Cecily—, había una elaborada falta de expresión, y la cena fue rápida, la gente estaba deseosa de salir del salón para discutir lo que acababan de decirles.

Si el anuncio era cierto, la Reina estaba viva y lo bastante bien como para viajar. Y el matrimonio había sobrevivido, al menos por el momento, al menos de cara a la opinión pública. Seguía teniendo un marido, había acudido a él y él la llevaba fuera para pasar el fin de semana. La apoyaba, estaba a su lado públicamente. La patente omisión, por supuesto, era la mención del niño, como si jamás se hubiese esperado nacimiento alguno.

Abandonar aquel confinamiento absurdamente largo, sin haber tenido descendencia y sin ofrecer explicación alguna suponía dignidad o, cuando menos, un intento de mantener la dignidad ante una humillación que Rafael no lograba imaginar. Haber cometido semejante error, un error de cálculo tan básico, no solo a los ojos de su esposo sino de todo el mundo, de monarcas a campesinos que no sabían siquiera dónde estaba Inglaterra... Saber que sería objeto de canciones y juegos infantiles durante años: la Reina que imaginó un hijo, que sacaba barriga y andaba por ahí doblando la espalda y frotándose la nuca. La Reina envejecida que se había engañado a sí misma creyéndose lo bastante joven para ser bendecida con un hijo. Peor aún: saber que había tanta gente que creía que merecía lo que le había pasado. Toda la casa de los Kitson lo creía, Rafael lo sabía. Podía verlo. No había ni una pizca de compasión en ninguno de aquellos rostros, solo desesperación por salir de la habitación y cotillear sobre ello.

Podía ver mentalmente a la Reina: la expresión de su rostro, sus ojos pequeños y brillantes, su mirada penetrante. Imaginaba su resuelta diligencia en un dolorido entorno impuesto. La tensión visible en sus hombros. Pero más allá de eso, no podía imaginar cómo debía de sentirse. «Decepción» era una palabra demasiado débil. Una decepción atroz. Una decepción devastadora. Haber creído mimar a un bebé durante tantos, tantos meses. Haberle mimado, de hecho: respirar por él, comer por él y acomodarlo al final del día en su interior, antes de dormir, mientras soñaba futuros para él. Y luego darse cuenta de que en realidad jamás había existido, de que nunca había habido nadie allí. Solo ella, tan sola como siempre.

Para Rafael, sin embargo, la noticia significaba algo muy distinto de lo que significaba para el resto de la casa. El fin de semana de la pareja real era el principio de la marcha del príncipe. Una muestra de preocupación conyugal antes de abandonarla. Era el principio del fin. Tras el fin de semana, el príncipe plantearía la cuestión de su marcha a Francia. Rafael imaginó la impaciencia del príncipe por volver a su vida, su alivio por haber terminado su cometido en Inglaterra. Podría volver a la verdadera tarea de un príncipe: gobernar sus tierras. Gobernar, no quedarse sentado esperando a ser invitado a compartir el gobierno aquí, una invitación que jamás llegaría ahora que el matrimonio bendecido había resultado ser cualquier cosa menos eso. Además, Inglaterra, ¿por qué demonios habría de querer gobernar semejante lugar?, un país donde ni siquiera se podía quemar a un puñado de herejes sin que se produjese la anarquía. Así era probablemente como él lo veía. Y no habría forma de convencerle, supuso Rafael. En lo que a él respectaba, había cumplido con su deber. Había soportado más de lo debido, y ahora se iba.

Después de cenar, Rafael se fue a su cuarto. Esperó despierto a Cecily hasta medianoche, pero ella no acudió. Había creído que lo haría, pero no le sorprendió que no lo hiciese y, en cierto sentido, se sintió aliviado. No sabía qué le habría dicho. No sabía qué le habría dicho ella, pero sabía que fuese lo que fuese lo que hubiera tenido que escuchar, no habría sido bueno. Aquella no era una buena noticia para ella. Nada había cambiado, y esa era la peor noticia posible para ella. Hasta una mala noticia —lo que ella consideraba un mala noticia, el nacimiento de un príncipe sano— hubiera sido mejor porque al menos podría intentar tomar decisiones. Al menos habría sabido lo que probablemente le esperaba, al menos en un futuro cercano. Pero aquello, aquello solo significaba más de lo mismo, más espera, más nada. Un Reina envejecida, sin heredero, pero, a pesar de todo, viva y todavía casada y todavía, era de suponer, con la posibilidad, por remota que fuese, de un futuro embarazo. A pesar de todo lo que había padecido Inglaterra durante un año entero, habían vuelto exactamente a donde estaban.

Rafael no tenía ni idea de lo que le habría dicho a Cecily, pero le hubiera gustado tratar de reconfortarla. Probablemente deseaba estar sola, y él lo comprendía, pero dudaba que fuese lo mejor.

Y, en cualquier caso, se avecinaba un cambio para ella. ¿No se había dado cuenta?, él se iría en unos días.

Apenas durmió, echado en su cama mientras las horas pasaban lentamente a su alrededor y hacían retroceder la noche.

Por la mañana Cecily también parecía exhausta y el niño parecía nervioso, irritable. Rafael sólo los vio desde la distancia, una distancia que le pareció buscada por ella. La miró brevemente para ofrecerle una breve y débil sonrisa que le encogió el corazón. *Háblame.* No subió a su cuarto aquel día, un día durante el que hubo una ejecución, cuya noticia llegó a la casa a la hora de la cena y se extendió por la cola que conducía al comedor. La víctima de la quema era una mujer cuyo crimen había sido defender la Biblia en inglés. Qué maravilla, había proclamado antes de que encendiesen la leña, poder oír la palabra de Dios. La gente decía que la quema había sido torpe: no había nadie que avivase las llamas, pues los guardias y funcionarios luchaban contra el gentío. Se le habían quemado las piernas hasta la mitad del muslo, pero luego tuvo que esperar hasta que llegaron los refuerzos y reconstruyeron la hoguera, volvieron a encenderla y la atendieron debidamente.

La gente también decía que el día anterior había nacido el primer nieto de la mujer. Tras el nacimiento de Francisco, a Rafael le sorprendió su ilusión ante la perspectiva de tener un nieto algún día. Nunca lo había previsto y entonces había caído en la cuenta de que, dado que la paternidad le había llegado tan tarde, tendría suerte si llegaba a conocer a sus nietos.

No podía creer que la Reina no se horrorizase al descubrir lo sucedido, si se enteraba de la existencia de ese nieto. No podía permanecer inmutable después de lo que había soportado. Sin duda eso la habría vuelto más humilde, ahora le resultaría difícil creer que Dios estaba de su lado. Y ahora sabría lo que era perder a alguien. Sí, había perdido a su madre y a su hermano menor, pero aquello era distinto, un hijo. Había perdido a un hijo, eso le había pasado: debería haber un niño en aquel cuarto infantil ahora abandonado. Aquel cuarto infantil que ella había decorado a base de meses y meses de meticulosas puntadas.

Cecily le avisó de que no iría a verle aquella noche, se lo susurró al pasar a su lado: «Esta noche voy... de visita». Le agradó que se lo dijese, lo agradeció. Y por supuesto, por supuesto, tenía que ir a ver al padre de Nicholas. Lo entendía, él estaría esperando su visita. Tendría que hablar sobre lo que iban a hacer ahora que nada había cambiado, ahora que lo que podía haber cambiado no lo había hecho. Se quedó despierto mucho tiempo esa noche, preguntándose de qué estarían hablando exactamente. No sabía nada de los términos de sus charlas, de los acuerdos —o desacuerdos— que había entre ellos. Él le habría contado todo sobre su matrimonio, si ella hubiese querido saberlo, le habría contado todo lo que quisiese saber. Quería contárselo. Cierto, no le había contado lo de Francisco —lo de su concepción—, pero lo haría. Estaba seguro. Simplemente todavía no había tenido ocasión. Pero en lo que a él respectaba, no era un secreto entre ellos.

Sabiendo que estaba fuera, no escuchó esa noche esperando oírla, pero sí esperando oír los pasos de Antonio en la escalera. Posiblemente no regresaría nunca, quizá se iría simplemente. Quizá, como había dicho una vez, todos, todos los españoles, deberían irse antes de que aquello se convirtiese en un infierno. Tal vez se uniese a ellos y volviese para apoderarse de la vida de Rafael, o intentarlo: su trabajo, su esposa, su hijo. Rafael no tenía contacto con ningún otro español en Londres. Era como si hubiese dejado de ser español, viviendo en aquella casa inglesa, hablando inglés, amando a una inglesa. Sería tan fácil escurrirse por entre las mallas de la red, hundirse allí y quedarse… Pero no podía dejar que sucediese. Esperaría una semana y después, si no tenía noticias del regreso a casa, buscaría la forma de llegar al palacio de Hampton Court y hacer ver su presencia. Porque, por supuesto, iba a volver a casa. Por supuesto que sí. Iba a volver a casa con su pequeño. Recordó la vez en que Francisco le había dicho: «Cuando seas viejo, seguirás siendo mi papá».

Volvería si podía.

Al día siguiente, Cecily no fue a verle. Ni al siguiente. Se dio cuenta de que le estaba evitando, y se le daba bien, ni siquiera podía captar su atención. Se dio cuenta de lo que estaba haciendo, al fin y al cabo, él había hecho lo mismo al darse cuenta de que estaba enamorado de ella y de que no podía hacer nada al respecto; iba a perderla. No solo se estaba concentrando en arreglar su futuro, se estaba apartando de él en previsión del dolor que la aguardaba. Mejor acabar con todo, así se había sentido él cuando había intentado distanciarse de ella, pero sabía por experiencia propia que no funcionaba. *No hagas esto,* le dijo mentalmente. Pero no le llegó. Sabía que no debía intentar forzar la situación. Tenía que darle tiempo. Esperar que ella estuviese preparada. Estaba desorientada, era obvio incluso en los escasos atisbos que tenía de ella. Y no estaba sola en eso: había un visible decaimiento en los ojos asombrados de todos los criados de los Kitson, en sus miradas distraídas. Rafael podía verlos pensando: *Hemos cargado con una Reina loca y, aunque ya estamos todos excomulgados de todos modos, va a seguir quemando a más y más gente.*

Por las noches no dormía, no verdaderamente: la esperaba. Al tercer día la abordó de camino al salón, pero ella estaba nerviosa, exasperada y fría —«Rafael... no... por favor... ahora no»— y se negaba a mirarle a los ojos. No iba a ceder. Era peor de lo que había previsto: sospechaba que pretendía alejarle de ella como si jamás hubiese estado cerca. Bueno, eso no iba a funcionar. *No puedo ayudarte, Cecily, si no me dejas.* No sabía cómo podía ayudar, pero encontraría la manera. Sería capaz de aliviar su pena de algún modo, aunque solo fuese por un instante. Si le diese una oportunidad. Pero ella le estaba apartando.

A partir de entonces, dejó de bajar a comer. No podía enfrentarse a un nuevo rechazo por su parte. Además, no tenía apetito. Su estómago ya estaba bastante ocupado royéndose a sí mismo. De vez en cuando, fingiendo malestar, visitaba la cocina cuando todos los demás estaban en el salón y pedía un poco de pan y queso. Así era como se mantenía vivo. Por lo demás, prácticamente no salía de su cuarto. Tenía que estar donde ella pudiera encontrarlo, en cuanto estuviese dispuesta. Un lugar donde pudiesen tener intimidad de inmediato, que no le diese la oportunidad de echarse atrás, de intentar posponerlo. Aquella espera era tan distinta de su habitual deseo soñoliento de que pasase el tiempo... Estaba alerta, en posición. No renunciaba a ella, mientras ella se esforzaba tanto para que hiciese exactamente eso.

No escribió a Leonor y Francisco. Siempre había tenido intención de escribir antes por si no sobrevivía al viaje, pero ahora que se acercaba el momento, simplemente no podía imaginar que ninguna carta suya pudiese llegarles. Parecían tan fuera de su alcance... Habitantes de un tiempo muy remoto. Era como si no terminase de creer en ellos, ya no.

De todos modos, no podría haber escrito, físicamente. No podría haberlo hecho porque ya no podía sujetar bien la pluma. Estaba aquejado de temblores. La sensación era como si tuviese la sangre completamente alterada, como si hubiese dejado de ser líquida, quizá; ya no era suave, cálida, sosegada, sino como arenilla, escociéndole por dentro. Y también tenía una molestia encima de un ojo, como si le presionasen con el pulgar. Cuando el dolor era más fuerte, más persistente, tenía que permanecer horas sentado, concentrado en su respiración, para mantenerlo bajo control.

A veces se descubría culpando a Nicholas de que Cecily no apareciese: si no fuese por aquel patético niño necesitado, estaría allí. Otras veces añoraba intensamente al pequeño y la culpaba a ella: si al menos le permitiese venir, Rafael podría contarle cuentos para alegrar su carita huraña.

Esperaba a Cecily y su vuelta a casa, sin saber qué llegaría primero, pero deseando que ella llegase antes que ningún mensajero. Pero la distancia se estrechaba, se cerraba sobre ella. Él deseaba que permaneciese abierta, sentía que su vigilia podría mantenerla abierta.

❧

Al quinto día, lo comprendió con un vuelco en su interior: no iba a ir. No se sentía capaz de ir o sentía que no debía. Tal vez hubiese acordado algo cuando había ido a ver a su marido. Fuese cual fuese la razón, el hecho de que no acudiese a su puerta era un mensaje que no podía seguir fingiendo no oír. Ella iba a mantenerse apartada de él.

Pero si creía que él iba a desaparecer como si jamás hubiese existido, se equivocaba.

Su decisión fue instantánea y rotunda: sabía lo que tenía que hacer. Había intentado mantener la paz, se había pasado la vida intentando mantener la paz, ¿y dónde le había llevado eso? Allí arriba, en su cuarto, había actuado con cautela, con discreción, y no había resuelto nada. *No me quedaré sin hacer nada.* Podía hacerlo mejor. Podía hacer algo mejor por ella.

La Reina era la respuesta, si podía llegar hasta ella, si le permitían verla. ¿Acaso no le había dicho: «Si alguna vez puedo hacer algo por usted…»? Aparte de Cecily y Nicholas, nadie en Inglaterra le había mirado dos veces siquiera, con la sola, y extraña, excepción de la propia Reina de Inglaterra. Y sus pequeños, brillantes y serios ojos habían visto su corazón. Sentía —¿era una ilusión?— que ella sabía que algún día podría estar en situación de prestarle la ayuda que necesitaba. Habían compartido una ex-

315

traordinaria intimidad durante los breves momentos que habían pasado juntos. Ella le comprendería. Seguía creyendo —más que nunca, de hecho— que nadie la entendía en Inglaterra. Y ahora la entendían menos que nunca, la consideraban una Reina engañada, arruinada, vengativa. Él creía que ella había esperado y lo había intentado y a veces tardaba en ver sus errores, pero luego no dudaba en admitirlos. No tenía orgullo —nada de orgullo— y jamás se defendía. Ella era su única esperanza y rezaba para que a pesar de sus recientes tribulaciones —tal vez quizá debido a ellas— estuviese a la altura de lo que iba a pedirle. *Si alguna vez puedo hacer algo por usted...* No era un buen momento, por así decirlo, para pedirle nada —para pedir verla siquiera— pero no tenía elección, no tenía tiempo y tenía que confiar en que le perdonase su intromisión en su dolor.

Se aventuró a hacer un rápido viaje para afeitarse y luego fue a ver al mayordomo para decirle que necesitaba hacer llegar un mensaje a un contacto en la casa de la Reina, ¿era posible? Actuó con seguridad en sí mismo, y el mayordomo no puso impedimento alguno. No podía conocer las funciones de Rafael —o la ausencia de ellas— en las relaciones entre la Casa Real española y la de la Reina, y había visto que le habían llamado a palacio en otras ocasiones. Sin duda era posible, le aseguró, no había problema. Y cogió la carta dirigida a Mrs. Dormer para enviarla.

Entretanto, si Cecily aparecía, no le diría lo que estaba planeando; no quería que se sintiese obligada a convencerlo de que no lo hiciese. Aquella noche se sorprendió al ser capaz de dormir, despertó más tarde de lo habitual y se angustió al pensar que tal vez se hubiese perdido la respuesta de palacio. Pero no fue hasta última hora de la mañana cuando llegó un mensajero uniformado: un tipo cálido, de ojos incoloros, que debía acompañar a Rafael en el largo viaje por el río hasta el palacio de Hampton Court. El tipo no dijo nada durante todo el viaje, pero no parecía haber mala intención en su silencio. Irritación tal vez, pero no mala intención. Rafael imaginó que había estado bebiendo la noche anterior, tenía pinta de haber bebido. Al igual que la mayor parte de los ingleses, aunque normalmente eso no les hacía callar.

El tiempo no era malo —hasta había destellos de luz solar en el agua—, lo que era maravilloso para Rafael, y apropiado. Absorbió el efervescente aire del río y descansó la vista, después de haber pasado tanto tiempo encerrado en su cuarto. Había planeado pasar el viaje pensando en lo que iba a decir, primero a Mrs. Dormer y luego, si tenía éxito en su misión, a la Reina. Pero no lo hizo, no pensó mucho, simplemente dejó que el viaje siguiese su curso. Tirado en la barca, entregándose a su balanceo, tomó conciencia de lo absolutamente exhausto que estaba, del peso muerto de sus piernas. También se sentía ligeramente mareado, pero la náusea llevaba días rondándole, no tenía nada que ver con el movimiento de la barca.

Debió de quedarse dormido no muy lejos de Whitehall y despertó con el cese de los remos. Se sacudió para devolver la vida a sus miembros, dio las gracias a los sofocados y desdeñosos remeros y saltó detrás del muchacho a unos escalones desiertos. Luego bajaron por un sendero igualmente desprovisto de gente —largo, ancho, cubierto de grava— hacia los edificios. Allí, el mensajero se dirigió a una puerta pequeña, sin ornamento alguno ni vigilancia, la abrió y entraron a una estrecha escalera de caracol en la que había que mantener los brazos pegados al cuerpo para pasar. Subieron con dificultad dos tramos hasta una puerta que daba a una galería cuyos suelos y paredes desnudas parecían prolongarse eternamente, incluso tras las esquinas, de modo que, tras un rato, Rafael se preguntó si habían vuelto al punto donde habían empezado o incluso si lo habían pasado. Seguían sin ver a nadie ni oír nada. Finalmente, tras una puerta guardada y una escalera más ancha, de madera, había una galería que no podía diferir más de la anterior: con muchas ventanas, una gruesa alfombra y paneles sobredorados. Al poco, bajo la impasible mirada de un cuarteto de guardias, fue entregado a una de las ocupantes de la habitación que había tras una inmensa puerta de roble: una mujer joven, vestida con caras ropas, que le sonrió con gesto distraído.

Mrs. Dormer se encontraba en el interior de aquella estancia cubierta de deslumbrantes tapices. Se levantó de una silla:

—Mr. Prado —había un leve tono inquisitivo en su voz. Su sonrisa, aunque cálida, no deslumbraba, aquellos meses de confinamiento junto a la Reina le habían hecho mella. Vino hacia él y él se apresuró a saludarla debidamente, dándole ya las gracias por haberle permitido llegar hasta allí, pero ella le quitó importancia —al saludo, a la explicación—, tomándole dulcemente del brazo—. Está preparada para verle —dijo, guiándole hacia una puerta.

La habitación de la Reina daba al este y, en lugar de la luz del sol, estaba iluminada por el fuego. Había varias damas —seis o siete— junto al fuego, y la más ricamente vestida era la Reina, con un vestido del color de la noche con perlas por estrellas. Cuando la ayudaron a levantarse, una pesada cruz cubierta de rubíes se balanceó y rebotó contra su corpiño. Rafael se inclinó y permaneció así mientras ella se acercaba.

—Mr. Prado —no había sorpresa en su voz profunda y monocorde. Con un levísimo toque, le indicó que debía enderezarse. Su cara, con el rubor provocado por el calor del hogar como sendos arañazos en las mejillas, carecía de expresión, de pasión cuando antes había estado animada por la pregunta y la preocupación. Sus ojos parecían más pequeños que nunca, hundidos en su piel flácida.

Le dijo que lo lamentaba muchísimo. No especificó. No había necesidad.

Ella pareció sopesar lo que había dicho y Rafael imaginó que no estaba acostumbrada a oírlo. Luego dijo:

—Gracias, Mr. Prado. —Procurando no revelar ninguna emoción. Pero procurando, también, darle peso—: Gracias. —Inclinó la cabeza hacia el mirador de una de las ventanas.

Allí, mirando hacia el río, ahora negro, comentó:

—Pronto se irá a casa.

Con el séquito de su marido, claro. Incómodo, Rafael eludió la cuestión:

—Oh, no lo sé…

Ella no lo aceptó.

—Lo hará. —Y luego, fingiendo alegría—: Verá a su hijo.

El tono de Rafael fue un reflejo del de ella:

—Oh, no estoy seguro de si sabrá quién soy.

A eso también replicó:

—Volverá a saberlo. Pronto será como si nunca hubiera estado fuera.

Lo dijo alegremente, y él sabía que nunca podría ser así, ni él querría que lo fuese. Se obligó a decir:

—Majestad…

Ella no respondió, tuvo que dar por sentado que le estaba escuchando. *Si alguna vez puedo hacer algo por usted…*

—En la casa donde vivo en Londres, hay un niño de cuatro años. Como mi hijo —le recordó, de cuatro años.

Ella se giró para mirarle, y hubo un atisbo de su antigua franqueza:

—¿Le recuerda a Francisco?

Él negó con la cabeza, casi sonriendo, porque la idea era tan improbable como para resultar divertida, a pesar de todo.

—No, tiene la misma edad, pero no se parece en nada a Francisco. —Solo que en realidad no lo sabía. No sabía cómo era Francisco ahora. Contuvo la desesperación—. Este niño —intentó de nuevo—, Nicholas, es un niño muy infeliz. No habla…

—¿No puede hablar? —la pregunta fue tan rápida y el gesto de sorpresa tan marcado que desconcertó a Rafael.

—Puede —repuso—. Puede, pero… —Era difícil de explicar y, en cualquier caso, era irrelevante, lo importante era—: Cuando tenía tres años perdió a su padre.

Ella volvió a darle la espalda y le habló desde la distancia, mirando al río:

—¿Le preocupa que su hijo esté así cuando llegue a casa?

Una vez más, sacudió la cabeza, pero lo que le había planteado le permitió decir:

—A mi hijo le han contado que su padre está lejos, al otro lado del mar, trabajando para una Reina.

Ella no respondió, pero su silencio poseía una suavidad como si estuviese ligeramente complacida por formar parte de su historia.

—Y le han dicho que volveré a casa —continuó, con la sensación de adentrarse en una hondonada desconocida—, y que todo irá bien. Y mientras he estado aquí he podido escribirle, dibujar para él…

—¿Dibujar?

Una vez más, le había pillado desprevenido. Se encogió de hombros:

—El Puente de Londres…

Pareció agradarle, porque asintió.

—Las imágenes son mejores —sintió que debía continuar— para…

—…Sí.

Lo retomó donde lo había dejado.

—Al otro niño, al de aquí, le cuento historias…

Ella parecía perdida otra vez, inerte frente a la ventana, una muñeca de trapo absurdamente extravagante. Pero entonces le sorprendió preguntándole:

—¿Historias de España?

—Historias de Inglaterra. —Estaba nervioso, probablemente prefería los relatos bíblicos, y el Rey Arturo podía ser territorio especialmente peligroso, con su perversa hermanastra y su matrimonio fracasado.

—¿Ah?

Preguntó con un tono tan cansado que tuvo la impresión de que se limitaba a guardar las formas, pero tenía que responder.

—Sobre el Rey Arturo. —Se aseguró de que sonase despectivo: *cosas de niños.*

—El último Rey bueno de Inglaterra —dijo ella a la ligera, escéptica, como si citase de memoria. Luego—: ¿Le gustaban a Francisco esas historias?

—Oh, él era demasiado pequeño.

—Tal vez cuando vuelva a casa, entonces.

—Tal vez. —La vuelta a casa otra vez, no quería pensar en casa, no en aquel momento.

Volvió a sorprenderle, preguntándole esta vez:

—¿Le resulta difícil dejar al niño, a este niño de Londres?

—Sí. —Agradeció que lo sacase a colación—. Sí, es difícil. —Luego—: Y a su madre, ha sido una buena amiga.

Ella ya había perdido el interés, y dijo únicamente un obligado:

—Estoy segura de que su compañía les alegraba. —Pero luego algo cambió y ella se giró hacia él, mirándole con algo similar a la compasión—: Ha sido una época difícil para usted, ha pasado mucho tiempo. Lo lamento.

Sin querer, le había recordado su terrible época.

Sin saber qué hacer, continuó con lo que había venido a preguntarle:

—Majestad, ¿es mejor tener cualquier padre que no tener ninguno?

Ella respondió vanamente:

—La paternidad es un regalo de Dios. —Que no ha de cuestionarse, se sobreentendía. Pero ella la había cuestionado y había apartado a algunos padres de sus hijos. La sangre le bullía, caliente, bajo la piel—. El mayor de Sus regalos, quizá —dijo sin entusiasmo—, el amor de un padre y un hijo.

A Rafael le desagradaba hablar de los hijos como regalos de Dios porque, ¿en qué lugar dejaba eso lo que él había hecho? ¿Se había apropiado del regalo de otra persona al ser el padre de Francisco? O tal vez el regalo de Dios fuese tanto mayor en su caso, por haberle dado lo que, de otro modo, no habría tenido.

—Es un regalo de Dios y debe ser honrado.

Pero usted no la ha honrado, estuvo a punto de decir. Por el contrario, se obligó a decir lo que había ido a decir:

—He venido aquí a suplicarle su ayuda, Majestad.

Ella se giró para mirarle, con aquel pronunciado pliegue entre los ojos.

—No puedo volver —le imploró— sabiendo lo que sé. Estaría mal por mi parte volver a casa como antes. No puedo fingir que aquí no ha pasado nada.

Su expresión no se inmutó, estaba esperando a que él soltase lo que había ido a decirle. Pero ahora que había llegado el momento, no sabía cómo. Se había equivocado al pensar que sabría cómo hacerlo llegado el momento.

Pero de repente, lo supo, o al menos supo por dónde, cómo empezar.

—Majestad, conozco a un hombre que tiene que mentir para poder ser un padre para su hijo. Un hombre a quien, si supiese la verdad, mucha gente le diría que debe renunciar a su hijo. —Su corazón había alzado el vuelo entre las costillas, dejándole sin apenas aire para respirar—, ¿pero está mal… —se apresuró a decir— …puede estar mal… —vaciló— …hacer la labor de padre para un niño? —Lo expresó de forma enrevesada en inglés, pero le pareció cierto—. Es una labor —insistió, más para sí mismo que para ella—. Es amor, lo sé, pero es lo que Dios nos encomienda, ¿no es así? Es lo que tenemos que hacer, y podemos hacerlo bien o mal, y podemos hacerlo mejor…

Había olvidado lo que le estaba pidiendo. Ella parecía impasible, pero no le contradijo.

—Y cuanto mejor la hagamos —siguió adelante ciegamente—, más fuerte será el niño, y un niño fuerte puede ser…

Ser, saber y sentir, y amar, y hacer y… maravillarse. Sí, eso era, eso era lo que deseaba, por encima de todo, más allá de todo, para Francisco: que mirase a las estrellas o a los ojos de alguien y se maravillase.

Dijo:

—Conozco a un hombre que vive toda su vida como una mentira solo para poder ser un padre para su hijo. Solo para poder acariciar el pelo de su hijo, besarle la frente, preguntarle cómo le ha ido el día.

—¿Pero por qué? —Su pregunta era más que una pregunta, una expresión de frustración frente a una situación absurda.

Bueno, podía decírselo.

—Porque es cura.

Nunca hubiera creído que una cara tan pálida pudiese ponerse lívida.

—Cuando los curas podían casarse, se casó y tuvo un hijo. —Lo expresó de otro modo—. Dios le dio un hijo, pero luego le dijeron que tenía que renunciar al trabajo para el que Dios le había elegido, o renunciar a ser padre. —Se encogió de hombros—. Creo que un hombre no puede renunciar a ninguna de esas cosas.

A ella se le llenaron los ojos de lágrimas. Nunca antes, a pesar de todo, la había visto llorar.

—Su esposa ha venido a Londres en secreto, vive una vida secreta, lo bastante cerca para que él pueda ver a su hijo. Se reúnen para que él pueda ser, a veces, un padre para su hijo. Es un secreto, le dicen al pequeño, porque a todos los demás papá debe decirles que no quiere ser tu papá.

Ella parpadeó y las lágrimas se derramaron. No reaccionó ante ellas, no las enjugó.

—Y me preguntaba por qué no habla.

Ella asintió, lo sabía:

—El niño de cuatro años de su casa —susurró.

—Nicholas. —Había entregado el destino de Nicholas a la mismísima Reina de Inglaterra para que lo pusiera a salvo—. Tenía que contárselo. —Se alegraba tanto de haberlo hecho… Sabía que había hecho lo correcto. Lo que había ido a hacer. Había funcionado.

Ella se miró las manos apretadas:

—Comprendo.

—Sabía que lo entendería. —Nadie más se hubiera atrevido, pero nadie más la conocía como él.

Sin alzar la vista, se enjugó por fin las lágrimas:

—Entiendo, gracias, Mr. Prado. Lo comprendo. Gracias. Ha hecho bien en contármelo.

❧

Se dijeron un último adios formal y se desearon lo mejor. Ella le había dicho que quizá tuviese que regresar para llevar a cabo el desafortunadamente estancado proyecto del reloj de sol cuando las relaciones entre su pueblo y los visitantes españoles mejorasen, y él había accedido. Sin duda, ella no lo creía. Él sí, y se preguntaba con angustia cuánto duraría su Reinado y cómo terminaría.

Le habían llevado al comedor justo a tiempo para el turno español y se había incorporado, apretujándose en la mesa más cercana a la puerta, aliviado por no ver a ningún conocido. Se alegraba de estar solo. Mirando a su alrededor, pensó en cómo podía haber pasado toda su estancia en Inglaterra en aquella casa española en palacio, compuesta en su totalidad por hombres, y en lo radicalmente distinto —inimaginablemente distinto— que habría sido aquel año. No se sentía en absoluto vinculado a aquellos hombres de ojos apagados. Su vínculo era con Cecily, y cuán fuerte y vibrante era, en cierto modo, más aún por la separación física. Allí sentado, todo su cuerpo vibraba por él. La mantenía a su lado y la llevaba consigo; sus recuerdos de ella y la certeza de su futuro, de su libertad.

Estaba muerto de hambre y comió bien antes de cruzar el palacio para presentarse, como le habían indicado, en la garita del río donde había de pasar la noche. Al acomodarse en la cama, supo que dormiría profundamente. Sentía que le había devuelto su vida a Cecily, había llegado a su vida y no se la había hecho más fácil, probablemente la había hecho más difícil, pero ahora, antes de irse, lo había arreglado. Esperaba sentir algo similar por sí mismo pero, por el contrario, se sintió apesadumbrado toda la noche, despertando una y otra vez al recuerdo de lo que había hecho. Se sentía turbado, cosa que no tenía sentido.

Al amanecer, bajó hasta la orilla del río para preguntar por la marea y le dijeron que tendría que buscar en qué entretenerse toda la mañana, cosa que le resultó fácil, en vista de la longitud de la cola que había en la delegación española. Horas más tarde, al llegar al principio de la cola, le dieron el nombre de un barco y le dijeron que esperase a ser llamado en dos días. Hizo una última visita al reloj astronómico antes de ir al comedor para almorzar.

Cuando llegó a casa de los Kitson al caer la noche, vio que estaban desmontando la casa. Nada más entrar, había dos paredes desnudas y las suelas de sus botas resonaron sobre el suelo descubierto. Claro: ya no había razón para que los Kitson siguiesen en Londres. Habían estado esperando el alumbramiento real, pero ahora podían regresar al campo para pasar lo que quedaba de verano y el otoño. Era de suponer que Cecily se quedaría. Durante un angustiado segundo, sintió que si él se quedase también, todo sería como hacía un año, cuando la casa había parecido suya durante meses.

La repentina presencia del mayordomo en una puerta adyacente le hizo dar un respingo.

—Un mensaje para usted, Mr. Prado: al final del Puente de Londres, mañana a las diez.

Exhausto y distraído, Rafael no entendió nada, cosa que el mayordomo debió de ver porque le ofreció lo que parecía una sonrisa sincera y le explicó:

—Se va a casa.

El corazón de Rafael quedó suspendido en su pecho como un péndulo inmóvil.

—¿Mañana?

—A las diez. —El mayordomo parecía complacido por poder decírselo—. Al final del Puente de Londres. —Donde atracaban los barcos. —Mandaré a un par de hombres para que lleven su baúl.

Deshecho en temblores, Rafael apenas podía sostenerse en pie o respirar.

El mayordomo se estaba dando la vuelta para seguir su camino a otra parte, y Rafael tuvo que gritar para que le oyera:

—¿Está Mrs. Tanner? —No tenía intención de preguntar por ella, pero la pregunta había salido de su boca y sintió alivio. ¿Qué demonios había pensado? ¿Que realmente podía irse sin una palabra de despedida?

El mayordomo se detuvo —una parada firme, reacia— pero solo se giró a medias y pareció tener que tomar aliento para mantener el equilibrio:

—No.

¿Qué quería decir?

—¿No?

—No. —Sostuvo la mirada de Rafael y dijo—: Vinieron a buscarla unos hombres esta tarde.

328

Rafael no entendió nada de lo que le había dicho.

—¿Unos hombres?

—Los hombres del duque.

Los hombres que rondaban las calles para mantener el orden.

—¿Los hombres del duque? —Odiaba repetir como un loro lo que había dicho el mayordomo pero no sabía qué hacer, qué preguntar.

—No sé por qué —confesó el mayordomo.

Bueno, Rafael podía suponerlo. No era más que una suposición, pero sin duda no era una coincidencia. Había ido a ver a la Reina para hablarle de ella y ahora aquello. ¿Pero los hombres del duque? ¿Los responsables de hacer cumplir la ley? Tal vez hubiese habido algún malentendido y la Reina tendría que intervenir. Y pronto, esperaba, muy pronto, porque ¿dónde estaba Cecily ahora que había caído la noche? Con una sacudida, cayó en la cuenta de que no había preguntado:

—¿Nicholas?

—A Nicholas también.

Intentando averiguar cómo había sido la situación al llegar los hombres, preguntó:

—¿Estaba Mrs. Tanner… sorprendida?

El mayordomo respondió simplemente:

—Sí —y, de repente, «sorprendida» era un eufemismo. Estaba consternada, eso era lo que implicaba su abrupto e inequívoco «Sí».

—¿Y no ha vuelto? —pero él sabía que no había vuelto. El mayordomo ya le había dicho que no había vuelto.

La única respuesta que obtuvo ahora fue una negación con la cabeza.

Teníaintención de ir a la cocina, pero se retiró a su cuarto para calmar su inquietud. Sentado en el suelo, agarrándose las rodillas, con la espalda apoyada contra la cama, se recordó a sí mismo que la Reina se había mostrado afectada por la apremiante situación de Cecily y Nicholas. Había visto su pesar con sus propios ojos. Los hombres del duque habían ido a buscar a Cecily y a Nicholas porque no había un modo más seguro, en aquellos tiempos difíciles, para acompañar a una mujer y a un niño por la ciudad. Cecily estaba alterada porque todavía no sabía por qué habían ido a buscarla. ¿Y no era bueno que hubiese sucedido antes de lo que había previsto? Se dijo todo esto una y otra vez, pero su inquietud persistió y se quedó en el suelo hasta que dejaron salir a los perros y oyó sus patas sobre los guijarros de debajo de su ventana. Al oír la llamada del mayordomo para que regresasen, se levantó y se metió en la cama.

❧

Al final salió tarde, aunque tampoco había mantenido demasiadas esperanzas de que Cecily regresase. Había calculado que necesitaría un cuarto de hora para ir andando hasta el Puente de Londres, pero el reloj de sol de St. Benet's le informó de que había tardado eso solo en bajar Lombard Street. Le estaba costando soportar la caminata. Había pasado mala noche. El día era inusualmente cálido e iba cargado con su capa. Al tomar Gracechurch Street, en dirección sur, el sol le hizo bizquear y comenzó a sentir otra vez la presión sobre su ojo izquierdo.

Para cuando Gracechurch Street se convirtió en New Fish Street, el dolor se le había metido en la cuenca del ojo. Paró —alguien tropezó con él— para presionarlo con la palma de la mano. En algún lugar cercano, había un niño llorando: una llantina frenética que reconoció de las postrimerías de las batallas con Francisco, cuando la protesta cedía terreno a la impotencia y la desesperación. El ojo empezó a llorar y se metió en un callejón en busca de un respiro frente al resplandor del sol. El niño que berreaba estaba en el callejón, pero a cierta distancia, y a punto de desaparecer tras una esquina. Tenía más o menos la edad de Francisco. Seguía rezagado a un adulto o era de una de las casas. En un segundo, alguien llegaría corriendo en su busca o lo cogería como un fardo para llevarlo adentro.

Un lado del callejón estaba tan sumido en la sombra que resultaba invisible. Rafael parpadeó con fuerza, dos veces, y presionó el ojo dolorido antes de volver a intentar repasar la fila de edificios oscuros. Vislumbró al niño siendo abrazado por un compañero de su edad. El ojo se le llenó de lágrimas; al enjugarlo, vio que se había equivocado y que el niño estaba solo. Muy solo, se dio cuenta de repente, de ahí los lloros. El niño estaba desesperadamente solo, y se arrojaba a merced del callejón desierto. Rafael dio unos pasos por el callejón, y el niño se convirtió en Nicholas. Se dio un golpe con la mano en el ojo enfermo, pero el niño seguía siendo Nicholas; el niño *era* Nicholas. Nicholas, sin duda. Y no había rastro de

Cecily. El pecho de Rafael se contrajo con tal violencia que llevó las manos a él. Tras la esquina apareció una mujer; se acercó vacilante al niño, se inclinó hacia él. Él gritó su angustia ante ella. Ella se enderezó, con una mano en el hombro del niño, y miró a su alrededor, llamó por el callejón. Apareció un hombre, igualmente reticente al principio, pero luego él también empezó a gritar. Un único paso atrás mareó tanto a Rafael que le hizo vomitar. Cuando hubo recuperado el equilibrio lo suficiente para levantar la vista, vio que se habían abierto puertas y que había llegado más gente. Una multitud, se había formado una multitud en torno a Nicholas, y estaba indignada por él. Con las manos sobre su cabeza, sus hombros, entre sus pequeños omóplatos, la gente le guiaba callejón arriba, proclamando la noticia.

$\propto$

Al final, Rafael no se quedó en cubierta con todos los demás para ver cómo Inglaterra se alejaba. Se echó en su litera, rodeado del barullo de la madera y las olas. Así, no tuvo la sensación de abandonar Inglaterra, solo de entregarse al mar.

Nota histórica

Tanto Rafael de Prado como Antonio Gómez y todos los miembros de la casa Kitson son invención mía. He procurado el rigor histórico en todos los aspectos.

Para más información sobre el proceso de creación de este libro, visite: www.suzannahdunn.co.uk

AGRADECIMIENTOS

Muchísimas gracias a David y Vincent por soportarme
—¡casi siempre!— mientras escribía este libro, que llevó
su tiempo; a Antony Topping de Greene and Heaton y a
Clare Smith de HarperCollins, por su gran trabajo en mi
nombre, sus ideas y su buen humor, paciencia y amabilidad sin límites; a Jo Adams y Carol Painter, por dejarme
tan a menudo su precioso refugio de Birdcombe Cottage,
donde escribí gran parte de este libro; a Malcolm Knight,
secretario de la Thames Traditional Rowing Association
(www.traditionalrowing.com), por la información sobre
—lo han adivinado— las embarcaciones de remos en el
Támesis durante la era Tudor; y a Matt Bates, que sabe un
par de cosas sobre antiguas Reinas.

Los siguientes libros me resultaron útiles:

ERICKSON, Carolly, *Bloody Mary, The life of Mary Tudor*
(Dent, 1987; Robson Books, 1995).
LOADES, D. M., *Mary Tudor: A life* (Basil Blackwell, 1989).

PICARD, Liza, *Elizabeth's London* (Weidenfeld and Nicolson, 2003; Phoenix, 2004).

PROCKTER, A., y Taylor, R., *The A to Z of Elizabethan London* (Harry Margary, Lympne Castle, Kent, in association with Guildhall Library, London, 1979).

RIDLEY, Jasper, *The life and times of Mary Tudor* (Weidenfeld and Nicolson, 1973).

WEIR, Alison, *Children of England: The Heirs of Henry VIII* (Jonathan Cape, 1996; Pimlico, 1997).